JN111968

実践！
創意を育むデザイン思考

泉 里志

本書に登場する主な学生作品……4

はじめに……6
デザイン思考を具現化する。
教育現場からの挑戦

なぜ美術大学が折りたたみ椅子なのか
ビジネスマンが教壇に立つ意味
授業そのものを「デザイン思考」で組み立てる

序章 デザイン思考
「デザイン思考」という
「考え方」を教える。

1 デザインの定義 12
2 デザイン思考とは 13
デザイン思考の由来／さまざまな説明
泉流のデザイン思考
3 有形──無形のデザイン 19
両輪もしくは循環として
有形と無形の相互作用
4 教育現場から考える
実戦型デザイン思考 22
動きをデザインする難しさ
イノベーションとリ・デザイン
折りたたみ椅子講座のプログラム進行表

第1章 オリジナルアイデアを
生み出す
デザイン講座の実際：
創作のための基礎作りと誘導。

1 創作の土壌を整える──1
Step 1 過去を学ぶ 28
椅子の歴史的流れを知る
折りたたみ椅子の歴史
2 創作の土壌を整える──2
Step 2 構造を学ぶ 34
折りたたみ椅子の仕組みを学ぶ
3 創作への誘導──1
Step 3 名作椅子の模型制作 36
「ニーチェア」を自分の手で作る
4 創作への誘導──2
Step 4 現行モデルを
リニューアルする 39
オンウェーチェアを部品から組み立てる

キャンパス風景 42

第2章 アイデアを形にする
デザイン講座の実際：
創作プロセスを体験する。

1 指導のポイント 着想のための方法論──1
観察力の訓練 46
ひらめきの探し方／奇才である必要はない
自然界からのヒント
2 指導のポイント 着想のための方法論──2
リサーチ 50
分析力の育成／サーチとリサーチ
「鍵」は図書館にあり／量から質への転換
3 指導のポイント 着想のための方法論──3
シンセシス──統合 52
シンセシス＝新たな価値の合成
科学技術としてのシンセシス
成果を蒸留する
4 指導のポイント 着想のための方法論──4
奇想天外と立体思考 54
学生たちの発想力
脳内で立体を動かす訓練
5 無形を有形にするプロセス──1
Step 5 スケッチ 56
アイデアを紙上に描き出す
6 無形を有形にするプロセス──2
Step 6 模型制作 58
模型作り／模型不要論の台頭
模型作りの意味を再考する
3Dモデルの活用
7 無形を有形にするプロセス──3
Step 7 実物大作品で検証する 65
自分の作品を自分の手で作る
それぞれのものづくり体験
8 無形を有形にするプロセス──4
Step 8 作品発表 69
自分の作品をプレゼンテーションする
確かな成果

範例 優れた学生作品……73
A 蟹足のスツール 74
B コーヒーメーカーのスツール 78
C カマキリの三脚スツール 82
D 燕フォルムのチェア 86
E バスケット式チェア 92
F Y字型スツール 98
G 三角フレームの二段テーブル 102
H 三つ折りパイプチェア 106
I 骨のないスツール 112

第3章 ビジネスにつなげる
流通・販売まで、商品としてのプロセスを学ぶ。

1 作品を商品にする試み 120
作品から商品へ／商品化への壁
商品化に必要な条件
商品化のための模型制作
商品化を前提にした雛形検証

2 商品化への制作 128
雛形から商品へ──メーカーに制作依頼する
商品としての選択

3 展示会出展 131
市場の洗礼を受ける

4 流通にかける 133
カタログ、雑誌に掲載する

範例 学生作品から生まれた製品 135
J サイドテーブル1 136
K サイドテーブル2 142
L 聖火焚火台 146
M 焚火ラックテーブル 152
N ジラソーレチェア 158
O シェルチェア 162
P サドル型スツール 166

第4章 ビジネスでのプログラム実践例
ビジネスの現場でデザイン教育プログラムは
どう活かされているか。

1 デザイン教育とビジネスシーン 172
プレッシャーというファクター
商品開発におけるさまざまなプレッシャー
商品力の重要性／リスクテイクと試行錯誤

範例 ビジネスでの実践例 177
Q スリムRチェア 178
R ダブルテーブル 184
S サイドカフェテーブル 190

対談 島崎 信氏に訊く
社会の中のデザイン教育 196
デザイン教育プログラムは
社会にどう活かされ得るか。

終章 結びにかえて 214
1 継承と進化
2 アイデア創出のための訓練法の提言
3 デザインの教育

おわりに 220
著者紹介／参考文献一覧 223

Column
メタバース
──現実世界と仮想世界 23
潜在意識と循環 44
「解」に至るための異なる方程式 72
折りたたみ椅子の
優劣は判定が必要なのか 134
矛盾するデザイン 170
人工知能は
人間の創意を代替できるか 176
ビジネスとデザインを「越境」する試み 194

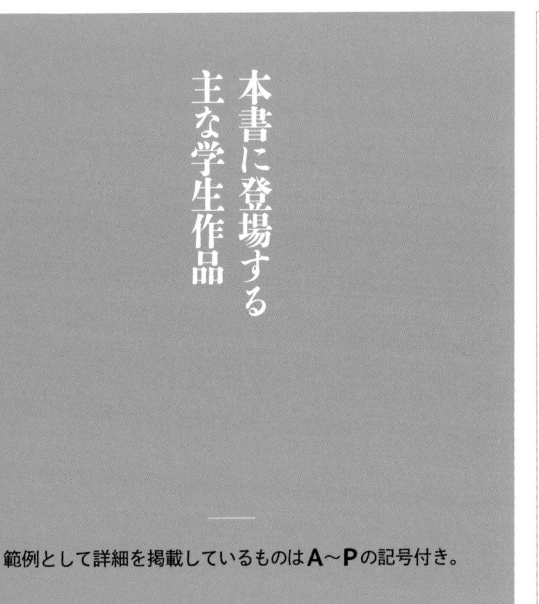

本書に登場する主な学生作品

範例として詳細を掲載しているものは**A〜P**の記号付き。

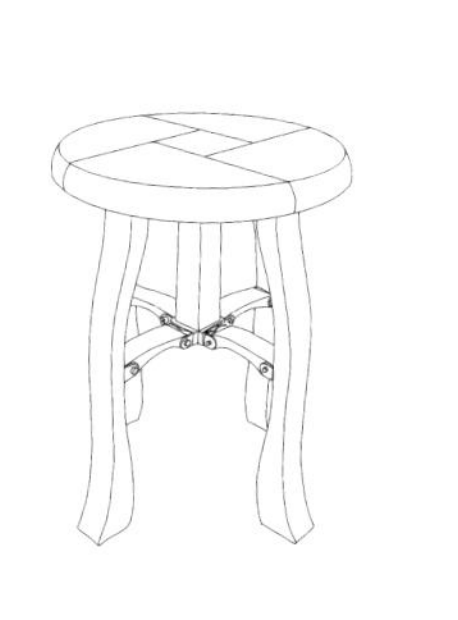

P.49

クラゲのスツール

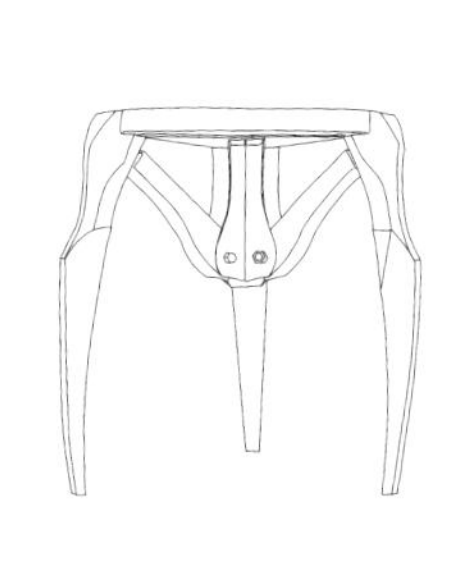

P.74

蟹足のスツール

範例 A

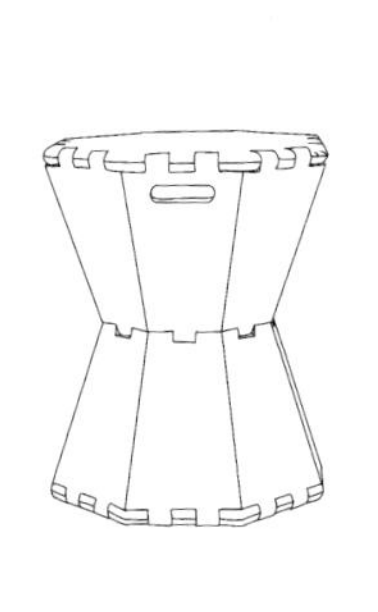

P.78

コーヒーメーカーのスツール

範例 B

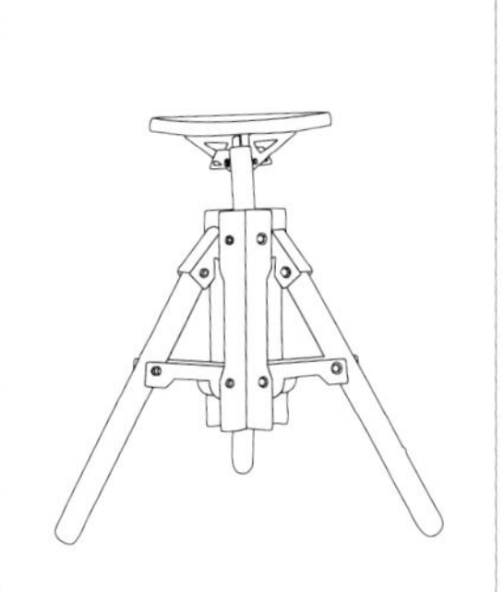

P.82

カマキリの三脚スツール

範例 C

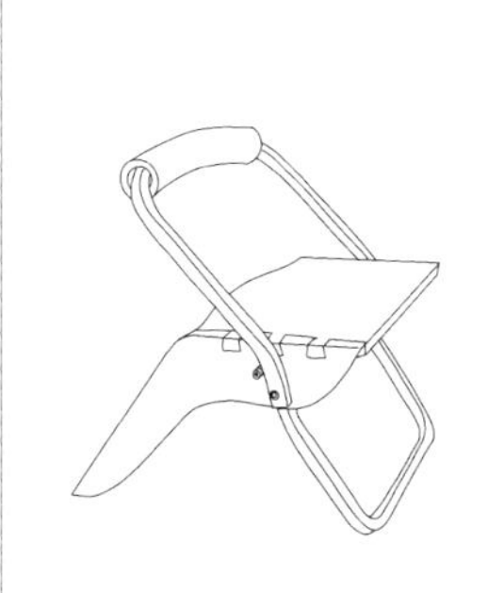

P.86

燕フォルムのチェア

範例 D

P.92

バスケット式チェア

範例 E

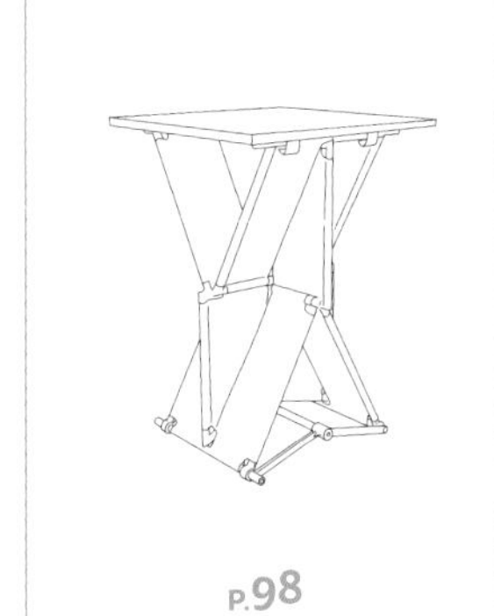

P.98

Y字型スツール

範例 F

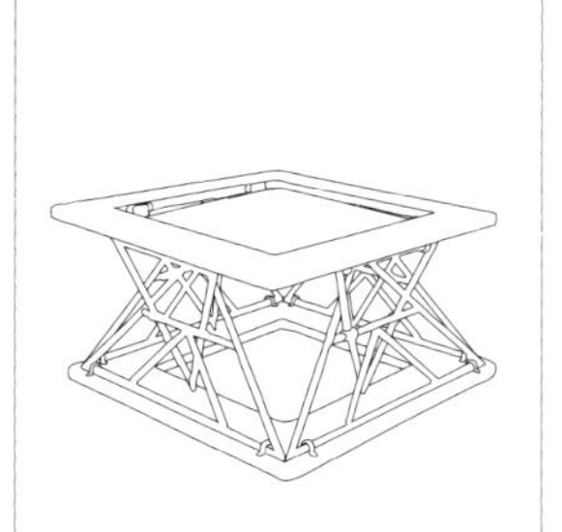

P.102

三角フレームの二段テーブル

範例 G

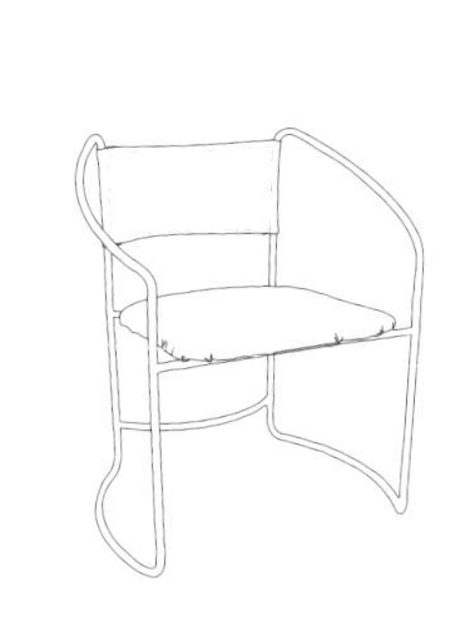

P.106

三つ折りパイプチェア

範例 H

P.112

骨のないスツール

範例 I

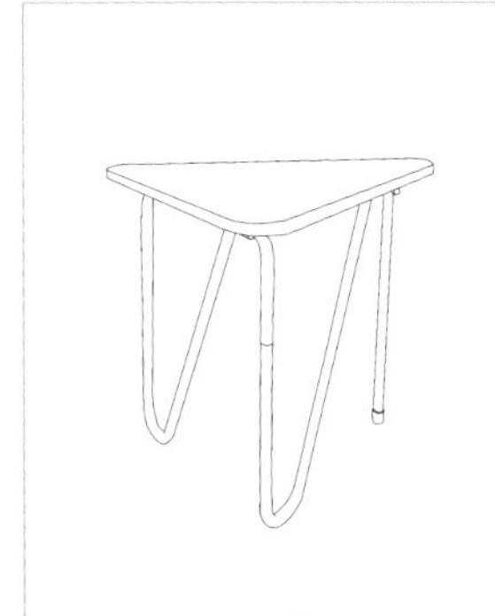

p.118

**トライアングル
スツール**

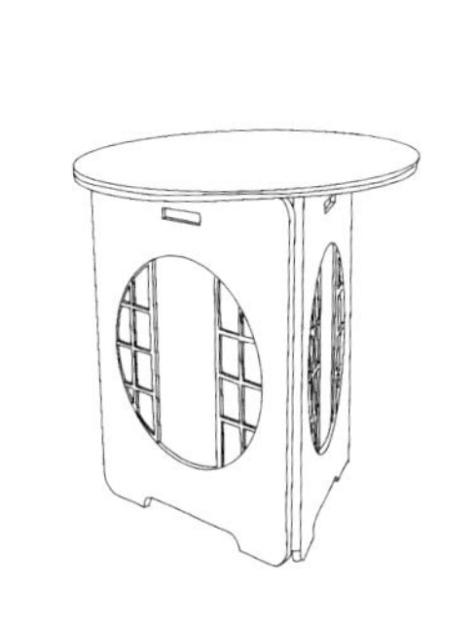

p.123

**アンドン
テーブル**

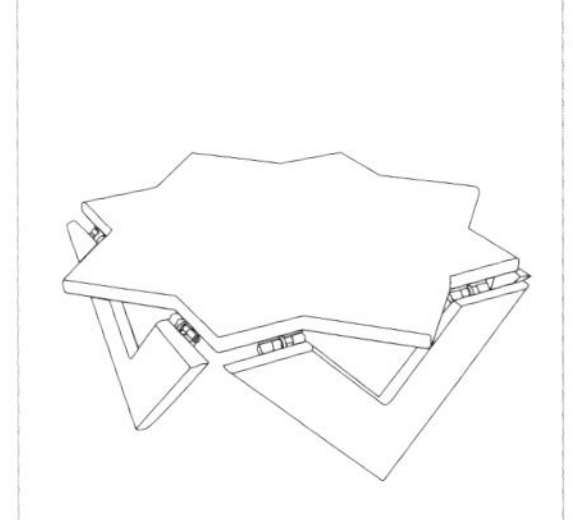

p.125

**プラネタ
テーブル**

p.136

**サイドテーブル
1**

範例 J

p.142

**サイドテーブル
2**

範例 K

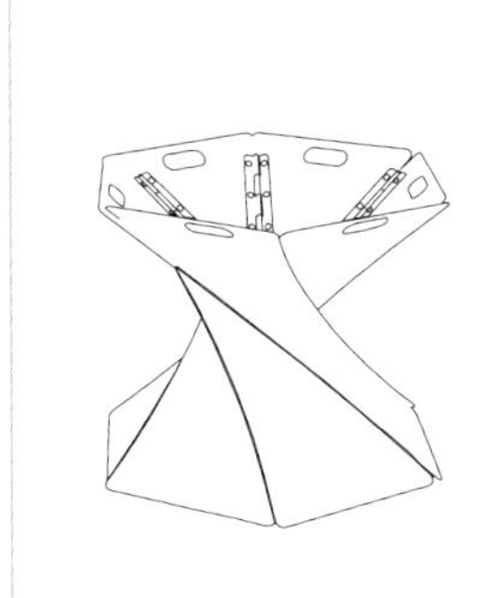

p.146

**聖火
焚火台**

範例 L

p.152

**焚火ラック
テーブル**

範例 M

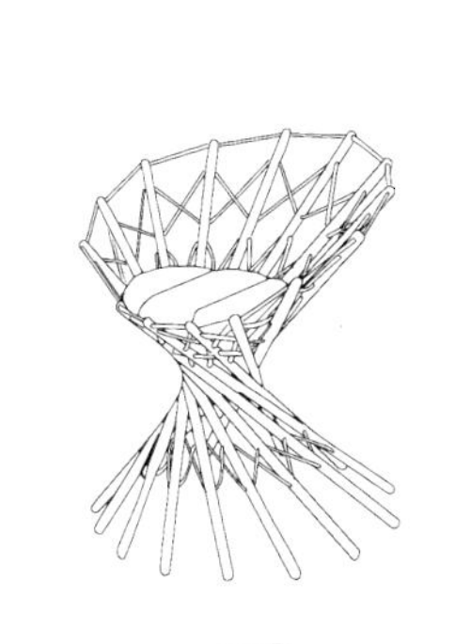

p.158

**ジラソーレ
チェア**

範例 N

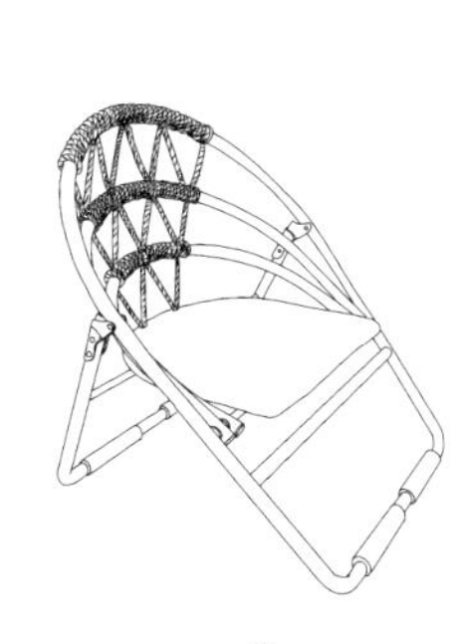

p.162

**シェル
チェア**

範例 O

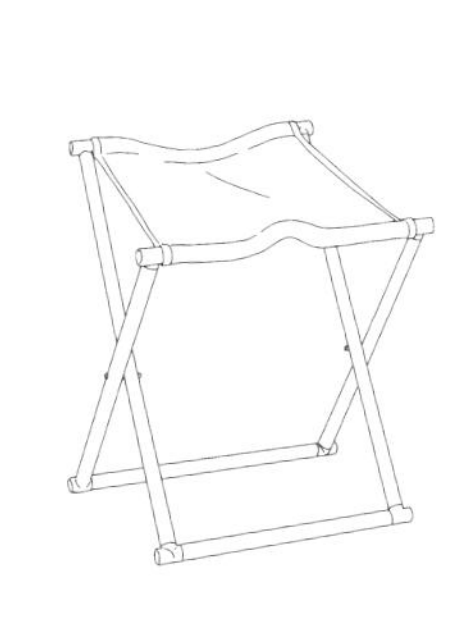

p.166

**サドル型
スツール**

範例 P

はじめに

デザイン思考を具現化する。教育現場からの挑戦

「デザイン思考」という言葉が近年しきりに耳目に触れ、盛んに議論されるようになっている。それに関する書籍も数多く出版され、話題にもなっている。2013年には「一般社団法人デザイン思考研究所（現・一般社団法人 Eirene University）」という組織まで出現した。しかし、そもそも「デザイン思考」とは何だろうか？　言葉の意味や解釈は、語る人、関わる人の立場によって異なっており、正解といえるような厳密な定義はないようだ。とはいえ、大筋で「直面している課題を解決するアプローチ」を意味することは確かなようである。

デザイン思考について、それぞれ独自の見解や主張はあっても、目的を達成する手段を求めて思考を巡らせ、模索し、議論することは決して悪いことではない。他方、特定の解釈や方法論を妄信するあまり形式主義に陥ったり、またはデザイン思考を、何か革新的な概念としてもて囃（はや）す必要もないと思う。

デザイン思考は限られた分野の特権でもなく、実のところ内容的には特に新しい考え方というわけでもないのだ。日常的に幅広い分野で私たちみんながそれぞれに取り組み、取り入れていることを、一つの概念としてわかりやすく整理し、まとめたプレゼンテーションというだけともいえる。これまでも、そしてこれからも、「デザイン思考」を意識することもないさまざまな人が多種多様な課題に向き合い、それぞれのアプローチを編み出し、そこから結果を得ることだろう。

こうした昨今の「デザイン思考」への注目について考察を巡らせつつ、私も自分の日常をデザイン思考の視点に立って振り返ってみようと考えた。日々の仕事を自分自身がどのように理解し、どのように行動しているかを検証してみようと。もちろんアウトドアファニチャーの製造販売というビジネス、それに伴う新作開発などのクリエイティブな作業も興味深い検証の対象だ。しかし、企業経営とはまた別に、短い期間ながら大学教育に講師として携わった体験は、筆者自身にとっても非常にユニークなものだった。この教育現場での経験こそを「デザイン思考」の一例として読者とシェアすべきではないかと思い至ったのだ。それが本書を執筆するきっかけとなったのである。

なぜ美術大学が折りたたみ椅子なのか

このユニークな教育現場での体験とは、2011年から2019年の８年間にわたり私が預かることになった「折りたたみ椅子」講座のことだ。ある縁を得て、毎年一定期間、拠点で

左ページ上・本講座は、まず椅子の歴史、そして折りたたみ椅子の構造についての講義から始まる。
下左・学生達は「作品を完成させる」という課題に挑戦することで、デザイン思考を体験する。
下右・学生たちの自由で個性豊かなアイデアには、毎年感心することが多い。数々の製品を作り続けてきた筆者ならではの立場を活かし、それらの中から条件に適ったものを実際に商品として開発、発表する。写真のように通常の新製品を開発する段取りと同様、工場でさまざまに試行錯誤、検証を重ねる。

ある東京を離れ、中国の名門大学とされる中央美術学院の城市設計学院プロダクトデザイン学科にて、3年生を対象に2週間ないし3週間の集中講座を受け持っていたのだ。

講座の具体的な内容は次章以降に譲るとしても、まず、なぜ「折りたたみ椅子」という極めて限定されたテーマなのか、読者は疑問を持つかもしれない。プロダクトデザイン学科において実技クラスなどで「椅子」をテーマにするのはよくあることだ。しかし椅子の中でも「折りたたみ椅子」という狭いカテゴリーに限定して講座を展開する学校は少ない。大学側が、あえてこの狭いカテゴリーをテーマにした私の講座を開設していたのは、相応の理由がある。

折りたたみ椅子は、誰もが座ったことがある日常的な道具であり学生たちにも取りかかりやすい。それはすなわち幅広い場面や用途で応用され得る、広がりのあるテーマともいえるだろう。折りたたみ椅子は「動いて」形を変え、折りたたむための「仕組み」を持つことが一般の椅子との大きな違いだが、この「動き」と「仕組み」について得た理解は、家具デザインに留まらずさまざまな分野で活用できる。そして最も大事なことは、動かない椅子とは違い、折りたたみ椅子を創作するには、立体的なイメージを頭の中で組み立てる作業が必要となるのだ。この脳内作業を私は「立体思惟(りったいしい)」または「立体思考」と呼んでいるが、折りたたみ椅子の講座は、そのトレーニングに資するのはもちろん、総合的な創造力の育成に大いにプラスとなる。

今の時代は誰もが何らかの物事――造形に限らず投資でも実験でも――について「デザイナー」であるともいえる社会だ。逆に、デザイナーにもよりマルチな知見が必要とされるともいえる。伝統的な基礎教育や専門性も大事だが、デザインを学ぶ学生も社会に出て、さまざまな課題に直面することになるだろうし、幅広い知識を持たないと対応できないと学校側も考えているはずだ。

建築家やインテリアデザイナー、プロダクトデザイナーを志す学生たちにとって、折りたたみ椅子という動きと仕組みを持つ道具の研究は有益であり、社会の異なる領域への横断的なアプローチの足がかりにもなる。そうした人材育成の観点からの大学の判断であろう。

ビジネスマンが教壇に立つ意味

筆者である私は美術大学や総合大学のデザイン科、アートスクールなどの卒業生ではない。美術・デザインの専門教育を受けた経験はなく、デザインについての知見はすべて独学ながらも、相当数の折りたたみ椅子を生み出し、市場に送り出してきた。本業であるIT・投資等企画事業のかたわら副業として展開しているアウトドアファニチャーブランドは、27年間にわたり独自の商品開発を続け、歴代の製品は今も世界中で愛用されている。

ビジネスの勝敗に嘘はない。結果がすべてだ。そうした実戦での経験、つまりデザインの力でビジネスの戦場を生き抜き、這い上がってきた経験を持っているからこそ、成功例にも失敗例にも事欠かないし、「デザインでライバルを倒す」「デザインで市場シェアをとる」といった生々しい実話をいくつも語ることができる。アカデミアの先生方にはないモノを持っている、教員としては異色の存在なのだ。そして、だからこそ学生たちには良い刺激になるだろうと大学側は考えているのだろうし、私自身もそう確信している。

授業そのものを「デザイン思考」で組み立てる

本講座のテーマは「白紙状態の学生に『世界のどこにもない折りたたみ椅子』を考案・制作させる」というもの。この無謀とも、実現困難とも思える極めて難易度の高い課題にあえて挑戦する上では、授業計画がことさら重要になってくる。なにしろ大学側のスケジュールの都合で2週間ないし3週間という短い期間に講座を完結、つまり学生たちが何らかの結果――自作の折りたたみ椅子の完成――を得られるようにしなければならないのだ。この難題を解決するためのアプローチ、講座の構成を考えること自体もまた、まさに「デザイン思考」の実践なのである。デザイン教育をデザインすること、「デザイン思考“を”教える」だけでなく「デザイン思考“によって”教える」、その実際をお伝えするのが本書の趣旨なのである。

前述のように美大出身ではない筆者は、大学では日本経済史を専攻していた。歴史と家具デザインではかけ離れた分野で、接点はないように見えるかもしれない。しかし「目的達成のためのアプローチの方法論＝デザイン思考」が有用である点は共通なのだ。もちろん歴史とデザインだけでなく、ビジネス、教育など、どの分野にも、この方法論＝デザイン思考は通用するはずだ。そう確信し、学生たちに伝えるべく、教育現場での実践を試みたところ、それなりに良い結果を出すことができた。

もとより多様な教育方式があり、アプローチもさまざまだ。筆者の講座では方法論に焦点を当て、必要な諸条件を一つひとつ踏まえて最終的にゴールに到達するというプロセスを採用し、学生にこのプロセスごと教えている。前述したようにわずか2～3週間という短期間で、高密度な座学と、不可能にも思える課題を与えられる実技という、高難度なハードルをいくつも超えてゴールへと疾走するわけで、学生たちにとっては実に過酷なレースだ。それでも結果として、毎年20名の受講生のうち3～4名がこれまでにない斬新な構造の作品を発表し、5～6名が既存の椅子の未解決課題を改良したリ・デザインをなしとげている。もちろん他の受講生もそれぞれに奮闘しており、結果として、8年間で総勢160名分に及ぶ作品のうち類似したものが1点もなかったのは、学生たちが真摯に向き合った成果だと思っている。

また、指導教官である筆者が、逆に学生から学んだことも少なくない。例えば、彼らが提出するアイデアスケッチを見ても実にさまざまで、「折りたたみできるモノ」を、学生たちはこんなふうに理解しているのかとびっくりすることもしばしばだ。彼らの脳内にある「折りたたみ」は、われわれ業界人が思い描く「折りたたみ」の機構、機能、形状からかけ離れた、別世界の造形のように見えることもある。それらは個々人の世界観や視点から見たそれぞれの「折りたたみ」であって、抽象芸術のようなもの、実現不可能ながら創作のヒントになるようなもの、自然界に発想を得たもの、宇宙やSFを想起させるものまで実に多様で、それぞれが筆者にとっても勉強になる。椅子に限らず「折りたたみ」は狭い分野ではあるが、ひとたび深く分け入ると意外なほどの奥行きと広がりのある世界だ。「折りたたみ」を研究することは、学生だけでなく筆者自身にとっても、視野を広げるプラスになることは間違いない。

そして、その上でやはり、最も重要なのは作品という結果ではなく、あくまでプロセスであることは、重ねて強調しておきたい。結果を得るための方法をこそ学生たちには学んでほしいと考えている。学校は「目的達成のためのアプローチ方法＝デザイン思考」を学ぶ場であり、教育とはそのための論理的思考と「成果を得る」能力を教えるものだというのが、筆者の確信するところだ。

本書で紹介する、この短くも濃密な「折りたたみ家具」講座が、デザイン思考の実践例として読者の創作活動や学習、また教育計画などのプラスになれば幸いである。

序章

デザイン思考

「デザイン思考」という
「考え方」を教える。

デザイン思考

筆者の講座はデザイン思考という思考方法を学ぶ場でもあり、また授業のプログラム自体が筆者なりのデザイン思考に基づいて構成したものでもある。ここではデザイン思考を語る前に、まず「デザイン」とは何か、その定義を確認する必要があるだろう。

1 デザインの定義

デザインとは何か。それをいまさら論じる必要もないように思えるのだが、世間では今なお、その語源やさまざまな角度・視点からの再解釈を試みる書籍や文章が数多く書かれている。

デザインという言葉の語源はラテン語の「Designare」にあるといわれている。Designareは「計画を記号に表す」、つまり図面に書き表すという意味であったといわれている。これを踏まえると、当初デザインという言葉は「設計」という意味で用いられていたことが想像できる。グッドデザイン賞の主催などで知られるJDP（公益財団法人日本デザイン振興会）ホームページ*では上記のような説明と共に、次のように定義している。

■

「常にヒトを中心に考え、目的を見出し、その目的を達成する計画を行い実現化する。」この一連のプロセスが我々の考えるデザインであり、その結果、実現化されたものを我々は「ひとつのデザイン解」と考えます。

■

また、国内外でその語義は、微妙に異なっており——

日本の「デザイン」:「応用美術」「意匠設計」「造形デザイン」「芸術工学」など図案、意匠、スタイリングなど外見的な造形を意味することが多い。

英語圏の「design」: 審美性を根源にもつ計画的行為の全般を指すものであり、設計する、企てるなどのアイデアを考える、生み出すことの意。

——とされているが、いずれも「新しいこと」を考える、創出することを意味する言葉には違いない。

ちなみに、日本の「デザイン」は確かに英語圏から来た言葉だが、その意味合いは、日本人の美意識や文化要素に立脚して解釈され、社会の中で広く受け入れられている。あらためて英語圏の概念を逆輸入して再定義する必要はないだろうと思っている。

デザインの定義については、人それぞれの立場、見地があることと思う。当然ながら、筆者がそれを否定するつもりもない。大切なのは「デザイン」という言葉が社会の中でどう使われ、機能しているかという、社会的意味だろうと考えている。

本書が扱う「ものづくり」分野に絞って考えると、「デザインとは、より多くの人に共感を与え、社会に貢献する作品、商品づくり」とする解釈に異論を持つ人は少ないだろう。人々の共感、社会の要請に応える作品や商品を目指し、新しい構造・新しいフォルムを創出することが、真の「デザイン」という行為ではないだろうか。とりわけファニチャーにおけるデザインは、機能性や実用性だけでできているわけではなく、人々の求める「ほしい」とつながっていて、社会や生活に密接に関わっているものである。

* https://www.jidp.or.jp

2 デザイン思考とは

「デザイン思考」という言葉や概念が、近年、盛んに議論されるようになってきた。その背景には、目覚ましい技術革新によって、これまで解決できなかったモノ、コトの課題を打開、もしくは打開を期待できるようになり、実際に少なくない成功例が出ているという状況があるといえるだろう。

ITの出現で世界は確かに変化した。第四次産業革命の到来といわれている今日、未知だった世界は可視化されてさらに広がり、より多くの不可能が可能になる、またそれが期待される時代が来た。そこで求められるのが問題解決のための「デザイン思考」という考え方なのだ。

デザイン思考の由来

デザイン思考（英: Design thinking）とは――デザイナーがデザインを行う過程で用いる特有の認知的活動を指す言葉――とされている*1。より平易な言葉でいえば「問題を解決する（モノ、コトを創造する）ための考え方」といえる。

デザインを思考方法としてとらえた研究書は1960年代からあるが、現在広く浸透しているようなビジネスへの応用は、スタンフォード大学教授のデビッド・ケリーによって開始された。その業績を代表し、まさにデザイン思考の実践例といえるのは、彼が1991年に創立したIDEO（アイディオ）だろう。IDEOはアメリカ合衆国カリフォルニア州パロアルトに本拠を置くデザインコンサルタント会社で、これまでにコンピュータ、医薬、家具、玩具、事務、自動車製造の顧客に対して、数千件に及ぶプロジェクト*2を行ってきた。

これらのプロジェクトにおいてIDEOが実践してきた「デザイン思考」は、いうまでもなく教育現場でも注目され、ケリー自身が2004年に創設したスタンフォード大学のd.schoolを始め、2006年にイリノイ工科大学デザイン研究所、2007年にドイツのポツダムにあるハッソ・プラットナーITシステム工学研究所、2009年にはノースウェスタン大学、東京大学i.schoolなど、各国の大学や研究所がデザイン思考に関するプログラムを設置している。
　これら各国のSchoolなり研究所なりが実践する「デザイン思考」において共通しているのは、「目的（ニーズをキャッチするなど）を達成するための手段をどうやって探るか」に力点を置き、その試みとしてワークショップ（イノベーション・ワークショップとアイデア創出のワークショップ）などを通じて議論し、最も適切な手段を見出すという点だ。そして、この「目的を達成するための手段を見出すこと」を可能にするのは、それぞれの学術的知見なのである。各々の学術的知見に根ざしたアプローチが大切で、例えば、工学専門の人はその工学の知見から、経営学専門の人は経営学の知見から手段を見出すといったように、それぞれが違った形で分析し、そうして得たあらゆる情報を持ち寄り、組み合わせたりする。
「デザイン思考」というとやはり前項で挙げたように、日本では造形的な活動という印象が持たれがちだ。しかし実際には思考方法、問題解決手段であって、ブランディングやマーケティング、イノベーションなど、一般の企業人にとってはすでに日頃の業務で実践しているという場合も多いはずなのだ。さらに極言するなら、「ラーメン店の店主がより味の良いラーメンを手際よく作るための調理道具や作業プロセスを検証、考案する」といったようなことも含め、さまざまな人がそれぞれの立場で日々、無意識のうちに実践している行為もまたデザイン思考といえる。

さまざまな説明

「デザイン思考とは何か」については、他にもさまざまな説明がある。筆者としては以下の２冊を推薦しておきたい。

『HELLO、DESIGN　日本人とデザイン』
石川俊祐（著）　幻冬舎（2019年）

著者の石川俊祐氏は、ロンドン芸術大学 Central St. Martins 卒業後、Panasonic Design Company, PDD Innovation UK, IDEOといった、国内外のデザインコンサルティングファームに所属していた。その経験から、日本人に向けたデザイン思考の解説と、日本人だからこそ実現できる「デザイン思考」を活用した未来を語った一冊である。

デザイナーのセンスやテクニックを学ぶのではなく、デザイナーのものの見方、考え方を見るべきと説く。つまりデザインをする際に——どこを見てなにを考え、どうやって解くべき課題を見つけ出し、どうやってそれを解決していくのか——という、デザイナーの考えの出発点に注目するべきだというのだ。デザインは「人が抱える課題」から始まり、人が喜び、人が抱えていた課題が解決されることがデザイン思考という。デザイン思考をわかりやすく説き明かした参考書だ。

『実践 スタンフォード式 デザイン思考 世界一クリエイティブな問題解決』
ジャスパー・ウ（Jasper Wu）（著）／見崎大悟（監修）　インプレス（2019年）

著者のジャスパー・ウ氏は、スタンフォード大学の「d.school」でデザイン思考を学び、デザイン思考のワークショップファシリテーターとしてキャリアをスタート。——デザイン思考は、「人々がもつ本当の問題」を解決するための考え方（マインドセット）です——と説く。また、日本で「デザイン」というと、主に外観に関して使われることが多いことを指摘した上で——デザイン思考は英語の「Design Thinking」を日本語にしたものですが、このときのDesignという単語は、「設計する」という意味で用いられており、外観を整えることは一部分にすぎません。つまりデザイン思考とは、「（問題を解決する方法を）設計（Design）

するための考え方（Thinking）」と捉えると、腑に落ちるのではないでしょうか――という説明も、実にわかりやすい。

さらに今後、高齢化が進み、多くの外国人を働き手として迎え入れることで多様化が急速に進み、これまでの考え方では立ちいかなくなる日本社会で生きる私たちに向け――予測不可能な未来に備えて、ぜひデザイン思考を用いて「正しく考える力」を身に付けていただけたら――と呼びかけている。実践的な内容が多く、非常に参考になる一冊だ。

泉流のデザイン思考

ここまで説明したような「問題解決の手段としてのデザイン思考」を、どうやって白紙状態の美大生に伝え、教授していくか。それこそが本書の主題であるといって良いだろう。学術的知見といっても美大生のそれは、過去に授業を受けた美術史や作品についての知識、大量のデッサンやドローイング、ペインティングの練習でしかない。そこからのアプローチになるわけだが、このごく限られた知見を基に「過去にない折りたたみ椅子を創作する」というのは、極めて難しい課題だ。IDEOが提唱する問題解決の方程式ではなかなか難しい。

IDEO流のデザイン思考には複数のバージョンがあるが、その一例では次の7つの段階がある。

定義（define）、研究（research）、アイデア出し（ideate）、プロトタイプ化（prototype）、選択（choose）、実行（implement）、学習（learn）。

この7段階を通じて、問題が定式化され、正しい問題が問われ、より多くのアイデアが生み出され、そして最高の答えが選ばれるのである*3。一方で、筆者が教育現場で実践するデザイン思考の方程式は、以下の通りである。

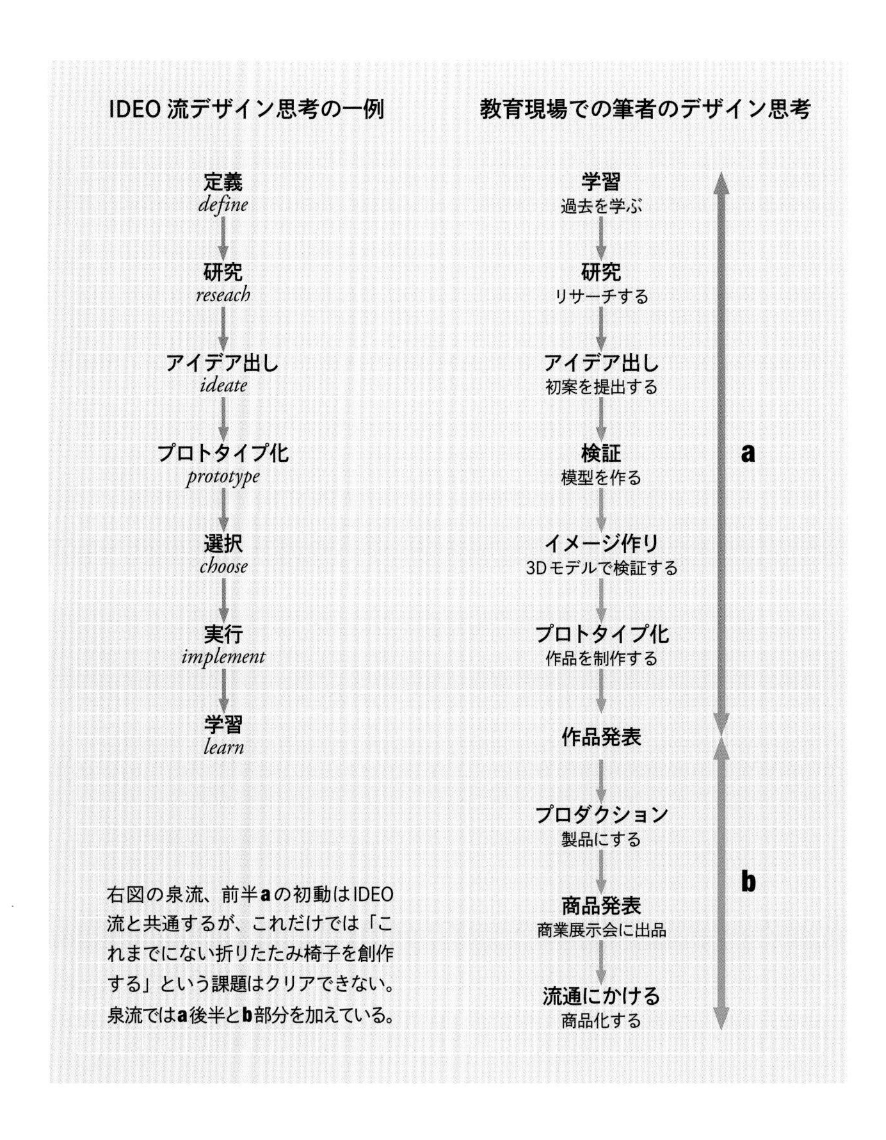

・**学習**　過去を学ぶ
・**研究**　リサーチする
・**アイデア出し**　初案を提出する
・**検証**　模型を作る
・**イメージ作り**　3D モデルで検証する
・**プロトタイプ化**　作品を制作する
・**作品発表**
・**プロダクション**　製品にする
・**商品発表**　商業展示会に出品
・**流通にかける**　商品化する

中央美術学院での試みでは、椅子の世界史の学習を入り口とし、続いて折りたたみ機構の基本を知ることからアプローチするという手法をとっている。その上で、個々の学生が持っている知識や美意識、経験、生い立ちなどがそれぞれの個性となって作品が生まれるという考え方だ。

過去の実例 ＋ 折りたたみ機構の基本 ＋ 学生の持っている美学 ＝ 作品

筆者のデザイン思考において最も重要視しているのは、世間を見る眼力の訓練であり、訓練された目で読み取ったその情報を脳の中で整理して自分のものにすること、そして必要な要素を抽出する思考力を育てることだ。眼力の育成とは時間をかけて、大量の閲読・閲覧を経て、脳に蓄積することである。その蓄積から自分なりの価値観、哲学、世界観、審美眼などが得られ、磨かれるのだと考えている。

「鍵」は図書館にある。「鍵を探しなさい」という言葉を私は毎年学生に教えている。鍵とは眼力のことであり、図書館で大量の資料・文献を閲読・閲覧すること、すなわち膨大なトレーニングにより蓄積するものだ。天才はいない。

*1 「デザイン思考」『フリー百科事典　ウィキペディア日本語版』。2023年4月6日（木）14:20　UTC、URL: https://ja.wikipedia.org

*2 「IDEO」『フリー百科事典　ウィキペディア日本語版』。2023年4月6日（木）14:20　UTC、URL: https://ja.wikipedia.org

*3 「デザイン思考」『フリー百科事典　ウィキペディア日本語版』。2023年4月6日（木）14:20　UTC、URL: https://ja.wikipedia.org

3　有形——無形のデザイン

両輪もしくは循環として

デザインの定義を具体的に想定するとき、そのイメージは「モノ」と「コト」

に大きく類別できるだろう。「モノ」は物品のことで、筆者が扱う家具もその範疇に属している。「コト」はシステムやサービスという無形で抽象的な、複数の要素を組み合わせたものを指すことが多い。

21世紀初頭の今、時代の関心は有形（モノ）から無形（コト）へと推移する傾向があるように思う。すなわち、製品から、仕組みやサービスなどの無形の商品に重心が移りつつあるということだ。とりわけ第四次産業革命といわれるデジタル革命に伴い、日常生活に浸透したさまざまな無形サービスが脚光を浴びている。代表的なのは、GAFA（Google, Amazon, Facebook, Apple）といわれる4大IT企業で、これら4社が提供するさまざまなサービスは、インターネット社会で圧倒的な存在感を示し社会変革を牽引してきた。そして確かに社会は大きく変容した。今や「GAFAやそれに続く企業のサービスに一度も触れずに生活するのは、ほとんど不可能」と考える現代人は多数派ではないだろうか。

しかし同時に「モノ」もまた社会を支える両輪の一方であることを忘れてはならない。当然ながら「コト」単独だけではその価値は発揮されないのだ。Googleで検索した先にあるのは現実の店舗であり、Amazonで注文して届くのは製品という物体なのである。無形の「コト」の先には「モノ」という実態が存在して初めて、社会が動くということだ。

プロダクトデザインというフィールドで筆者と同僚、同業者たちは、目に見える、そして手に触れる「モノ」作りを主たる業務としている。では無形サービスとは無縁かというと、実際はむしろ深く関わっている。われわれの「モノ」作りのプロセスには、今日の先端技術を駆使することでより早く、より正確に実行できる部分が多いのだ。筆者が指揮をとる製造現場でも、後述するように3D

モデルや動画を使うことで、これまでの何分の一にも時間を短縮することができた。そして、得たデータを有形のモノに変換する3Dプリンターによって、部品を1個からでも製造できるようになったのだ。これまでは部品製造における最大の悩みは「少量生産にどう対応するか」であり、「資金をかけて金型を作り、その金型で作った部品を検証し、もし欠陥があれば、それまでの出費や時間はすべて無駄に」というリスクが常に付きまとっていた。それが3Dプリンターの導入で過去のものとなったのだ。ファニチャー製造の現場一例だけでも、こうして「製造プロセス」という無形のデザインが、「製品」という有形のデザインに大きな影響を与えている。

また、さらに付け加えれば、本書のテーマである「教育」はまさしく無形のデザインだが、いうまでもなくその先には、学生たちが作り上げる「これまでにない折りたたみ椅子」という有形のデザインがある。そして、さらにその先には、この実習を経験した学生たちが将来、社会に出て手がけることになる有形無形のデザインがある。それらが社会課題の解決に資することこそを、筆者は期待しているのだ。

有形と無形の相互作用

今の時代は、有形(モノ)と無形(コト)の明確な定義付けが難しい場合がある。「モノ」と「コト」が相互に作用し合い、また相互に依存する場合もあるからだ。デザイン思考を試みるに当たっては、その相互関係を考えなければならない。

具体例を挙げると、アメリカの宇宙企業であるスペースX社が構築中のグローバル高速ブロードバンド網「スターリンク」によるプロジェクトがその一つだろう。スターリンク計画は、無数に打ち上げた小型衛星を地球を覆うように配備し、同時にこの小型衛星の周回速度を地球の自転と同期させることで、地球上の特定地点の上空に常駐させ、衛星同士の連携により地上との直接通信を可能にするというもの。このシステムが同社の計画通りに全世界をカバーすることになれば、世界人口の約半分ともいわれる未だインターネットに接続できていない人々と地域も含め、地球全体をインターネット網に覆うことも可能なのだ。壮大な発想であり、社会や人々の行動に地球規模で影響を与えるものになるだろう。

小型衛星一つひとつは有形の「モノ」である。しかし、それを複数組み合わせて運用すると無限といえるほど拡大できる「コト」になる。目に見えない精緻で広範な交通網のようなそのネットワークはまた、(文字通りの) 世界規模のビデオ会議や組織マネージメントなど、さまざまなシステムの構築を可能にし、「仮想空間」をリアルタイムの現実へ具現化することも可能にする*。まさに有形と無形の相互作用といえよう。

* p.23コラム参照

4　教育現場から考える実戦型デザイン思考

本書は、8年にわたるデザイン教育現場での体験とそこで得た気づきを主軸に、筆者の視点でデザイン思考を再考するものだ。体験とは、「折りたたみ椅子」という極めてハードルの高いテーマに学生たちと共にチャレンジする実技講座のことである。「折りたたみ椅子」というテーマは、通常の家具や生活道具と比べてはるかに難易度が高い。というのも、視覚的な造形に「動き」という要

column

メタバース──現実世界と仮想世界

2022年秋、本書の執筆中に衝撃的なニュースが世界を巡った。米Meta社は11月9日（現地時間）、全社員の約13%、11,000人以上を削減する計画を発表したのだ。筆者の考えをそのままなぞったような、仮想世界と現実世界の関係を表す典型的な事例といえるだろう。

その1年前、Facebookは社名を「Meta（メタ）」（正式名称はMeta Platforms）に改名し、仮想空間に注力する方針を発表して話題を呼んだ。「Meta」とは「Metaverse」の略称で、SF作家ニール・スティーヴンスンによる1992年の著作『スノウ・クラッシュ』の作中で登場するインターネット上の仮想世界のこと。転じて、将来におけるインターネット環境が到達するであろうコンセプトモデルや、仮想空間サービスの通称*1として使われるようになった。Metaverseは「Meta（超越）」と「Universe（世界）」を合わせた造語であり、オンライン上に3DCGで構築された仮想空間を指す。

2020年以降急速に注目され始めた「メタバース」。新しいマーケットの形としてさまざまな企業が参入を目指し、テック系ニュース以外での扱いも増えた。「メタバース」を掲げた企業の株が上昇し、「メタバース不動産」や「メタバース高級消費財」の売買も盛んで、従来と比べて飛躍的に高度な──例えば目下のところ5Gのネット環境で展開される多様なサービスが見込まれている。言い換えれば、平面的な通信の世界から立体的な通信による世界への時代に進むということだ。

──利用者はオンライン上に構築された3次元コンピュータグラフィックスの仮想空間に世界中から思い思いのアバターと呼ばれる自分の分身で参加し、相互に意思疎通しながら買い物や商品の制作・販売といった経済活動を行なったり、そこをもう1つの「現実」として新たな生活を送ったりすることが想定されている*2──という。巨大企業の動きに敏感に動く投機家、ビジネスマン、金融マンたちはこぞって金儲けの糸口を探し、他に先んじて覇権を得るべく踊っている。「メタバース」をテーマにした展示会が次々と開催され、注目を浴びている。

こうして急速に関心を集めたメタバースだが、わずか2年で軌道修正に入った。理由についてはさまざまで、よく言われているのは次のことだ。●昔からあった『ファイナルファンタジー』的なものの名前を変えただけ。●コンテンツがほとんどない状態では利用者を惹きつけられなかった。●前提としてVR端末が普及しない限りは不可能だった。一方では「時代を先取りしすぎた」と見る向きもあるが、筆者はそう思わない。そもそも「メタバース」において、現実社会と仮想の3次元空間とがどのようにつながるのか、それがどのように我々の生活を豊かに変えるのか、到達点が見えてこないのだ。仮想通貨の後塵を拝し、仮想世界での金儲けを目的とする世界規模のギャンブルではないのか。

仮想空間が想像力を刺激し、また異文化、異業種、異人種との交流が容易になることで、ビジネスのヒントが得られることも確かにあるだろう。しかし、そのためにも仮想空間は、まず実体経済の支えがないと成り立たないと思うのだ。

---

*1, *2「メタバース」『フリー百科事典　ウィキペディア日本語版』。2023年5月3日（水）11:36　UTC、URL: https://ja.wikipedia.org

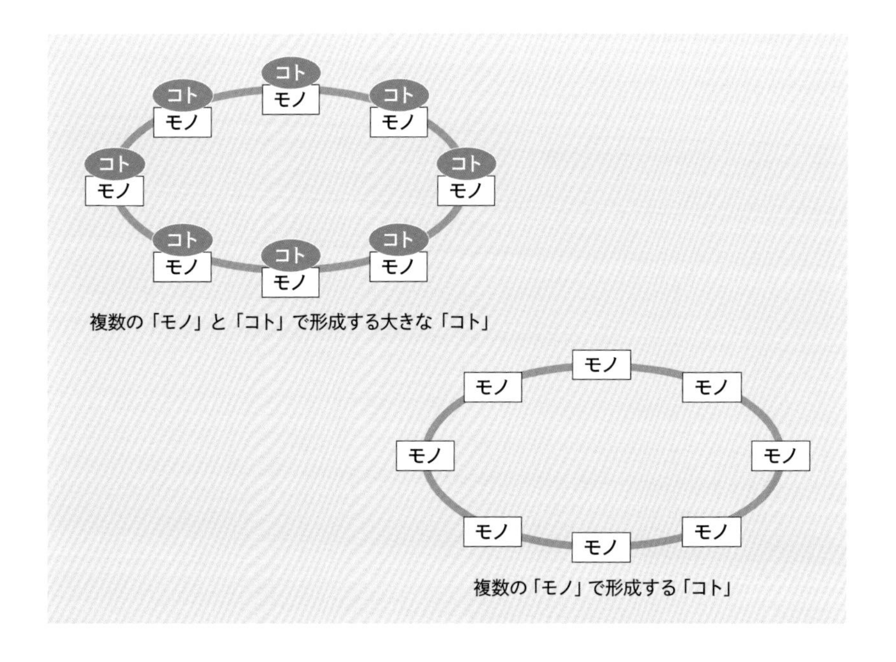

素が加わり、相互に組み合わさって初めて成立する道具だからである。

動きをデザインする難しさ

例えば自動車では、エンジンやホイールは回転するが、個々のパーツが「移動」することはない。パーツが連携して初めて「移動」が可能になる。一方、折りたたみ椅子の場合、個々のパーツは動かないし形状も変化しない。しかし「動かない」パーツ同士の連携によって「折りたたむという動き」が可能になるのだ。

この「折りたたむという動き」をデザインするには、イメージを常に頭の中で立体的に描き、複数の要素をつなぎ合わせ、動かす必要がある。いくら美しい造形のパーツであっても、それだけでは成立しない。パーツという「点」からパーツ同士のつながりによる「立体」、そして「動き」へ、脳内のイメージを質的に変化させるプロセスが重要なのである。本講座では、この変化を短期間で果たさなければならない。

そもそも「今までにない折りたたみ椅子を作る」という本講座のテーマは、前人未踏の領域に素人の学生を送り出すようなもので、確かに無謀であり、過酷かもしれない。しかしこのハードルの高い課題だからこそ、人間の潜在力が引き出され、持てる能力を極限まで絞り出す作業にもなり得るのではないか。人間の能力は当人がそれまでの人生で得たものが全てであり、誰しも限られた蓄積しか持たない。しかしこの短期間の集中的な努力と、さまざまな外部要因に触発されることで、当人が予想もしなかった能力が引き出されることもあるのだ。

イノベーションとリ・デザイン

アイデア創出の過程はいわば脳内での革命であり、交錯するさまざまな情報が有機的に組み合わされてはじめて、質的な飛躍が生まれる。それはある意味、つまり画期的な変革という意味で、イノベーションといえるのではないだろうか。イノベーションという言葉は人によって解釈が異なるかもしれないが、“新規性”という意味を含むことに異議のある者はまずいないだろう。辞書では――【innovation】①刷新。革新。新機軸。②生産技術の革新のほか、新商品の開発、新市場・新資源の開拓、新しい経営組織の形成などを含む概念。シュンペーターが用いた。日本では狭く技術革新の意に用いることもある。――『広辞苑 第七版』新村 出（編）　岩波書店（2018）*

一方で本講座においては、過去の作品や既存の製品をより効果的で優れた構造、より美しい形態に刷新・発展させる努力―リ・デザインも評価される。「名作の前に名作あり」という言葉があるが、先人の作品に改良を加えることはデザインの進化の歴史に新たなページを加えることであり、イノベーションに劣らず重要な講座の要項なのである。

このプログラムの実践によって筆者が意図するところは、これらイノベーションやリ・デザインに到達するための方法、すなわちデザイン思考の実戦的な検証でもある。履修した学生やクリエイターが今後、社会問題を解決しようとする際に、本講座での経験が役立つことを願っている。

以下、第２章、第３章のような訓練とその意義を整理・解説することで、デザイン思考の神髄を探ってみようと思う。

* シュンペーター（1883〜1950）はオーストリアの経済学者

折りたたみ椅子講座の プログラム進行表

本講座のおおよその流れ。
年度により日程は異なるが、次章からの記述の参考として掲載する。

Step	日	コマ	内容	形態
Step 1	初日	午前2コマ	椅子の歴史 (世界・日本)	大教室での講義
Step 2	初日	午後2コマ	折りたたみ椅子と テーブルの構造説明 ※少人数20名で(小教室で)行う場合もある	小教室での講義・制作
Step 3	2日目	1コマ	ニーチェア 仕組み説明	
	3日目	2コマ	各自ニーチェア 模型制作と発表	各自での模型制作
Step 4	3日目	1コマ	現行モデルの リニューアル部品説明	
	4日目		各自リニューアルした 椅子の発表と説明	
Step 5	5日目		アイデア出し・ スケッチ提出・ 面談・提出・(再提出) ※都度、講師との面談	各自でリサーチ、作品制作
Step 6	6日目		模型制作・ 3Dモデル提出 ※都度、講師との面談	
Step 7	7日目 〜		実物制作・検証 ※都度、講師との面談	
Step 8	最終日		作品発表	発表

(講座完了)

条件*に適合する作品を商品化(* p.121参照)

Step	内容	
Step 9	商品化のための模型制作/雛形制作	翌年の学生に商品化プロセスを紹介
Step 10	メーカーに制作依頼	
Step 11	展示会出品	
Step 12	流通にかける	

第1章

オリジナルアイデアを生み出す

デザイン講座の実際：
創作のための基礎作りと誘導。

第1章

オリジナルアイデアを生み出す

これまでにない新しいアイデアを発案するためには、そのための土壌が必要だ。前章に記したように、デザイン思考の実践に最も大切な要件は、必要な情報を読み取る「眼力」を養うことであり、眼力の訓練に欠かせないのが大量閲読・閲覧である。その最初歩として、人類の歴史の中での椅子の変遷、そしてさまざまに工夫された折りたたみ構造を知るための座学の時間を設けている。

1　創作の土壌を整える—1

Step 1

過去を学ぶ

椅子の歴史的流れを知る

椅子は人類の最も身近な道具の一つだ。われわれは地球上のあらゆるところで毎日使っている。ところが、この古来の家具の由来や歴史に関心を持つ人は少ない。多くの人にとって椅子は、生まれてまもなく使い始め、あって当たり前の物として特に関心も払わず、意識すらしない生活の背景のようなものなのだ。

しかし椅子の歴史について知ることは、椅子をテーマとしたものづくりに携わる者にとって、必須の学習科目だと筆者は考える。そのため、筆者の折りたたみ椅子講座では、２週間のプログラムの最初の授業として、定員120名の大教室を使い、一般公開で「椅子の歴史的流れ」の講義を持つのである。

歴史といっても数えきれないほどの椅子が作られてきた世界史の、どこから入れば良いのか。数多くの椅子に関わる学習書、参考資料を前に戸惑う人も多いだろう。そうした人々にも、最も体系的、かつ的確にまとめられた教科書として筆者が推挙する文献は、『近代椅子学事始』における島崎

『近代椅子学事始—The new theory and basics of the modern chair 武蔵野美術大学近代椅子コレクション』島崎信，野呂影勇，織田憲嗣（著）ワールドフォトプレス（2002年）

信教授の論考である。従来の「椅子史学」では、建築史や政治史、あるいは様式変遷などの観点からの論述が多く、「椅子の歴史」全体を明瞭な輪郭を持って描いたものはなかった。それだけ広範囲の歴史、膨大な資料が対象となり、一生を費やしても分類・整理しきれない研究テーマなのだ。大学にも家具史研究の科目が生まれたほどである。

その膨大な資料を初めて体系的にまとめたのが、島崎信教授の論考である。書名の通り近現代の名作椅子が網羅されているが、その源流から近年のモデルまで、技術、材質、造形などの類似点を見極めた上での分析、歴史系統的な分類がなされている。この労作が示すものとして「名作の前に名作がある」ということ、そして「デザインの進化は弛（たゆ）まぬ“リ・デザイン（再設計、最適化）”」であると著者は主張する。時には一脚の名作が数脚の名作を生む誘発剤にもなるという。

同書の中でとりわけ白眉といえるのが、さまざまな椅子の進化を以下の四大潮流に整理分類した系譜図である。

明式家具：中国の明代（1368-1644年）を頂点とする椅子の様式。後にデンマークのハンス・ウェグナーの数々の名作にも影響を与えた。

ウィンザー・チェア：広大な森林をもつイ

折りたたみ椅子講座の履修学生に限らず聴講できる。他学科の先生も聴きに来ていた。

授業詳細　**1st DAY**

大教室での講義

最初の授業は、左ページの『近代椅子学事始』で通覧できる椅子の歴史の「潮流」と、その中での近代椅子のデザイン、そして折りたたみ椅子についての座学から始まる。紀元前にまで遡る椅子の歴史を基礎知識として頭に入れ、さらにその中でも折りたたみ椅子の歴史と類別について学ぶ。

学生たちには幸運なことに、『近代椅子学事始』著者の島崎教授ご自身に登壇いただく機会もあった。

島崎氏の分類による 椅子の歴史四大潮流の源泉となった４モデル

1700年頃のものとされる中国明式の椅子。
Metropolitan Museum of Art, CC0, via Wikimedia Commons

17世紀後半頃にイギリス、ロンドン郊外で普及したウィンザーチェア（コムバックタイプ）。Ernest A. Towers, Jr.による1939年頃のイラスト。
National Gallery of Art, CC0, via Wikimedia Commons

アメリカ、ニューヨーク州マウントレバノンのシェーカー教徒の手によるロッキングチェア。1820〜50年頃のもの。
Metropolitan Museum of Art, CC0, via Wikimedia Commons

オーストリアの家具職人ミヒャエル・トーネットが考案した曲木の椅子。1859年発売のNo.14は現在もカフェチェアと呼ばれ売れ続けている。H.タウンゼンド氏所有の椅子を同氏が撮影。
Henry Townsend, FAL, via Wikimedia Commons

ギリスの一地方の農民たちが作った椅子が産業革命によって世界的に普及したもの。

シェーカー・チェア：イギリスのクエーカー教徒の一派が自給自足のために作った家具から派生した椅子。簡潔で実用的。

トーネット：過去の椅子にはない、曲げ木の技術による曲線を追求したデザインが、その後の技術の進歩で発展・進化。独特の形態を持つ。

これら整理分類作業を通して初めて、次のような大観を得られるのである。

■

こうしたデザインの上の「進化」（リ・デザイン）は、いわゆる川の流れのように、過去から現在に向かって脈々と続いているわけだが、この川の流れは決して１本ではなく、あるところではいくつもの小さな流れにわかれ、またあるところでは大きな水たまりがつくられている。（同書 p.14）

■

この画期的な発見は、後の研究者の大きな助けとなり、椅子学の森で迷った学究にとって道標となるような偉業だ。椅子の歴史を知る、とりわけ短期間に学習するための理想的な教材として、筆者の講座では同書の「近代椅子デザイン系譜図」を中心に紹介している。

折りたたみ椅子の歴史

折りたたみ椅子はわれわれの生活には欠かせないといえるほど、身近な存在だ。オフィスや会議室、映画館、リゾート施設、テラス席等々、あらゆる場所にあり、あまりにもありふれた存在のため、研究するほどのものではないと考える人も少なくない。確かにありふれた道具ではある。

しかし、折りたたみ椅子をテーマとして創作に携わるとなれば、その特性を深く知る必要がある。とりわけ後述するように、折りたたみ椅子を研究することは、単に「あるタイプの椅子」を研究するという意味に留まらない。「折りたたみ」という機能を持つ一つの道具として、その構造を知ることで、椅子に限らずさまざまな道具の開発にも役立つのだ。

そうしたことを踏まえて、折りたたみ椅子を創作するには、まず折りたたみ椅子の歴史を学ぶ必要があると筆者は考える。前述の「椅子の歴史」という大きな流れの中の、折りたたみ椅子の変遷を知っておくべきなのだ。

歴史上の折りたたみ椅子としては、古代エジプトの壁画に描かれ、博物館に展示されている紀元前21～紀元前17世紀頃のスツールがあり、人類の最初の折りたたみ椅子だとみられている。その他、古来から世界各地で折りたたみ椅子は使われ、例えば次のような例が知られている。

・中国の王様が王権の象徴として他より高い位置に座るためスツールを使っていた。
・日本では床几（しょうぎ）と呼ばれるX型の脚部を持つスツールが中国から伝わったとされ、古くは奈良平安頃の朝儀の際、後には戦国武将の野戦時や鷹狩に使われた。

紀元前2030年～1640年頃、古代エジプト第11～13王朝のものとされる折りたたみスツール。木と革、ブロンズもしくは銅の合金が使われている。
メトロポリタン美術館収蔵。
Metropolitan Museum of Art, CC0, via Wikimedia Commons

床几に腰掛ける戦国武将、本田忠勝。17世紀。
作者不詳。良玄寺所蔵品。現在は千葉県立中央博物館大多喜城分館に収蔵。
Public domain, via Wikimedia Commons

サヴォナローラと呼ばれるルネサンス期の左右折りたたみ式の椅子。座面の布は15世紀、木部は19世紀に修復。
メトロポリタン美術館収蔵。
Metropolitan Museum of Art, CC0, via Wikimedia Commons

イギリス、1600年頃の前後折りたたみ式の椅子。
メトロポリタン美術館収蔵。
Metropolitan Museum of Art, CC0, via Wikimedia Commons

・十字軍の長征の隊列にも見られた。
・欧州のアジア、アフリカの植民地軍の転戦移動時のテント内に見られた。

これらの例は枚挙に暇がなく、閉まる時は小さく、使う時は広くという特性ゆえに、古今東西で大いに利用されてきた。そしてこうした折りたたみ椅子の利用についての多様な例を紹介する書籍が世界中で刊行されている。しかし古今の折りたたみ椅子のあらゆる例をまとめるには限界があり、すべてを網羅することは難しい。ましてや大学の講座で学習といっても、どこから手をつけて良いのか迷うだろう。

学生が研究テーマとして短期間で集中的に学ぶためには、島崎信教授の論述が一番近道だと筆者は考えており、学生にも薦めている。世の中には数えきれないほどの折りたたみ椅子が存在するが、島崎信教授は、その膨大な椅子群を「折りたたみの機構」から以下の４つに分類するという、かつてない整理・分析を成し得たのだ。

・前後折りたたみ式（本書では前後開閉型）
・左右折りたたみ式（本書では左右開閉型）
・中央折りたたみ式（本書では中央収束型）
・以上に属しない折りたたみ式

これで世界のあらゆる折りたたみ椅子の構造は一目瞭然だ。これから学生たちが挑む創作の大きなヒントとなる。

折りたたみ椅子の４タイプ

島崎教授による、折りたたみの仕組みに基づいた分類。名作モデルを例として示す。

前後折りたたみ式

椅子を正面から見て、前後方向に折りたたむ方式で、最もポピュラーなタイプといえる。

プリアチェア（Plia Chair）
1969年、ジャンカルロ・ピレッティ作。フレームはスチール、背と座はアクリル製。パイプ椅子とも呼ばれる定番モデルの元祖である。

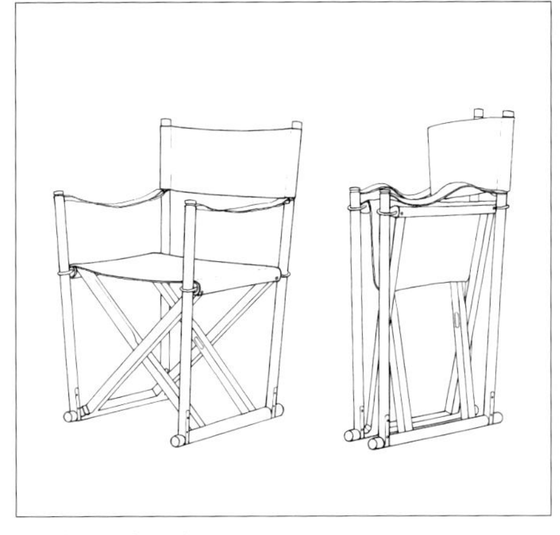

左右折りたたみ式

左右から中央方向に折りたたむ方式。開閉するＸ型フレームが特徴。ニーチェア（p.36）もこのタイプだ。

MKチェア（MK Chair）
1933年、モーエンス・コッホ作。古代エジプト、ギリシャ、ローマと伝えられてきたＸ型スツールのリ・デザイン。

中央折りたたみ式

真上から見て、椅子の中心に向かって収束する構造を持つタイプ。収納時に棒状になるのが特徴だ。

BKF バタフライチェア（BKF Butterfly Chair）
1938年、アントニオ・ボネット、フアン・クルチャン、ホルヘ・フェラーリ・ハードイ作。前後左右のＸ型フレームが開閉する構造。

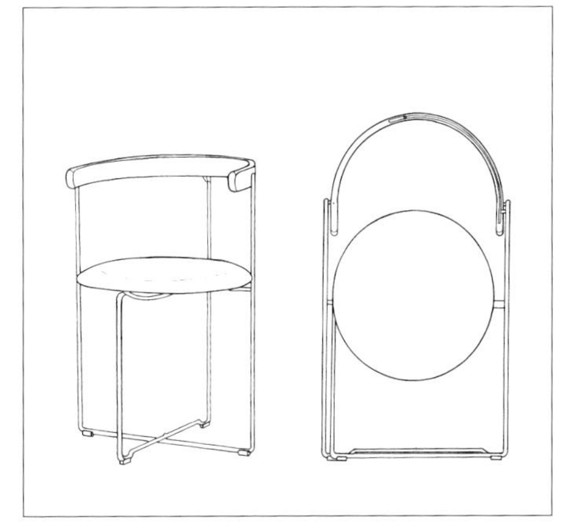

その他の折りたたみ式

前後、左右、中央のどれにも属さない折りたたみ方をするタイプ。多方向にたたむものも多い。

ソレイチェア（Soley Chair）
1963年、ヴァルディマー・ハルダーソン作。脚を垂直軸で回転させた後、背と座を水平軸で回転させ収納する。

創作の土壌を整える — 2

2

Step 2

構造を学ぶ

折りたたみ椅子の仕組みを学ぶ

前述（p.33）のような折りたたみ椅子の構造的な類別は理論として学習したものの、4つの折りたたみ方式といっても、それぞれの現物を見ていない学生たちにはなかなかイメージができないものだ。そのため、歴史の講義の次のステップとして、現物の折りたたみ椅子を見せながら説明する授業を行っている。特に折りたたみの「動き」に力点を置き、実際に流通している製品でさまざまなパターンを見せながら丁寧に説明するのだ。

そして講義の後は、紹介した椅子に学生たちが触れる時間を設けている。自分で実際に触ったり、座ったり、動かしたり、開閉してみながら細部を仔細に観察することで、それぞれに異なる折りたたみ機構についての理解を深めるためだ。美術専攻の学生にとって、この「折りたたみ構造」の授業は非常に新鮮らしく、毎回実に興味津々といった様子で参加している。ちなみに学生だけでなく他学科の先生方にも興味深いらしく、大教室で講義をした際には、先生の姿もあった。

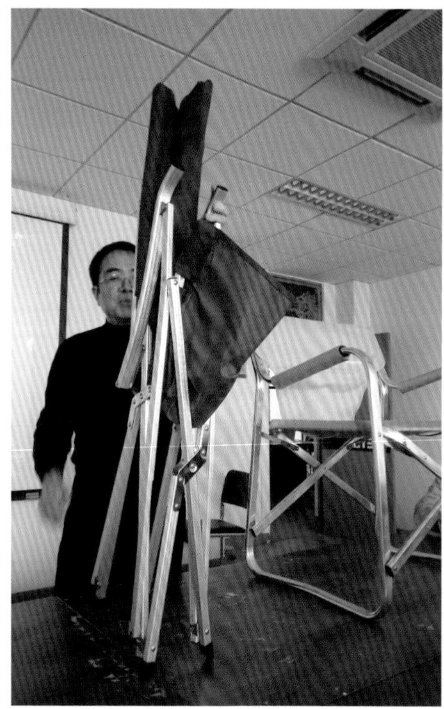

通常の生活では、こうして開閉方式の異なる椅子をいくつも見られるチャンスはまずないだろう。

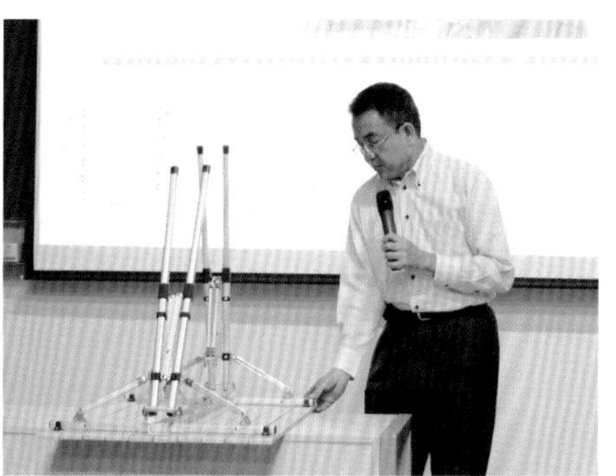

各タイプの椅子だけでなく、折りたたみテーブルや折りたたみ式のバスケットなども現物を提示しながら、それぞれの折りたたみ機構について説明する。インターネットや雑誌、カタログなどではなかなかわからない細部や動きも、学生たちは自分の目で確かめることができる。

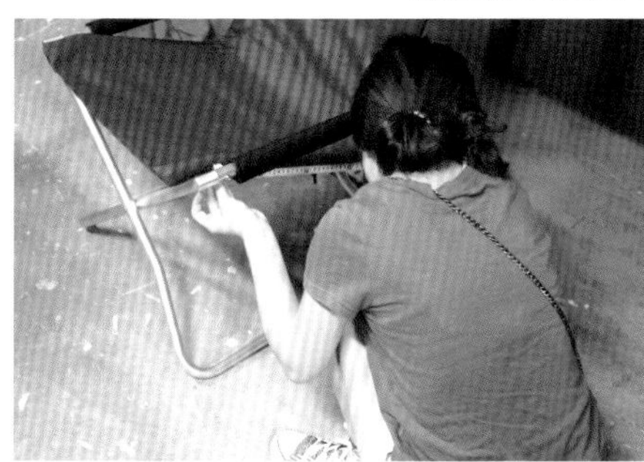

左・座ったり触ったり測ったり、作る側の「眼」で見る体験は、美術専攻の学生にとって非常に新鮮なようだ。

授業詳細

1st DAY

教室での講義

歴史の次に行う折りたたみ機構の授業は、小教室を使う場合も大教室の場合もある。いずれの場合にも、講義の後には必ず、学生たちが自由に現物に触れ、開閉してみて折りたたみのメカニズムを理解する機会を設けている。それまで見たり座ったりしたことがあっても、仕組みを学ぶのはどの学生にとっても初めての経験だ。

3 創作への誘導 — 1

Step 3

名作椅子の模型制作

ここまでは椅子の歴史と折りたたみ椅子の構造を座学で学んできた。ここからはより実践的な授業になるが、いきなり本題の制作に入るわけではない。「これまでにない折りたたみ椅子を作る」という難題に挑むには、さらにもう少し実技での準備が必要なのだ。模型作りや現物の制作など、短時間であっても実際に手を動かし、順を追って経験を重ねることは、ゼロから作品を考案し制作するための誘導として、極めて重要で効果的だと考えている。

授業詳細

実技

2nd and 3rd DAY

近代折りたたみ椅子の名作として世界的にも名高い「ニーチェア」の模型を自分の手で作る実習。作ることで、今なお多くの人に愛されているシンプルにして洗練された折りたたみ機構を理解できるのだ。

ニーチェアは剣道具製造業の家に生まれた新居猛氏が、家具作りに研鑽を積み、1970年に発表した折りたたみ椅子の傑作。1974年にはニューヨーク近代美術館にも収蔵された。筆者は、新居猛氏から直々に「ニーチェアを世界に向けて売ってほしい」と託され、オンウェー版を開発、販売を続けている。

「ニーチェア」を自分の手で作る

折りたたみの仕組みをより深く理解するための次の段階として、名作椅子ニーチェアの模型を学生個々人に作ってもらう。いよいよ実技の授業である。素材は不問。学校の売店や学外の店で購入する素材、紙、板、プラスチックなど、どんな材質でも良いし、大きさも自由である。ただし、実際に動いて折りたためるものでなければならない。動かない椅子の模型制作なら、造形を学んできた美術学生にとっては簡単かもしれない。ところがそこに「動き」という要素が入ると話は違ってくる。動いて開閉できる「折りたたみ機構」を持つ模型となると一気に難しくなるのだ。完成したそれぞれの模型作品は発表し、作成時の気づきや苦労をクラスメートとシェアする。模型を完成させられたということは、その折りたたみの基本原理、構造を理解できているということなのだ。

こうした模型制作も、「わざわざ手作りしなくても、昨今の飛躍的に進化した3Dソフトで簡単にできるのでは」と見る向きもあるだろう。しかし、私はこのアナログなプロセスこそが大切だと考え、こだわっている。たとえ立体思考に基づき折りたたみ構造を綿密に計算したデザインでも、現物に落とし込んでみると、素材の違い一つで良し悪しが出てくる。だからこそ同じパターンで違う素材ならどうか、折りたたみの動きに違いは出るかなど、手を動かして模型を作りながら考えることが重要なのだ。これは実際の商品開発でも同様で、オンウェーでは3Dモデル生成に入る前に、必ず模型作成のステップを踏む。それも一度で商品化に進むことはほとんどなく、何度も修正し、模型段階で試行錯誤を重ねるのだ。いくら進化したといっても3Dソフトは外観のチェックが中心となり、折りたたみ機構の動き、開閉のスムーズさなどは検証しづらい。やはり実物にいちばん近いのは模型であり、模型作りの技術は、今も折りたたみ家具を学ぶ学生には必要だと信じている。

オンウェーの工場で試作品のニーチェアに座る新居猛氏。2005年、新居氏ご自身からコンタクトがあり、オンウェー版を作ることに。名作椅子の折りたたみ機構を受け継ぐべく奮闘した。

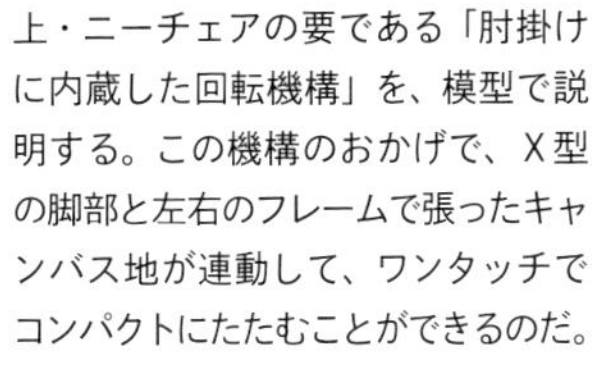

上・ニーチェアの要である「肘掛けに内蔵した回転機構」を、模型で説明する。この機構のおかげで、X型の脚部と左右のフレームで張ったキャンバス地が連動して、ワンタッチでコンパクトにたたむことができるのだ。

下・それぞれのニーチェアが完成したら、全員分の作品を一つひとつ評価する。模型を見れば、ニーチェアの構造が理解できているかどうかがわかるのだ。

上・折りたたみ構造を理解するために、左右開閉タイプの名作、ニーチェアのミニチュアモデル作りに挑戦。素材もスケールも自由に作ってもらう。

素材や色だけでなく、何分の1のスケールにするかも自由。うまい人、作りが雑になってしまう人、それぞれだが、クラスメートの出来栄えは気になるようだ。

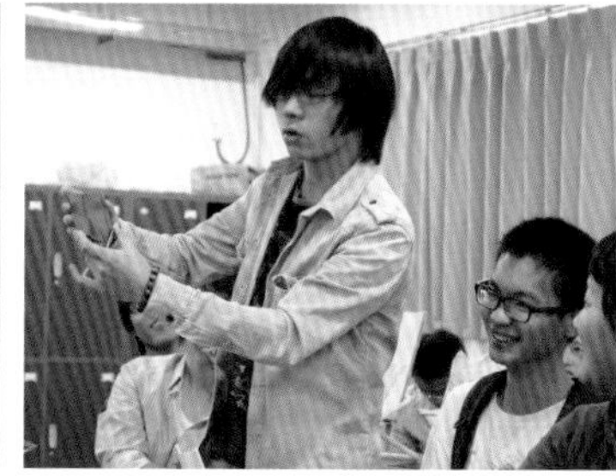

どういう考えでこの素材、色にしたか、問題的はどこにあったか、それをどうクリアしたかについて語ってもらう。

4 創作への誘導 — 2

Step 4

現行モデルをリニューアルする

オンウェーチェアを部品から組み立てる

模型の次は、いよいよ原寸大の椅子を扱うステップへと進む。現行の商品として流通している折りたたみ椅子を自分の手で組み立て、さらに自分なりのリニューアルを加えるという実習だ。「世界のどこにもないオリジナルの折りたたみ椅子を作る」という本題へのウォーミングアップを意図した授業である。

オンウェーのフラッグシップモデルであり、世界中で親しまれているディレクターチェアの子供用モデルを教材とし、学生一人ずつに一脚分の金属パーツが用意される。これを自分で組み立て、各自オリジナルのシートを合わせて自分なりにリニューアル、完成品に自分で座って発表するのがゴールだ。学生にとっては、美大で金属椅子を組み立てることになるとは夢にも思わなかっただろう。フレームパイプやヒンジ、ネジなどすべてバラバラな状態のパーツを前に戸惑いながらも、「本物の椅子を組み立てる」という未知の経験に、嬉々として取り組んでいる。

組み立ては1日、思い思いの素材でシートを制作し、完成品を発表するのが3日後という日程だ。シートは工場でパーツと共に用意した座面生地もあるのだが、誰もそれを使うことがないのは、さすが美大生である。ラタンや網、プラスチック、ニット、植物の葉を編んだり、自分の古いジーンズを使ったりと実に多彩だ。クリエイティビティを発揮する喜びも含め、オリジナル作品制作への良い準備になっていると確信している。

授業詳細

実技

3rd and 4th DAY

実際の商品として販売されている現行モデルと同じ構造の椅子を、自分の手で組み立てる。ニーチェアとはまた違う、独自の工夫で磨き上げた左右折りたたみ式のディレクターチェアは、世界中で百万脚売れた大ヒット商品。その子供用モデルを組み立てる授業に、受講生たちはワクワクした様子で臨む。部品は全て本物が用意されるが、背と座部の布地は自由にアレンジすることを勧めている。

写真は大人用のスタンダードモデル。クロスしたU字フレームの脚部とサイドフレームが､座面下のサポートバーで連携することで、安定して座れ、容易に開閉できる点は、子供用モデル（p.40）も全く同じだ。

子供サイズのディレクターチェア。アルミ合金パイプを使った非常にしっかりとした構造だが、子供が持ち上げることもできる。

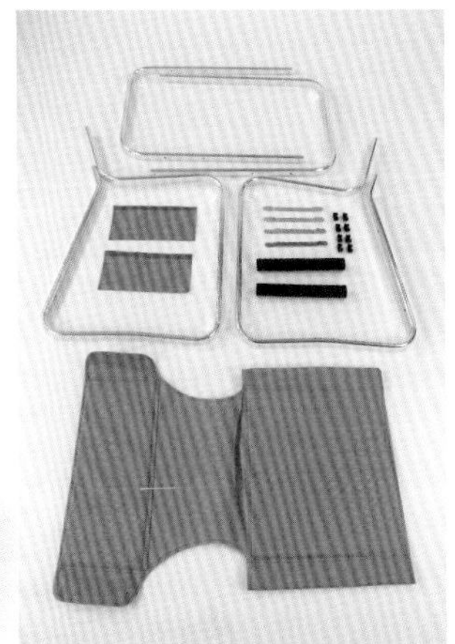

フレーム2対とクロス、ヒンジやネジまで全てのパーツが全員分揃えてある。後は正しく組み立てられるか、つまり仕組みを理解しているかに加えて、座面クロスのアレンジアイデアも評価の対象だ。

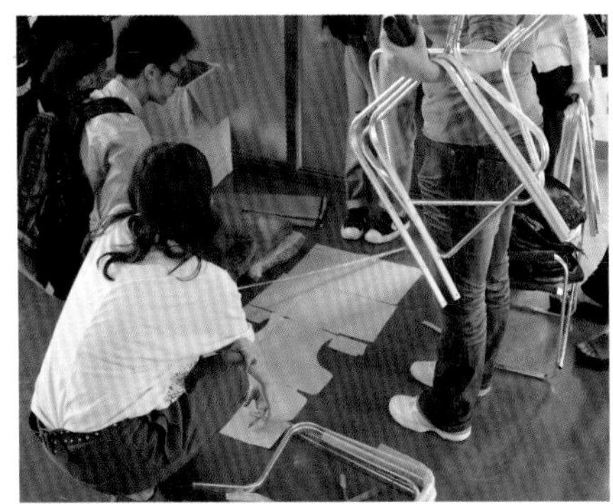

上右・最後の発表会では、全員が自作のリニューアルチェアに座って参加する。その座り心地の良し悪しも、次のステップにつながる貴重な経験となるだろう。
上左・座面生地も用意されるがそのまま使う学生はいない。型紙として活用し、思い思いの素材で独創性を発揮する。

左・講師である筆者の立場を活かして、オンウェーの工場から学生一人ずつに1脚分のパーツセットを手配する。何をどこにどう接続して組み立てるのか、学生にとっては未知の領域。ネジ一本に至るまで数の確認も怠らず真剣に取り組んでいる。

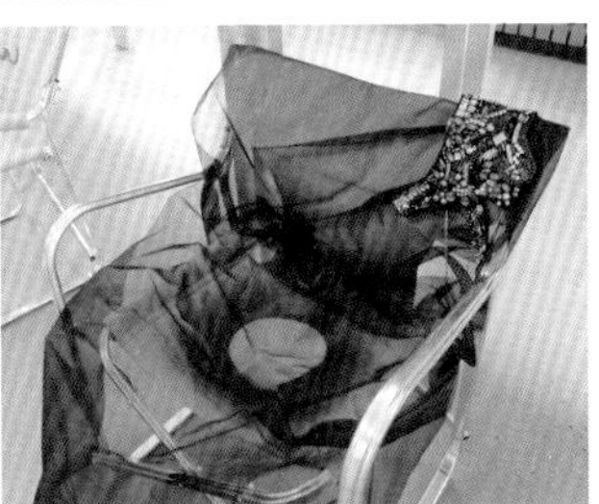
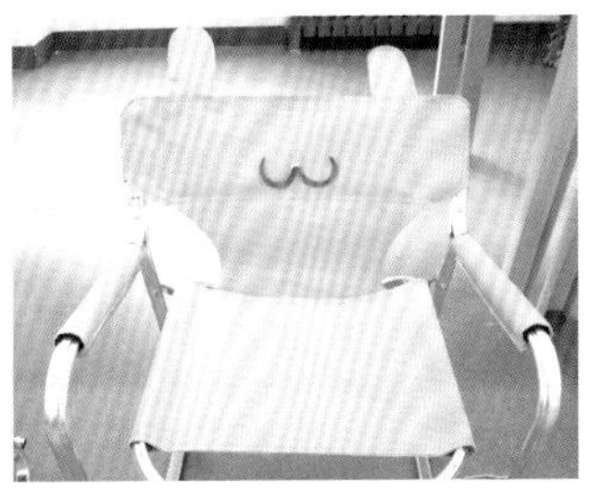

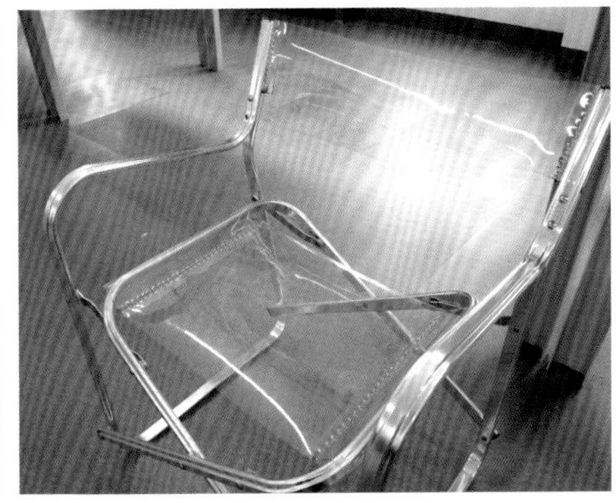

学生たちによるオンウェーチェアの独自アレンジ。厚手のビニールを縫製したり、ラフィアのロープを編んだり、カバーリングで一人掛けソファ風に見せたりと、自由な発想にさすが美大生と感心する。特に優秀な作品には、1位から3位まで選んで賞品を贈ることにしている。例えばオペラグラスや日本製のカッターといった雑貨だが、学生たちには大いに励みとなっているようだ。

キャンパス風景

本書の舞台となる中央美術学院の校内と授業風景を、第２章に先立って少し紹介しておこう。「中国の最高水準の美術教育を行う国際的にもハイレベルの総合的美術学院」と称され、中国内で最難関レベルとされるこの美大で、エリート学生たちが２週間、未知の椅子作りに奮闘するのだ。

左・ゲート前で。キャンパスは北京郊外ののどかなエリアにある。右・前半の座学を行う大教室。他の科の先生も聞きにくるオープンな講義だ。教壇にはプロジェクターも備わっている。

左・実技に向けての「地ならし」的な授業では、人数が絞られてくる。右・小教室での折りたたみ機構の講義。

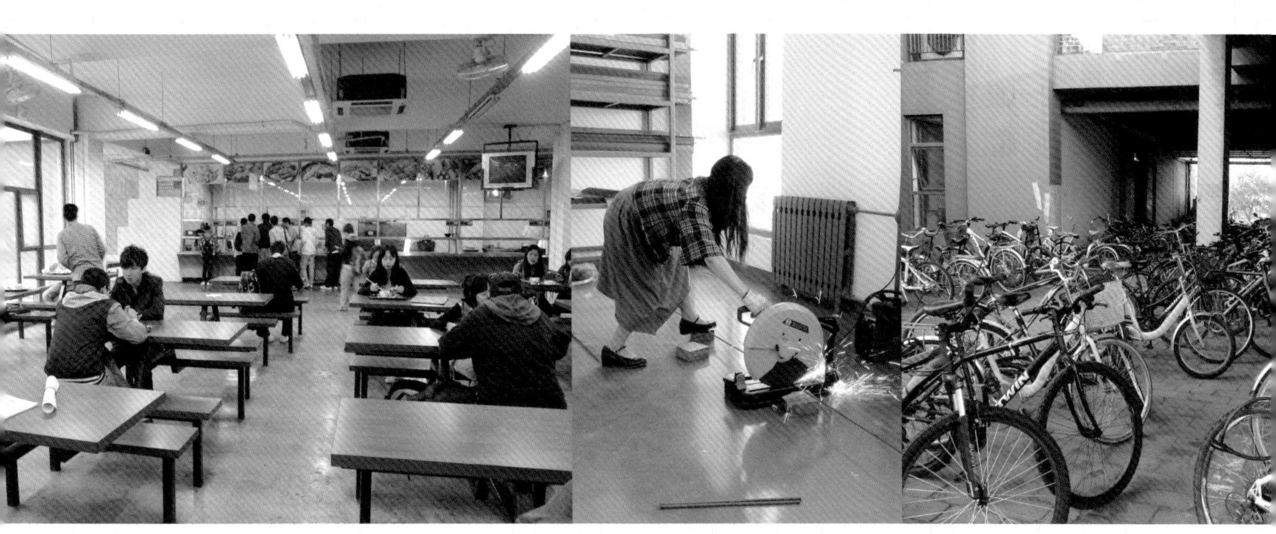

左・学生食堂。ここことは別にコーヒーショップがあり、スケッチを提出する段階になると、筆者はそこでスケッチをチェックしたリアドバイスをする。中央・作品は学生が自分で制作。プロの指導の下、校内の工房で金属加工なども行う。右・学外との行き来には自転車が活躍する。中には学外の工房へ、20kmもの道を往復した学生もいた（p.66参照）。

左・学内の工房にはさまざまな工作機械が揃っており、インストラクターの指導を受けながら使うことができる。
右・クラスメートの協力も制作の助けになる。

column

潜在意識と循環

本書の執筆にあたり、改めてデザイン教育についていろいろな角度から考察してみると、ある意味で、デザイン教育は人間の潜在能力を引き出す作業なのかもしれないと思い至る。新しいモノやコトのアイデアが生まれる時、それは外から何かがやってくるのではなく、何かに刺激されて脳内に潜んでいたものがアイデアとして浮かび上がってくる。本書で繰り返し記しているように、例えば筆者の折りたたみ椅子講座ではまさに、短期間に高難度の課題に挑む大きなプレッシャーという刺激によって、学生たちそれぞれの脳内から、おそらく本人たちが自覚していた以上の結果が生まれてきた。つまり潜在能力が発揮されたのだ。

潜在能力は、表面に表れない眠っている力、いわゆるポテンシャルのことだが、アイデア創出においては、いかに脳内にある知識や蓄積した大量の「データ」を集め、組み合わせるかで、この潜在能力に差が出るように思う。そして、この脳内の知識やデータは、自覚しているもの、意識の上にあるものとは限らない。むしろ意識下にあるもの、つまり潜在意識の方が大きな役割を果たすのではないか。

せんざい - いしき【潜在意識】
精神分析などで、活動はしているが自覚されない意識。
――デジタル大辞泉

潜在意識はそれまでの教育や体験、見たこと、聞いたことの蓄積といえるが、特に伝統的な教育の場で教養として教え込まれ、吸収したことは、良くも悪くも潜在意識として残りやすいように思う。アイデアの創出とは、それら意識下の情報に、内外からのプレッシャーや創造意欲などが触媒となって化学変化が起こり、意識下から引き出されて解が生成される、いわば無意識の応用作業とも言えるのではないだろうか。さらに、そうして作り出されたモノやコトは社会の中に送り出され、人々の生活に浸透し、学校などで教えられ、脳内に蓄積する。そして次の発明につながる素材になる。つまり潜在意識を通して、アイデアの元、いわば人類の叡智が循環しているというのが筆者のイメージなのだが、それもあながち的外れではないように思うのだ。

教育によって蓄積された知識が、応用されることで社会の中を循環するイメージ。

第2章

アイデアを形にする

デザイン講座の実際：創作プロセスを体験する。

第2章

アイデアを形にする

創作のための土台となる授業を受けた後は、いよいよ「世界のどこにもない折りたたみ椅子」の制作に入る。アイデア出しから実寸モデルの完成まで、学生たちは実際の商品開発同様のプロセスを体験する。時間制限のある中で、未経験の作業に学生たちは苦闘するが、そのステップそれぞれに意味があり、価値ある経験になるはずだ。

1 指導のポイント
着想のための方法論 —1

観察力の訓練

ひらめきの探し方

　アイデアは基本的に個人に属すものだ。つまり個々人の脳裏から湧くものであり、アイデアを得るという作業は孤独との闘いともいえる。それも「創作」であるからには、誰も考えたことのない発想なり特徴なりを自分で見つけなければならない。そうした作業の第一歩は、他でもない「観察」なのである。他の誰でもない自分自身の目で世の中の事物を観察し、自分が取り組んでいる課題に関連する要素を見つけることがスタートなのだ。

　社会に出てからは、商品開発部などチームでの作業においては先輩も上司もいて、相談することもブレインストーミングもあり得るだろう。しかしそれも各メンバーの経験と能力があってのことだろう。本講座において、まず必要なのは個人の観察力を鍛えること、すなわち個々人の独自の観察と思考のトレーニングだ。

　観察といっても特別なことをするわけではない。身の回りに、普通に、日常的にある物事に意識して目を向け、そこからヒントを得るように心がけるということだ。これは私自身が実行していることで、学生にも推奨している。例えば、日々目に入る建築物や動植物など実物の観察はもちろんだが、テレビに映る世界の旅やドキュメンタリー、コマーシャルなど、メディアを通した視聴体験からもたくさんのヒントが得られる。

奇才である必要はない

そうした地道な観察作業とは別に、特殊な才能が斬新なアイデアを生む場合があるのも事実だ。確かに普通の人と違った見方で世界を見ることができる人はいる。そうした人たちの目に映る物事は、常人の目には非常識的だったり、見えないものだったりするかもしれない（例えば、優れてユニークな絵画作品を生み出す人々の発想や感じ方は、常人には真似できない）。そういう特殊な人は存在するのだ。

私たちを取り巻くこの世界から、奇抜で思いもかけない発見を得られる機会は滅多にない。往々にして異なる生き方、異なる考え方、異なる習慣を持つ人こそが、そういった奇抜な発見をする。しかし、だからといって私たちがそうした特殊な人になる必要もないし（なれるものでもないだろう）、あえて常識破りの奇才を雇うような組織も滅多にないだろう。やはり学びと考察によって、求める目標を得るための方法論から着目し、地道な段階を踏んで進むことが、世界のほとんどを占めるわれわれ常人にとっては近道に違いない。

自然界からのヒント

ある縁で大手出版社のアウトドア雑誌編集長と話す機会があった。お互いの仕事のクリエイティブな場面で、ひらめきを与えてくれるもの、着想の元になるものについて語り合った際に、氏は自然界から有益なヒントを得られるかもしれないとアドバイスしてくれた。なにしろ自然界は人類が存在するはるか以前から、人間の思惑とはまったく無関係に、それぞれ適者生存の法則で動いている。動物にしても植物にしても、前述のような奇抜で思いもよらない造形にあふれているともいえる。そして、重要なことは、その造形には理由があるということだ。

例えばリスの仲間のモモンガが、両脇の飛膜を使い滑空することは、よく知られている。このユニークな身体は捕食動物から身を守り食餌を得るのに有利な樹上生活に適応したものだと考えられている。また、大型ネコ科動物ジャガーの被毛には、黒点を花弁様の斑が囲む「梅花紋」と呼ばれる美しい斑紋が広がるが、近縁のヒョウの紋様には中央の黒点がない。というのも、ジャガーの主な生息地である南米の森林は見通しが悪く、常に身近に危険が存在する。そのため大型動物の「目」のような梅花紋を全身にまとい、多数の目が見つめているかのように他の動物に錯覚させる必要があるのだ。それに対して、主にアフリカのサバンナなどに棲むヒョウの斑紋には黒点がない。こうした例はもちろん動物界だけでなく、植物もその生育環境に適応するために形状を変えてきた。

博識な編集長によるこのアドバイスは、本講座のプログラムを進める上で非常に有益なアドバイスである。「世界のどこにもない椅子」のためのインスピレーションは、市場に流通している当該品目の先行品やヒット商品からではなく、日常生活や環境、そして自然界から、より豊かでユニークなものを得られるのではないだろうか。まずは「見る」こと。そして大切なのは「なぜこの形なのか」と考えること。その造形に至った背景や理由を知り、理解するというプロセスがあってこそ、創作に結びつく「観察力」になるのだ。

本講座の学生たちが作り上げた作品には、日用品や建築物、植物、海洋生物などからインスピレーションを得て創作したものも多数ある。

範例 A：蟹足のスツール（詳細は p.74）
海洋生物から着想を得た例。形だけでなく動きにも蟹のイメージが活かされている。

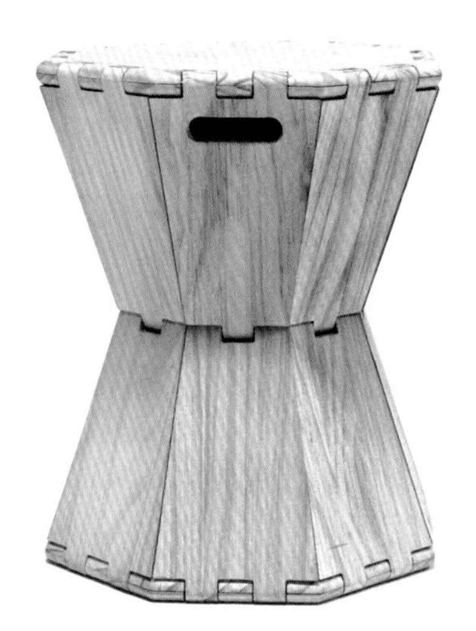

範例 B：コーヒーメーカーのスツール（詳細は p.78）
身近な生活道具にもインスピレーションの元は存在する。この作者がエスプレッソメーカーを持って面談に来た時、筆者は何を作るつもりなのかわからなかった。

範例：クラゲのスツール
こちらも自然の造形を作品に活かした好例。クラゲの身体は傘のような形状をしており、この傘の外周にある環状筋によって傘を開閉することで泳ぐといわれている。この運動による水流に合わせて足も動く。本作では、座面をクラゲの傘に見立て、円形にするだけでなく縁部も丸く削っている。さらに脚部もクラゲの足をイメージして曲線的なフォルムでゆらゆらとした水中の動きを表現。誰もが一目でクラゲを連想する、特徴をうまく捉えたデザインだ。

2

指導のポイント
着想のための方法論 ― 2

リサーチ

分析力の育成

リサーチとは、一般にいわれるように「調査」と「研究」のことを指す。さまざまな文献・情報を調べ、対象に関する多くの情報に触れ、そこから理解を得ることが、創作行為に欠かせない基本といえよう。

サーチとリサーチ

よく目にする言葉に「サーチ（search）」があるが、サーチは昨今ではWeb上の検索で調査対象を調べる・探し出すアクションを指すことが多い。それに対して、リサーチは辞書に従えば――［名］（スル）調査。研究。――とされている（デジタル大辞泉「リサーチ」の項目）。つまり、人間が思考を伴って深い理解を得るための調査・研究という意味で使われる。この「思考を伴う」という点が大切である。

ちなみに同辞書で「調査」は――［名］（スル）物事の実態・動向などを明確にするために調べること。――さらに「研究」は――［名］（スル）物事を詳しく調べたり、深く考えたりして、事実や真理などを明らかにすること。また、その内容。――とある。

例えば、企業活動の中で頻繁に使われる「マーケティングリサーチ」という言葉は、ほとんどの場合、市場や生活者の現況を詳しく調べて見極め、消費者の消費動向やトレンドへの理解を目的とする「リサーチ」を指す。

「鍵」は図書館にあり

本講座では「リサーチ」という行為を大変に重要視しており、毎年、必ず学生に推奨している。リサーチの手段として挙げられるのは、やはりインターネットと書籍だ。インターネットの普及により、30年前とは桁違いに多くの情報を、数クリックで居ながらにして得ることができる。それも世界各国の過去、現在のさまざまな情報が手に入るのだ。他方、地味ではあるが、書籍による調査も極めて大切である。書籍にはネットで得られない詳細な説明などがあり、また「印刷し出版する価値があるもの」として一定の選抜をされていることが多く、より正確な、質の高い情報を得られる可能性が高いのだ。

量から質への転換

リサーチの目的の一つは、対象とする物について過去・現在にわたる既存の製品・作品を知ることである。しかし、その最も重要な意義は、大量の情報を閲読した結果として、自分の脳内に大量の知識が蓄積されることである。そしてこの幾重にも積み重なった情報を消化し、自分のものにすることこそが肝要なのだ。

「自分なりに消化吸収する」ということは、ただ情報を「知る」こととは違う。大量の情報の中から共通するものは何か、それらが意味するものは何かを見極めること、その分析能力を高めることだ。例えるなら酒造りのように、化学変化によって質の変化を起こす、発酵のプロセスともいえる。

この発酵の結果として得た分析能力は、今後の創作の源であり、パワーとなる。この分析力こそが筆者のいう「鍵」なのだ。この「鍵」は一度手にすれば、特定のカテゴリーに留まらず、多様な領域に適用が可能なのである。

「鍵」を獲得したクリエイターの例として、イタリアの名車フェラーリのデザインで知られる日本人デザイナー、奥山清行氏を挙げておこう。氏は、アメリカの巨大自動車メーカー、ゼネラルモーターズに勤務していた頃、毎日昼休みに資料室に通い、保管されている同社の過去モデルのスケッチを大量に模写したという。膨大な量のスケッチ模写という、他のスタッフからは及びもつかないこの取り組みの結果、外部デザインはもちろんのこと、車の内部構造までも知り尽くすことになったというのは、有名な逸話だ。

ここで重要なのは「膨大な量」ということだ。すなわち、大量の閲読とスケッチ模写により、外見だけではなく、過去のデザイナーたちがどう考えたか、思考の道筋をも想像し脳にインプットできる。膨大なデータを脳内に蓄積し、その精髄を吸収する。こうして奥山氏はその後の創作において、誰よりも早く、誰よりも大量にアウトプットができたのだ。まさに「鍵」を見つけた成功例である。

学生たちにとって、わずか二週間、三週間で「鍵」を見つけるなどということは、明らかに無理である。しかし創作の方法論として知っておくこと、たとえ短期間でも自分なりの「鍵」を探す経験をすることは、非常に有意義だと筆者は思う。

3

指導のポイント

着想のための方法論 — 3

シンセシス──統合

シンセシス＝新たな価値の合成

前項ではリサーチの目的と意義について説明したが、大量にリサーチした結果を創作に昇華するには、その間にシンセシス（synthesis）という重要なプロセスがある。シンセシス（synthesis）は「総合する、合成する」ことを意味する言葉で、「分析」を意味するアナリシス（analysis）の対義語だ。ものづくりにおいては、リサーチで得られた複数のデータを分析した後に、それらから新たなものを創出する工程にあたる。前項で、リサーチとしての大量閲読が化学変化によって質の変化を起こすことを例えて「酒造りにおける発酵」と記したが、シンセシスはその先の工程、「糟粕（かす）を捨て成果を残す蒸留」だといえるだろう。

科学技術としてのシンセシス

シンセシスの重要性を説く人に、東京大学大学院情報理工学系研究科教授の石川正俊氏がいる。科学技術の場合、過去を調べ、情報を解析することで、謎を究明したり新事実を探究するという作業は、ごく一般的に行われている。しかし、探求し解析した結果だけ揃えたところで「創造」にはつながらない。石川氏によれば、これまでは「何かを突き詰めて、真理を探究する科学技術」が主流だったが、今、IT技術やものづくりは、アナリシスだけではうまくいかなくなってきており、これからは違った構造の科学、「何もないところからものを創り出す科学技術」が必要だという。そしてこの「創り出す科学技術」がシンセシスであり、将来の科学技術の基本になるというのだ*。

新しいものを創り上げる際には、まず仮説を立て、その仮説を実証し、実証したものを社会に受け入れてもらうというプロセスが重要となる。近年の研究機関などでは、そうした新しい価値を創るための構造が出来上がってきているが、新しい価値を創り上げること自体は決して簡単ではない。何もないところから新しいものを創るには「独創性」が不可欠だからだ。前述のようにリサーチした情報だけでは独創性にはつながらない。そこからシンセシスという工程を経てこそ独創的な、新しい価値が創られるというのが石川氏の提言だ。

成果を蒸留する

重要なのは「課題→リサーチ→シンセシス→創造」というプロセスである。

大企業や研究機関などの場合、これらの

いよいよ自分の作品のアイデアを出し、形にする段階で、リサーチの成果を蒸留するシンセシスというプロセスを理解し、体験してもらう。

各工程にはスーパーコンピューターなどの科学技術が大いに活用されているだろう。そもそもの課題を見つけるための手段（マーケティングなど）にも、ディープラーニングによる過去のデータのリサーチや解析、得られた結果を統合するシンセシスの過程でも。さらにまた、石川氏も「創造性や独創性は、時にリスクを伴うもの」と認めるように、新しいものを創り上げるにはリスク（結果として社会に受け入れられないなどの可能性）が伴う。大企業や研究機関では、これについても十分なコストをかけ、先端技術による綿密な検証を重ねることでリスクを最小化できるだろう。

一方、ファニチャーデザインの世界ではなかなかそこまでのことはできない。私たちはリサーチした情報を人間の脳で整理し、そこから必要なものだけを引き出すという昔ながらの脳内作業を頼りにしている。またその結果に伴うリスクについても、私たちには科学による立証や計算はできない。確実に社会に受け入れられる、絶対に売れると確信することなどできないのだ。

しかし、それでも進める。確率が十分の

一でも。9回失敗しても10回目には成功するかもしれない。この創作プロセスを積み重ねることでデザイナーの思惑と世間とのギャップを縮めてゆくことができるはずだが、リスクを取って進めなければ何も始まらない…というのが筆者のポリシーだ。

そもそも本講座の目的は「絶対に売れる、絶対に受けるものづくり」ではない。売れるかどうかは別の次元の話で、本講で扱うのはデザイナーの段階、あくまでクリエイティブワークが対象だ。「過去に存在しなかったものを探し、新しく創造する」という課題とプロセスを経て、創作のプロセスの基本を理解し、体験し、この方法論を将来の活動の役に立つスキルとして身につけることが本旨である。

学生たちは、膨大な過去の集積をリサーチし、そこで発見したファクターを抽出し、新しいコンセプトで作品に統合するという経験をする。昨今注目されている科学的な手段に比べてアナログで、原始的とさえいえるかもしれない。しかし課題、リサーチ、シンセシスというプロセス、そして何より創作という到達点には変わりはないのだ。

＊ 石川正俊『アナリシスからシンセシスへ「ゼロから生み出す必要性」』ウェブサイト：テンミニッツTV https://10mtv.jp/pc/content/detail.php?movie_id=1346

4

指導のポイント
着想のための方法論 — 4

奇想天外と立体思考

学生たちの発想力

素人の発想は無限である。学生はいわばまっさらな白紙状態だ。私が教える若者たちは造形美術専攻の学生であって、椅子職人を目指しているわけではないのはもちろん、ほとんどが家具デザイナーを志しているわけでもない。この「折りたたみ椅子講座」は彼らにとって年間30〜40もの専修科目の一つに過ぎず、彼らは折りたたみ椅子に関しては、まさに素人集団といって良いだろう。しかし、この学生たちには最大の「武器」として、若者らしい奔放な発想力と、難関美大への厳しい受験戦争で鍛えられた審美眼がある。

「素人のように発想し、玄人のように実行する」というカーネギーメロン大学の金出武雄さんの名言がある。この「素人のような発想」が最も大事なのではないか。世の中に欠けているものではないだろうか。独創的なものづくりを担うのはエンジニアではなくクリエイターだからだ。

確かにすぐれた創作、画期的な製品は素人の奇想天外な発想から生まれるものが多い。自動翻訳機や指先で操作できるタッチボードなどは、普通の人の「あったら良いな」という思いから生まれたといわれる。実際に、次章で紹介するアイデアスケッチの段階に入ると、すぐれた発想力と審美眼を持つ彼ら素人学生たちは、びっくりするような奇抜なアイデアを提出してくるのだ。もともと絵画の訓練を積んだ学生たちはイメージしたものを描写する能力も高い。

脳内で立体を動かす訓練

しかし、そんな学生たちが最初にぶつかる壁が、折りたたみ機構における「支点と動きの関連」である。彼ら自身も日常的に数多くの折りたたみ道具や家具に囲まれ、使ってもいるだろうが、それらがどういう仕組みで折りたたまれているのか、これまで詳しく観察したことも、研究したこともないのだ。もちろんアイデアスケッチの段階に入るまでには、第１章で紹介した折りたたみ機構の授業や名作椅子の模型制作の実習によって、ある程度は「動き」についての知識を得ているだろう。それら知識と理解を総動員して、どんな作品を作るか、それはどういう構造にするのか、自分自身で考えなければならない。そして、そのためには頭の中で椅子を立体的にイメージし、かつ動かしてみる必要がある。この過程こそが、立体思考のトレーニングになるのだ。まだこの世に実在しない椅子を頭の中で描くことは、一般の人にはなかなか難しい。しかし優れた表現力を持つ本講の学生たちは、指導すれば折りたたみという「動き」を持つ椅子を、頭の中で組み立て、動かしてみることもできるようになるだろう。

範例：惑星着陸ステーション
学生の自由な発想で近未来の科学を表現したというスツール。惑星着陸ステーションと名付けられたこの作品のポイントは、宇宙空間でエネルギーを供給するための太陽光パネルをイメージした座面と、惑星の地表を想定して安定性を考慮した三脚だ。収納時の座面は４枚の板に分かれ、太陽光をキャッチできるような形態になるところまで「惑星着陸」のイメージにこだわっている。

Step 5
スケッチ

アイデアを紙上に描き出す

前述したアイデア創出のプロセスを経て、頭の中のイメージをカタチにしてゆく段階に入る。すなわち無形のものを有形の模型にするのだが、その第一歩がスケッチだ。

学生たちは頭の中の漠然としたイメージを紙の上に線と面で表現し、4〜5パターンのスケッチから講師（筆者）に説明しパスしなければならない。当講座はもちろんのこと、それまでに各人が学んだこと、見たもの、経験したことなどを土台として、課題である「これまでにない折りたたみ椅子」のアイデアを絞り出すのだ。最終的に1点を選び次のステップ、つまり立体の模型制作に進むのだが、このスケッチが最初の難関であり、同時に重要なプロセスといえる。

というのも、仮に頭の中で立体的なイメージを持つことができたとしても、スケッチに描いてみると成り立たない場合が少なくないのだ。一回の提出で通る学生もいる一方、パスするまで何度もダメ出しされる学生もいる。講師としてはそれが成立しない理由を説明するのだが、納得しない人も多い。2週間という本講座の期間中（その年によって3週間の場合があるが）、人によってはスケッチをパスするのに1週間かかる場合もある。しかし、自分のアイデアがなぜダメなのか考え、理解し、再考したり修正したりするこの期間は、カリキュラムの中でも特に重要なプロセスだと考えている。

授業詳細 5th DAY-

実技（スケッチ）

いよいよ学生たち自身のオリジナルの椅子を制作する段階に入る。そのためのアイデア出しとスケッチ、講師（筆者）との面談、アドバイスを受け試行錯誤し、修正・再提出し、その都度また面談し、最終的に制作プロセスに進める案を決定する。この間、いつでも学生たちの相談に応じることができるよう、筆者は学内のカフェにて常時待機している。
学生が考えてきたアイデアには成り立たないものも少なくない。個人差の出るプロセスでもあり、人によってはアイデアが通らずダメ出しされ続け、非常に苦労するが、そうして頭を絞って考え抜く時間は忘れられない体験になる。

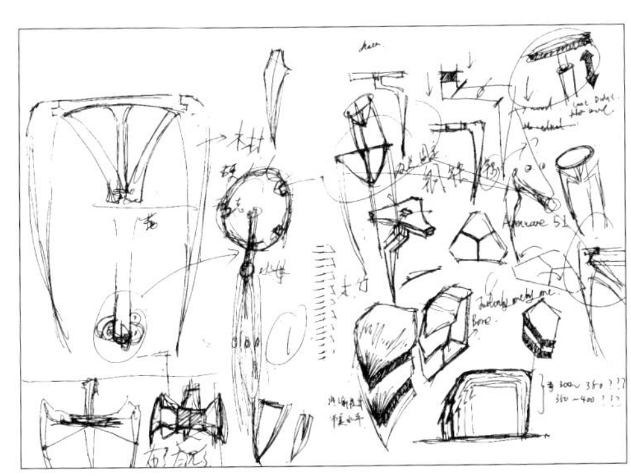

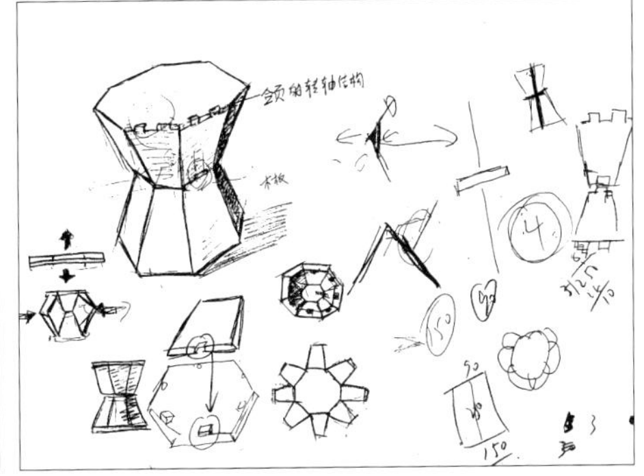

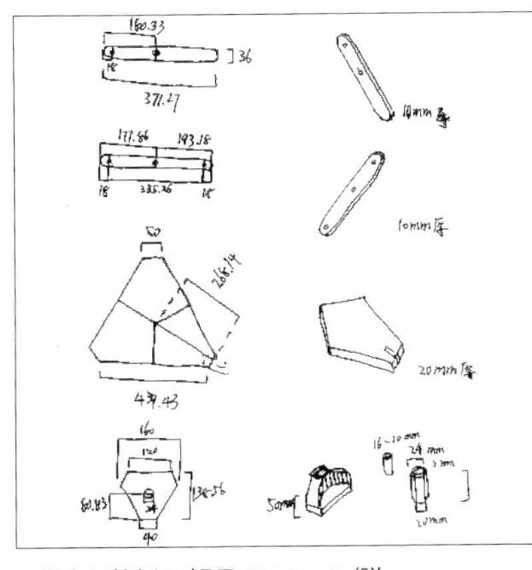

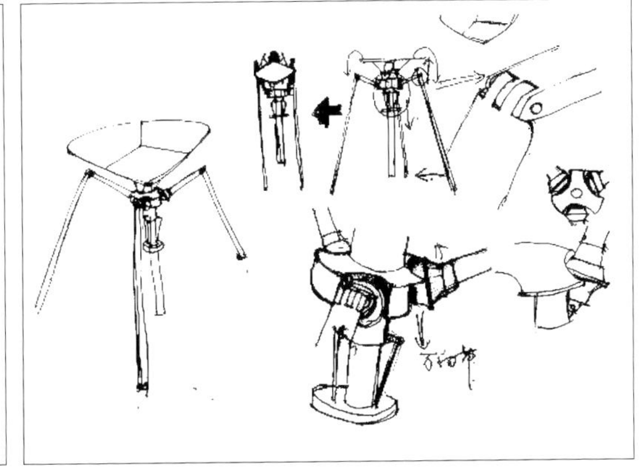

上段左は範例A:蟹足のスツール(詳細はp.74)、上段右は範例B：コーヒーメーカーのスツール（詳細はp.78）のスケッチ段階。
下段左は範例:惑星着陸ステーション（p.55)、下段右は範例C：カマキリの三脚スツール(詳細はp.82)。

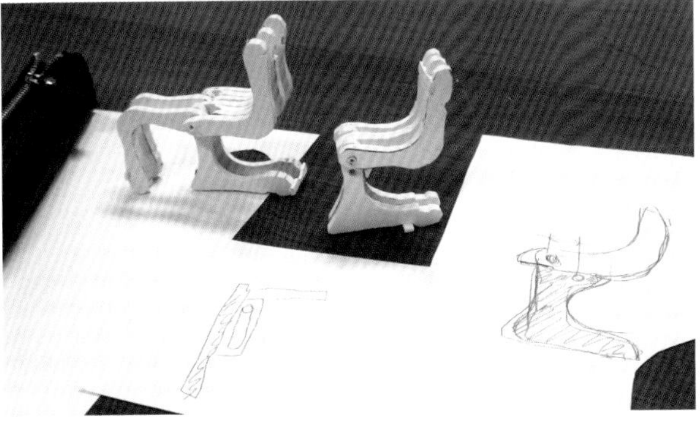

スケッチでパスしたアイデアは、いよいよ立体的な模型へ。模型を作りながらの修正部分も、頭の中だけではなく紙の上に落として試行錯誤する。

6 Step 6
模型制作

模型作り

アイデアのスケッチがパスしたら、いよいよ立体の模型を作る。イメージしたものを「まずは形にしてみる」ための模型なので、完璧なものである必要はないし、精度もいらない。この段階ではイメージしたものを実体化する「原型」作りであることが重要なのだ。いわば作品にとっての、すべてのはじまりだ。特に２週間という短い期間中に大きなテーマを実現するには、アイデア段階でじっくり吟味し、検討を繰り返す時間の余裕はないので、スケッチ段階でパスした１点の立体化を優先する。

アイデアはあくまでこうすればこうなるだろうという推定からなるものであって、実際に実現可能かどうかは、検証が必要になる。特に折りたたみ椅子という動くものは想像するだけではなかなか確信できない場合がある。やはり模型にしてみて初めて、どこがどう動くのか、その構造は成立するのかを考えることができるのだ。

さらに模型制作の作業の中から、新たなアイデアが生まれたり、より良い構造、あるいはより美しい形状を見つけたりと、有意、不意の結果が生まれる期待もある。

模型不要論の台頭

かつては、プロダクトデザインの学習において模型制作は必修科目の一つだった。学校も当然、一つのスキルとして学生に模型作りの練習をさせていた。しかし、3Dソフトが進化し、より身近になった近年、「模型不要論」が若手の先生からも出るようになってきた。実際に模型制作の実技がない学校も増えてきているようだ。

「3Dソフトでイメージの立体化ができるようになった今、従来の手作り模型は不要なのでは」という考え方だ。こうした意見を初めて聞いた時には驚き、本当にそこまで3Dソフトは進んだのかと不思議に思った。ただ一方で、そうした模型不要論を唱える人々には、そもそも「何のために模型を制作するのか」が理解されていないのかもしれないとも思う。

模型作りの意味を再考する

模型作りには確かにいろいろと課題がある。例えば素材を調達できるどうか、加工する道具があるか、イメージに近いものを作るためのテクニックがあるかなど。特に学校では、学生全員にこうした条件が揃う必要があるだろう。しかしそれでも、やは

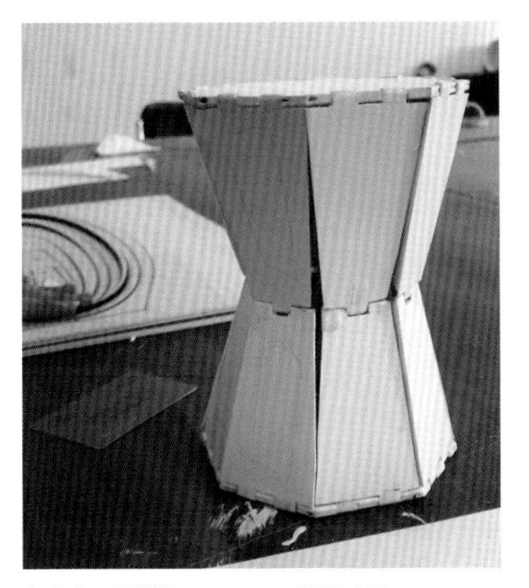

あくまで原型なので、この段階では完成度は問わない。範例B：コーヒーメーカーのスツール（p.78）の模型。

実技（模型・3Dモデル）

スケッチの提出でパスしたアイデアを立体にする。素材は問わないが、成立可能な折りたたみの構造かどうか、模型にして確かめる。このプロセスでも都度、講師と面談し、相談したリアドバイスを受けることができる。模型が完成したら3Dソフトでデジタルモデルの制作も行う。

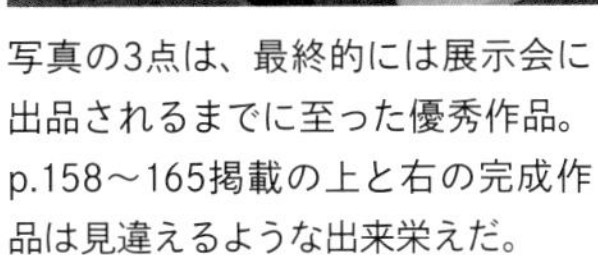

写真の3点は、最終的には展示会に出品されるまでに至った優秀作品。p.158～165掲載の上と右の完成作品は見違えるような出来栄えだ。

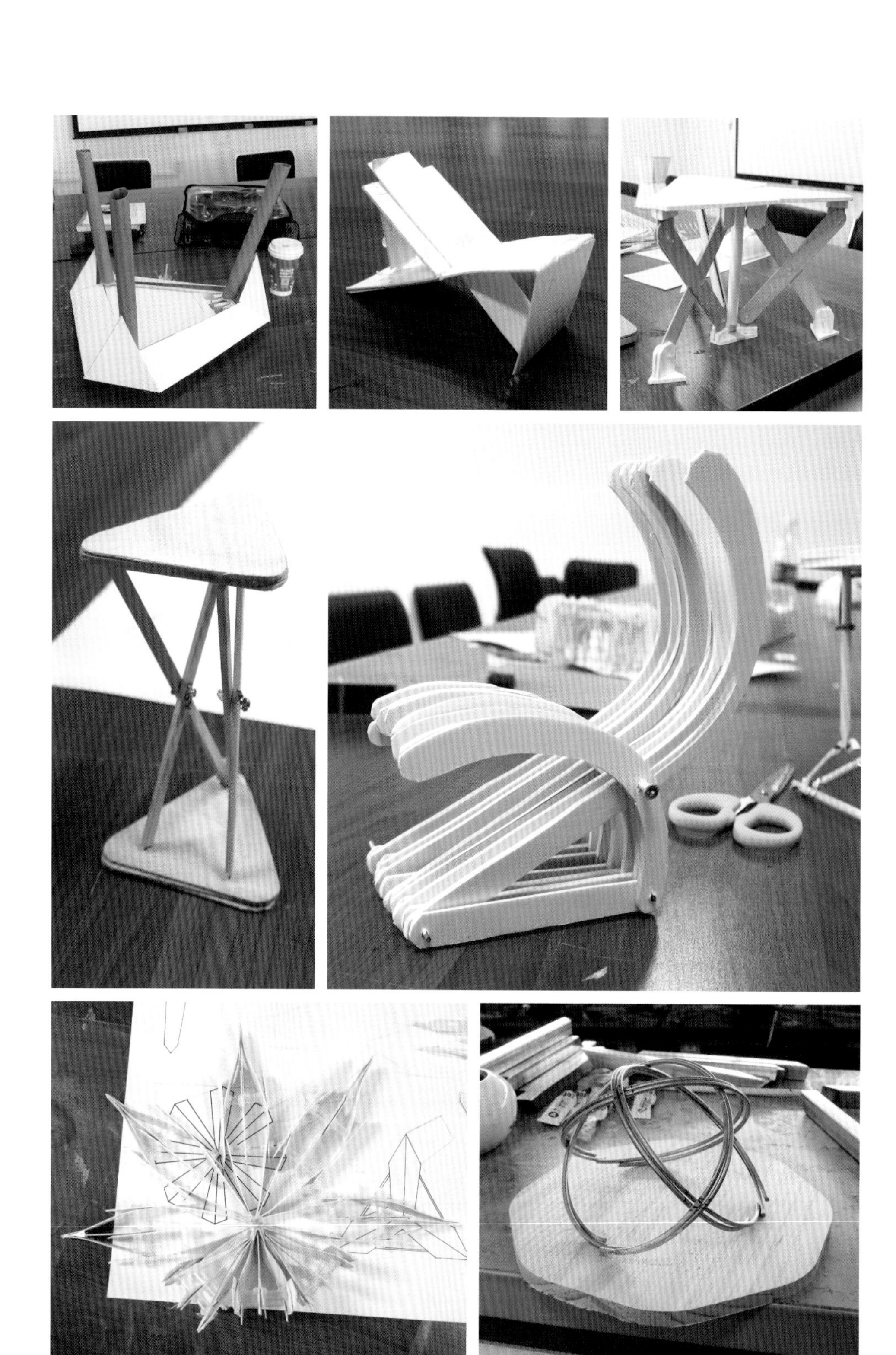

名作椅子ニーチェアの模型作りと同様、オリジナルアイデアの模型制作でも、素材やスケールは自由。あくまでも折りたたみの構造を確認するのが主眼である。それぞれに紙や木、針金、スチレンボードなど思い思いの素材で、自らのアイデアの立体化に取り組んでいる。

り模型制作の授業は必要だと確信している。

筆者の旧工場には模型作りの達人がいた。香港科学技術大学で半年間、模型作りの勉強をしていた人だ。模型制作だけをテーマに半年もかけて専門知識を習得、研究した人だけあって、彼の作る模型は非常に完成度が高く、実にすばらしかった。新商品開発の際には一週間、自宅にこもって制作に没頭し、一週間後に見事な模型……時にはかなり複雑な構造のものを作り上げる。アルミ板やプラスチックなど加工しやすい素材を使い、作る過程で常にアイデアに修正を加えるという。

実は筆者も同様のプロセスで商品をデザインする。アナログだが、そのプロセスが大切なのだ。折りたたみの椅子やテーブルを開発する場合、そのデザイン、構造で動くかどうか、どのように動くかは極めて重要で、かつ難しい。修正なしで一発でファイナルになることは滅多になく、試行錯誤しながら模型を修正し、形にしてゆく場合が多い。その過程で経験する気づきや発見は手を動かしてこそのもので、ソフトウェアではなかなか得られないものだろう。

そうした理由から、筆者の講座では、必ず学生に模型作りをしてもらうのだ。素材は不問。学校周辺で入手できるものであればいい。実際に学生たちは学校の売店や周辺の画材店で厚紙や木材やプラスチックなど思い思いの素材を入手し、試行錯誤しながら模型作りの醍醐味を味わっている。

制作中に行き詰まったり迷うことは珍しくない。必要に応じて個別にアドバイスや指導・提案をする。

ちなみに筆者の講座期間とほぼ同時期に、ドイツから来た教授が折り紙を専門にした講座を持っていた。建築の基礎課程としての講座と聞くが、この折り紙の課程を終えた学生は、筆者の折りたたみ家具の講義をより良く理解できるようだ。一枚の紙から立体物を作る折り紙は、模型作りにも通じる部分があるに違いない。自分の手でものを作り、考え、修正するという体験には、どれほどデジタル化が進んでも替え難い価値がある。

3Dモデルの活用

ここまでスケッチ、模型作りと手作業に主眼を置いた実技が続いたが、本講座のプロセスでは、3Dソフトによるモデリングも、現在、創作の現場で使われている手法の一つとして実習に組み込んでいる。まずは「手作り」が重要なことは確かだが、3Dソフトの出現によって、かつては原寸サイズの模型を手作業で作り、その修正を繰り返すことで作品を完成させてきた工程を、パソコン上で行うことができるようになったことも事実だ。思い描いた任意のイメージを立体的な画像データとして自動的に作成でき、これを数値の調整で随意に修正するなどして、ファイナルまでできてしまう。すなわち、過去には数カ月の期間を要し、数多くの材料を使ってようやくカタチができるといったような作業が、数日でできる時代になっているのだ。

さらにこの3Dソフトでできた模擬作品のデータを、DXF形式やSTP形式、PDF形式などに変換して製造メーカーに送れば、製造メーカーがそのデータを機械に書き込み、または入力することで、機械がデータそのままの製品を作ることができる時代となっている。ちなみに主な作業フローの変化は次の通り（仕様決定以降の流れは下図に示した）。

過去：アイデア→紙などの簡易模型→模型→実寸模型→ファイナルサンプル→仕様決定

現在：アイデア→（簡易模型）→（模型）→3Dモデル→ファイナルサンプル→仕様決定

3Dモデルの応用によって、旧来の製造手法はおのずと見直しや簡略化、時には否定されることになり、ひいては時間の短縮と費用の削減につながる。こうした技術の進歩に伴う手法の変化によって、椅子という伝統的生活道具の作り方も変遷してきた。これはもちろん現代だけの話ではなく、古代から文明の発達に伴って、製造の手法も効率性も進化してきたのだ。そして近い将来、新たな技術の出現で、今よりさらに効率的な手法が生まれるかもしれない。

しかし、進化も変化もしていないものがある。それはほぼ全人類が毎日行う「座る」という行為だ。私たち人類の骨格が突然変化を起こさない限り、「座る」行為は不変であり、椅子という道具が必要なのだ。だから椅子の創作は永遠の課題なのである。

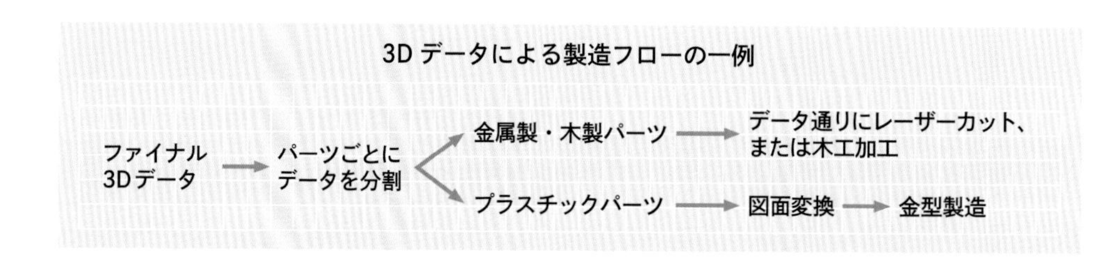

3Dソフトでのモデル制作は今や必修科目となっている。まず手作りの模型ありきだが、そこで得た知見を数字としてデータ化することで、自分のイメージをより正確に立体化でき、折りたたみの動きでパーツがぶつからないかなど、より精密に構造を検証できる。

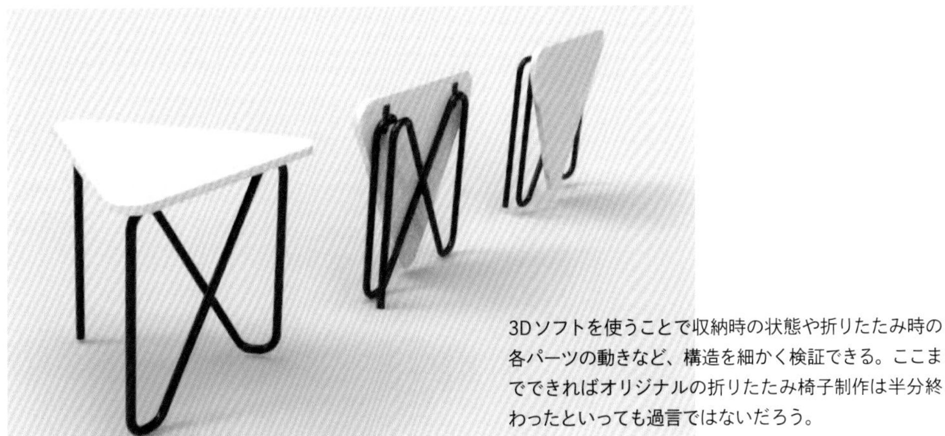

3Dソフトを使うことで収納時の状態や折りたたみ時の各パーツの動きなど、構造を細かく検証できる。ここまでできればオリジナルの折りたたみ椅子制作は半分終わったといっても過言ではないだろう。

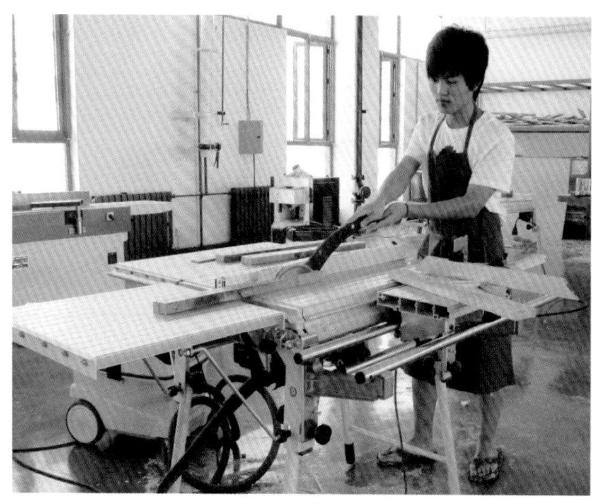

学内の工房にはさまざまな加工機械が揃っている。ドイツから輸入されたものが多い。

木工、金属加工などそれぞれに達人級のインストラクターがいて、学生たちが持ち込む課題に対応してくれる。ただしあくまで助言と指導のみで、作業は全て学生が自分で行う。

金属パイプの曲げ加工やカットも自分たちの手で。

7

無形を有形にするプロセス―3

Step 7

実物大作品で検証する

自分の作品を自分の手で作る

前述した3Dモデルの作成と検証を経ていよいよ本番を迎えることになる。学生諸君はわくわくすると同時に不安も感じるようだ。なんといっても人生で初めて自分の椅子を作るのだから。

造形教育の拠点として、中央美術学院には木材加工を扱う工房と、金属部材を利用する金属工房が設置されている。また高度な造形表現を実現するため、これらの工房での加工を含む多様な加工技法から的確な手段を選択し利用できるよう、専門知識と技術をもとに助言しバックアップする、腕の良いインストラクターが配属されている。ただし、インストラクターは学生が持ち込むさまざまな相談を解決すべく助言はするが、代わって作ることはしない。あくまで学生がすべて自分で考えて自分で作ることが大前提だ。

工房内の加工機械も大変充実しており、鉄工工房の設備はTIG熔接機、半自動熔接機、プラズマ切断機、汎用中型旋盤、フライス盤、手押し鉋盤、自動鉋盤、レーザー加工機、エアーハンド工具、電動ハンド工具各種といったラインナップだ。もちろん木工工房にも、床内蔵式集塵装置、高速手押し鉋盤、自動一面鉋盤、帯鋸盤、昇降盤、横切り丸鋸盤、精密横切丸鋸盤、ユニバーサルベルトサンダー、ボール盤、フリーボール盤、エアーボーリングマシン、大型木工旋盤、超仕上げ鉋盤、バンドソー、そして各種電動工具、各種手道具（鋸、鑿、鉋、彫刻刀等）等の機器が用意されている。

工房はとても忙しいため、利用は順番待ちだ。そのため、時間的に間に合わない場

授業詳細　7th-14th/21th DAYS

実技（実物制作）

いよいよ実物大の折りたたみ椅子の制作に取りかかる。白紙に手描きで捻出したいくつものアイデアスケッチから１点に絞り、まず模型で吟味し、次に3Dモデルでの検証を終えたところで、作りたい作品の姿はほぼ決まっている。後は実物の制作のみだが、ここからがまた多くの学生にとっては苦労の連続となる。発表までの期間は約７日間（講座が３週間の場合は約14日間）。学生たちが全力で取り組むと同時に、講師はいつでも相談に乗り、アドバイスをする態勢をとっている。

合は学校側が用意した40社ほどの外部工房を利用することになる。外部工房というのは町にあるそれぞれのプロの技術屋、民間のものづくりの専門店ということだ。ちなみに、学校の工房は材料費は有料だが、加工賃は無料。しかし外部の民間工房は材料費と加工賃が発生する。

それぞれのものづくり体験

3Dモデル検証が終わった学生が実物大作品の制作に移る時期はおのずと重なり、校内工房の利用者が集中する。順番待ちとなるが、待っていられない学生は外部工房への依頼を選択する。この過程で学生たちのさまざまな事情と個性から、悲喜こもごもの物語が生まれもする。

例えば、ある学生は、路線バスで片道2時間の店で4mの鉄パイプを購入し、帰りもバスで学校に持ち帰ったものの寸法間違いが発覚。再び4mのパイプと共にバスに乗り、往復4時間かけて店へ交換に行く羽目になってしまった。

別の学生は、自転車で20km先にある鉄板レーザー加工と曲げ加工の工房へ出かけ、加工した金属部材を持ち帰るが、自身の計算ミスが発覚。やり直しのため、学校—工房間の20kmを一日2回往復という、まるで自転車レースのような経験をした。

また裕福な家のお嬢さんが、その財力で近隣の工房にすべてを作ってもらい、自分の手は一切使わずに作ってしまったなどというケースがある一方で、貧乏学生には材料を買うお金がないため、学校の厨房の外にある発泡スチロールを使うことにしたという苦労話もある。

さらに本革を使う選択をした学生は、精密レーザー加工によって数百のネジ穴を持つ革バンドを作り、そのバンドを織ってネジ留めしたものを座面にするという、非常に凝った構想だったため、作業があまりにも複雑すぎて3回も失敗。しかし納得するまで妥協せず、何度も作り直した結果、高額な制作費が発生することとなった。そしてついには母親が、心配のあまり飛行機で1時間の実家から息子の金遣いを確認しに来校……などというケースも。

こうした特別なエピソードがなくても、どの学生もみな真摯に取り組み、真剣に制作する。その姿を見て嬉しいのはもちろんだが、それ以上に教える講師としての感動があるのだ。学生たちは人生で初めて「自分の椅子を作る」という挑戦をする。彼らがさまざまな課題をクリアし、完成にたどり着いた作品を見る時の喜びに輝く顔は忘れられない。おそらく本人も一生忘れられない体験だ。

上・講師（筆者）は、各人の制作の様子を見守りながら、指導、アドバイスする。

左と下左2点・本革バンドを真鍮のビスで留めるという、実に手の込んだデザインにこだわった。フレームも良質のブナ材という贅沢な作品だ。

下・人生で初めて作った椅子が完成し、喜びがあふれる笑顔。指導者にとっても何よりの喜びだ。

2011年の発表日風景。一斉に作品を並べ、全員が自由に見て回れる展示会スタイルにした。

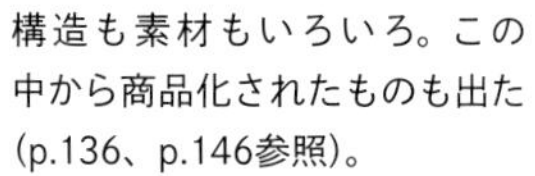

構造も素材もいろいろ。この中から商品化されたものも出た(p.136、p.146参照)。

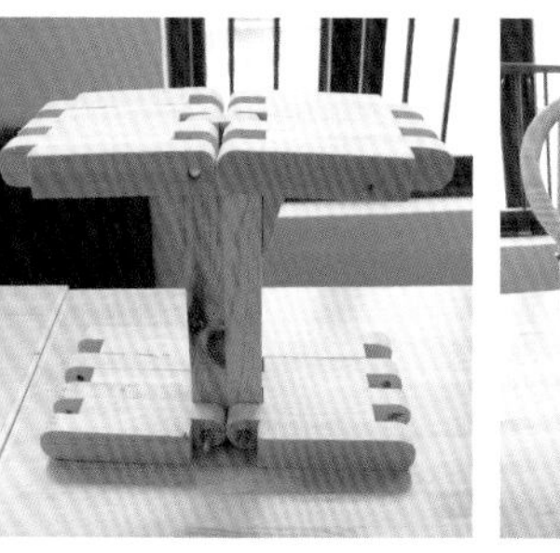

2016年の発表日。模型も交えて、どんな過程をたどりこの構造が出来上がったのか、思考プロセスも説明する。

難易度も密度も高い講座なだけに、途中で脱落してしまう学生もいる中、ゴールに到達したこと自体も良い経験になるだろう。

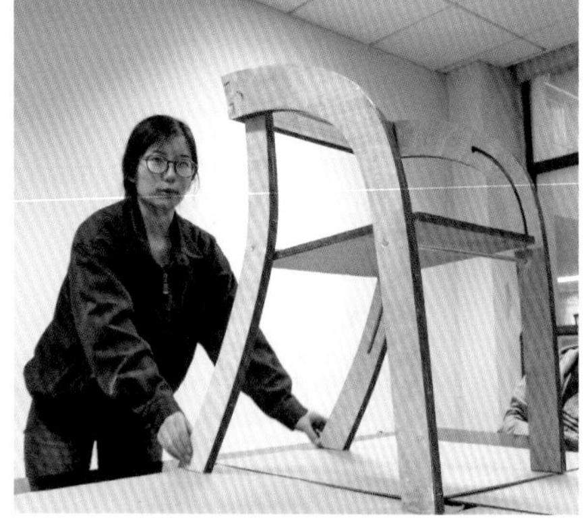

8 無形を有形にするプロセス — 4

Step 8

作品発表

自分の作品をプレゼンテーションする

作品が完成したら、次に受講者全員の前で作品を発表する。

アイデアをどうやって得たか、制作の意図、何が問題となりどう解決したか、着想から完成までのプロセスと障害の克服などを説明した後、学生や先生からの質問に答える。これは聴衆となる学生たちにとって価値ある参考例になるばかりか、作者当人が将来社会人となりプレゼンを行う際の練習にもなる。

一般的に、実技授業において作品発表は付き物であって美大では日常的なことともいえる。しかし、内容のほとんどが未知のものだった本講座の学生たちにとっては、１本の論文発表に劣らないほど重大なことで、準備にも神経を使うのだ。同じ講師の指導の下でも、当然ながら各人違う結果が出るのだが、その違いはどこから来るのか、「なぜ自分はこの作品を作ったのか」を説明するには、誰もがひと苦労する。感覚的な経験を言語化することの難しさもさることながら、自分自身を掘り下げて内省する必要もあるからだろう。

他方、制作過程はおのずとそれぞれ違うので、それを説明すれば良いのだが、この部分はむしろ聴く側の関心が高い。断片的には理解できるにしても、作者がどうやって目の前の最終作品にたどり着いたのか、興味津々なのだ。もちろん競合相手としての興味もあるだろう。

確かな成果

発表作品には個人差があるものの、毎回新鮮な驚きや刺激を感じている。８年間の講座で重複する作品は一つもなかった。そして毎年、「それまでにない新しい仕組みの折りたたみ椅子」の創造を実現したといえる作品が３〜５点あった。過去の名作や先人の作品の改良・改善に成功した作品も複数ある。素晴らしい結果だ。緊張と重圧、そして集中の２週間ないし３週間、苦労した末に世界に誇るべき結果が出たのだ。限られた時間、限られた道具での素晴らしい結果といえるだろう。何より重要なのは、創作のプロセスを一通り経験することができたことだ。結果の如何にかかわらず、どの学生にとっても、この講座で得たものは大きいはずだ。

本講座では、これまでにない作品＝コンセプトを創出する、または課題を発見し問題提起をすることが一つのゴールだ。その

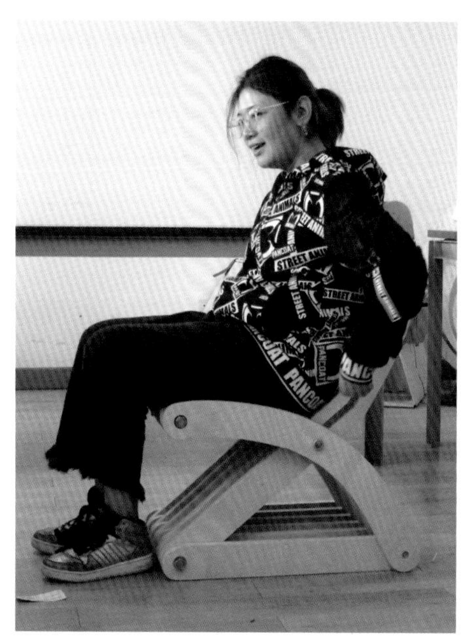

みんなの前で自分の作品に座るデモンストレーションは必須課題。

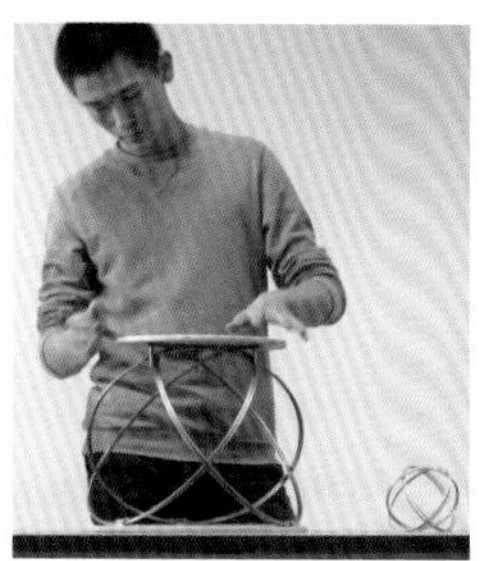

多様な折りたたみ構造から、ユニークな造形が生まれる。

2017年の講座でひときわ斬新だったこの作品は、商品化につながった。

先はメーカーに任せることになる。どんなに素晴らしい作品も、実際に商品化するにはまだまだ長い道のりが続くのである。

今、世の中には何が足りないのかを考える時、技術も大事だが、それ以前に創造力が最も欠けていると言わざるを得ないと思う。無を有にする、新しいものを生み出す、そういった創造力だ。学校での作品制作という地道な練習は、創作行為の具体的モデルの一つであり、デザイン思考の具現化の一つでもあると筆者は考える。刻々と変化する世界的な潮流の中、大きな社会問題、大きなプロジェクトはたくさんあり、無数の人々がその課題に取り組み、あの手この手で解決すべく奮闘努力している。そうした大きな課題の解決手段も、目の前の小さな課題の解決手段（例えば「折りたたみ椅子の座り心地」を改善するための手段）と無縁ではない。共通するものがあるのだ。規模の大小ではない、方法論こそが重要だと筆者は考える。繰り返しになるが、学校教育、とりわけ造形教育は、創作の「手法」を教授すること、問題解決の「鍵」そのものではなく、方法論＝「鍵の探し方」を教えることだと信じている。

授業詳細

作品発表

The Final Day

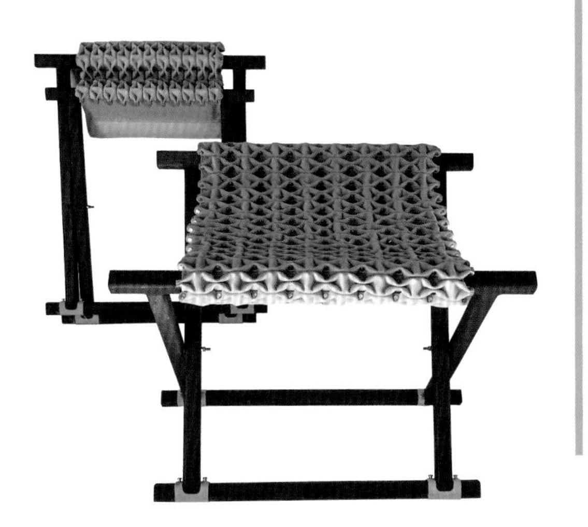

カリキュラムの最終日は、全員の前で完成作品を発表する。２週間ないし３週間にわたる本講座のフィナーレであり一つの到達点だ。各自、作品を見せながら説明するだけでなく、開閉の構造を示したり、自ら座ってみせなければならない。作品発表は座学の講座でいうと論文やレポートの提出と同様であり、ここまでこぎつけて講座の単位が得られる。

p.67の本革バンドを使ったスツールも無事に完成。デパートのショーウィンドウにあっても不思議ではないほど質の高い椅子が出来上がった。

右2点・初めて自分の手で作り上げた椅子に座る瞬間は、やはりみな嬉しそうだ。
下・2019年の完成作品とその作者たち。

column

「解」に至るための異なる方程式

本書で繰り返し述べているが、デザイン思考とは目的達成のための方法であり、それは決して一つの決まった型があるわけではない。以前、都内の大学の、ある建築学科のものづくり研究会（テーマは折りたたみ椅子の開発）に関わったことがあるのだが、まさにその道筋の多様さを目の当たりにするという経験をした。完成した作品そのものとは別に制作過程において、筆者が美術系の学生たちに教えてきたプロセスとは大きく異なるという興味深い事実に気がついたのだ。

チームプレーと個人プレー

まず、制作の体制から違う。各々の学生が自由に発想し、アイデアを出すまでは同じだが、この建築系ゼミでは、一つのチームを組み、いわばチームプレーで制作する。各自が出した案の中から１点を指導教授が決定し、全員で制作する。一方、筆者が指導する美術系学生の場合は、本書で紹介しているように、各自のアイデアに指導者のアドバイスと承認を得て制作へと進む。あくまで個人プレーだ。

作品か製品か

建築系学生は、決定されたアイデアを一丸となって細かい部分までどんどん詰めて行き、極めて完成度の高い図面まで作り上げる。「この図面の先には誰もいない、修正してくれる人はいないぞ。機械はこの図面通り製造してしまうぞ。責任は自分たちだぞ」というのが指導教授のスタンスだ。教授は「授業では自由に美術表現をして良いが、このゼミの研究会では実践的で実社会につながっているデザインの現場を知ってほしい」「現場で要求される詳細な課題を乗り越えた時にデザインが完成することを学んでもらいたい」と語ってくれた。

一方で、筆者が教える美術系の学生たちは、アイデア出しや外観を重視し、「自分が作った作品の先には、修正してくれる誰かがいるだろう」と考える傾向がある。そこまでがデザイナーの仕事であって、自分はエンジニアではないと。建築系学生は「製品」、美術系学生は「作品」がゴール。意識する責任の範囲が違うということだ。

この気づきから、筆者自身も学びを得て、今後のデザイン教育に活かそうと考えている。最後は自分の責任であること、実社会では「修正してくれる『誰か』はいないよ」と。

建築系 学生の場合 （都内大学）	制作体制：チーム ゴール：アイデア出し→模型→作品→制作図面→製品 図面作成：時間をかける／造形重視／正確な寸法を求める／ 「作品＝製品」の意識／細部までデザインし尽くす
美術系 学生の場合 （中央美術学院）	制作体制：個人 ゴール：アイデア出し→模型→作品 図面：短時間で図面及び作品作成／外観重視／細部にはこだわらない

第2章

アイデアを形にする

範例
優れた学生作品

蟹足のスツール
コーヒーメーカーのスツール
カマキリの三脚スツール
燕フォルムのチェア
バスケット式チェア
Y字型スツール
三角フレームの二段テーブル
三つ折りパイプチェア
骨のないスツール

範例A

蟹足のスツール

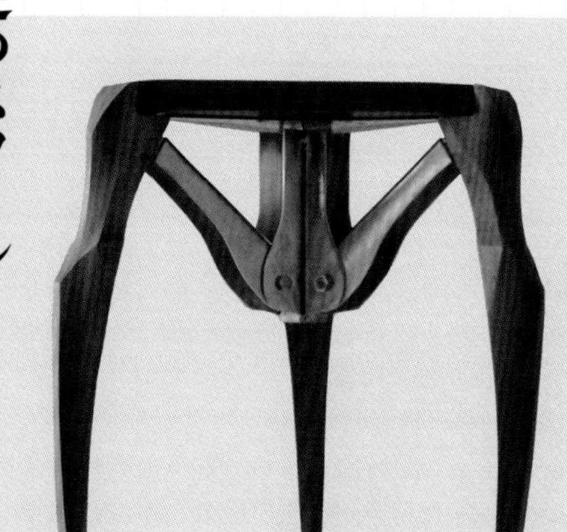

蟹の足のような脚部が実に印象的なスツール。デザイン的にもユニークで美しい。

本来、三脚は安定性の面であまり良い構造とはいえないのだが、最初に作者が三角形の座面を考えていたため、これに４本の脚ではおもしろくないということで「現実には存在しない３本足の水生生物に見立てたら」とアドバイスしたところ、この斬新で洗練されたフォルムの座具が出来上がってきた。王立昭氏による2016年の作品。

Sketch
スケッチ

作りたいものや浮かんだアイデアを、まずはスケッチとして紙に描く。この作者の場合は、数タイプのアイデアを考えており、どれを作品にするか筆者に相談。場合によっては再提出となる。

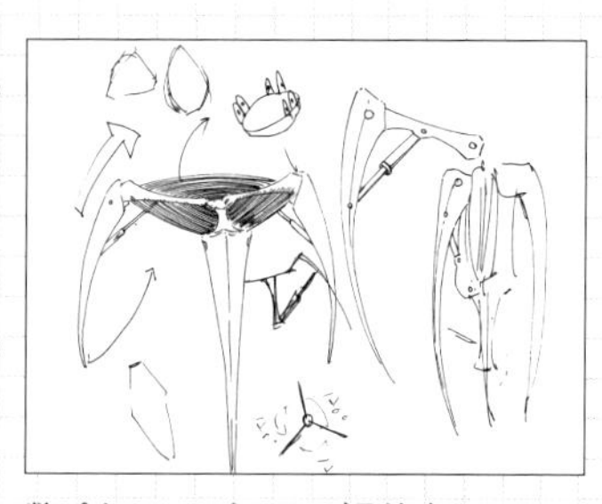

数パターンからこれが最終案として選ばれた。

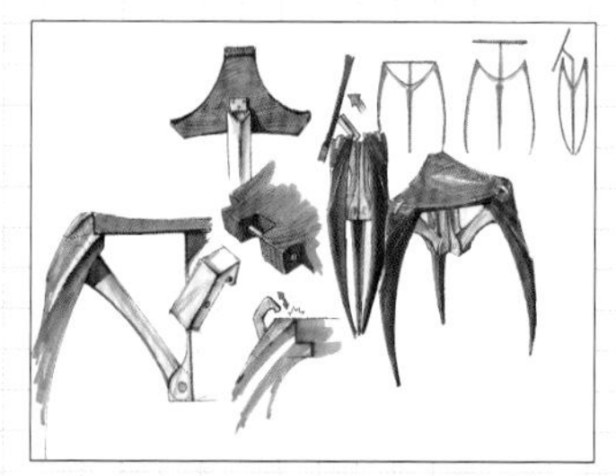

より精細に描き込んだスケッチでイメージを確認。作品のポイントとなる脚のフォルムが明確になった。

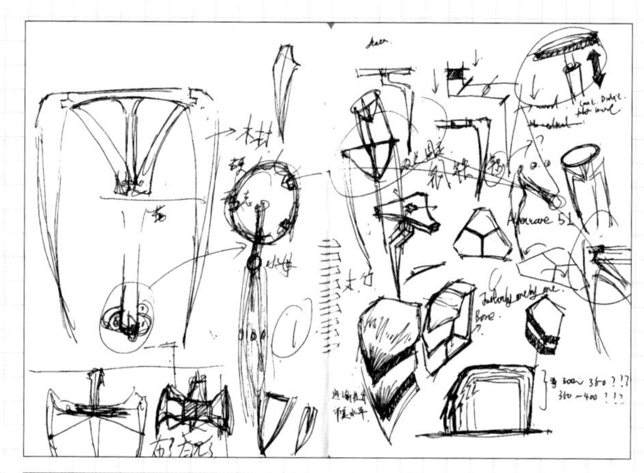

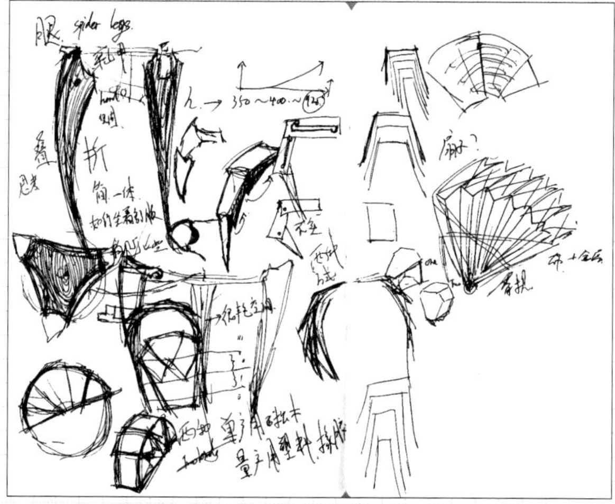

造形はもちろん折りたたみの仕組みなど、断片的な案も含めてさまざまなアイデアを自由に描き出す。

Scale model
模型

スケッチを模型として立体化する。作者は器用な人で、非常に完成度の高い模型となった。

脚の複雑なフォルムは、空き缶を使って削ったという。

3D model verification
3Dモデル検証

3Dモデルによって、収納の仕組みや造形が自分のイメージに合うかなどを、さまざまな角度から検証する。

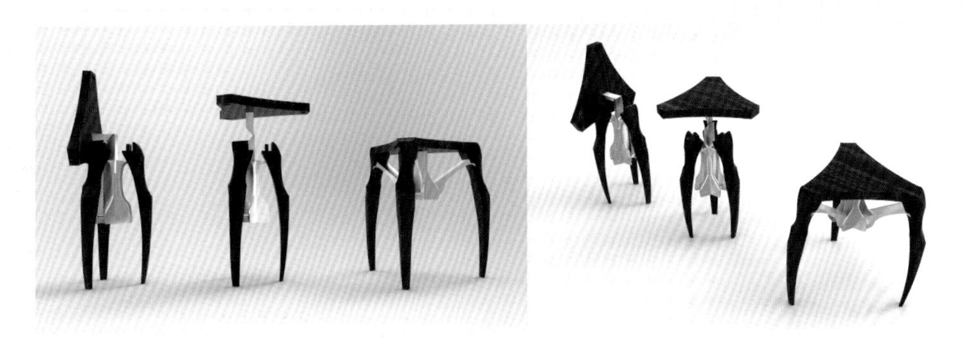

Production drawing
設計図

3Dモデルで検証を済ませたデータを図面に落とし、いよいよ実物大の作品制作に入る。

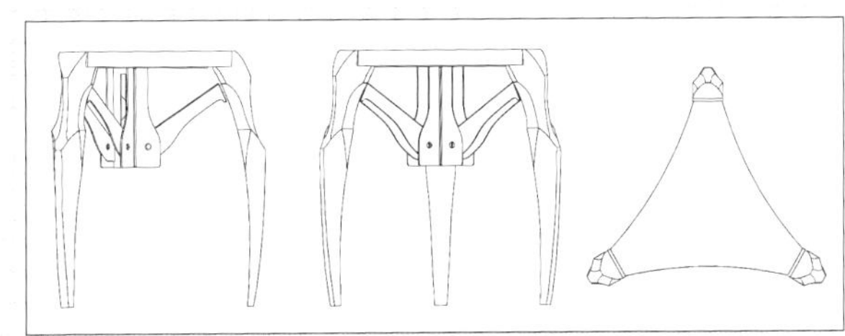

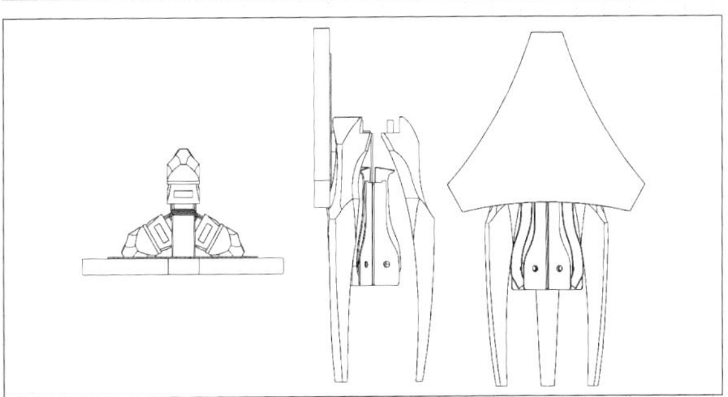

Production

現物制作

先述のように学内の工房でプロの指導・アドバイスは受けられるが、作業はあくまで学生自身が行う。困難にぶつかることも多いが、それもまた良い勉強だ。

座面裏に脚部をはめ込むためのほぞ穴を切る。

素材はすべて自費で調達しなければならない。本作には良質の木材を使っている。

座部と脚部が組み合わされた。これを折りたためるように作り上げる。

校内の工房の工作機械を使って金属パーツを切り出す。

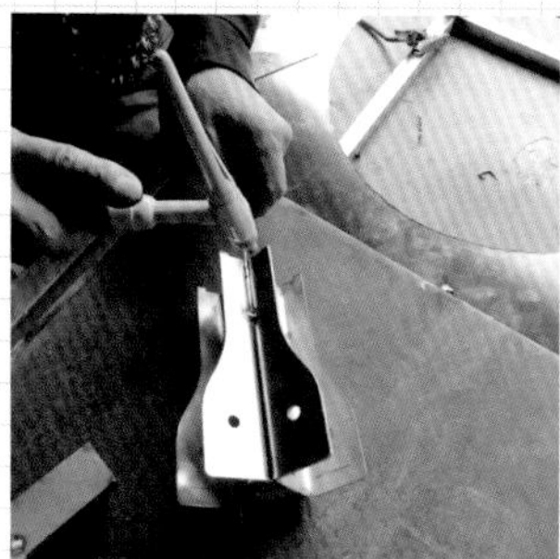

図面とは多少のずれが出るので、修正も必要となる。

ヒンジも自分で作る。各パーツを、何を使ってどのように作れば良いか、道具や方法を考えるのも訓練だ。

金具が完成。使った鉄板が厚すぎたため、曲げ加工に苦労した。

ヒンジを座面裏に固定。ここに木製の脚を接続し、開閉する。

Completed work
完成

美しく、かつユニークな３本の脚と三角の座面を持つ折りたたみスツールが完成した。脚の造形だけでなく、折りたたみ時の脚部の動きもまた蟹をイメージさせる秀作だ。

座面裏のこの部分にp.76でうがったほぞ穴がある。脚部側の突起がきちんとはまり、ピッタリ合わさることで座った時に安定する。また、この脚部上部を太くした独特のフォルムにより、広い接続面で座部をしっかりと支えられる。

折りたたみのための金属パーツは、大きな荷重がかかるこの部分を「コ」の字型の断面とした。強度も確保でき、摺動（しゅうどう）方向も定まる優れた仕組みだが、金属板が厚すぎ、ややオーバースペックでもある。

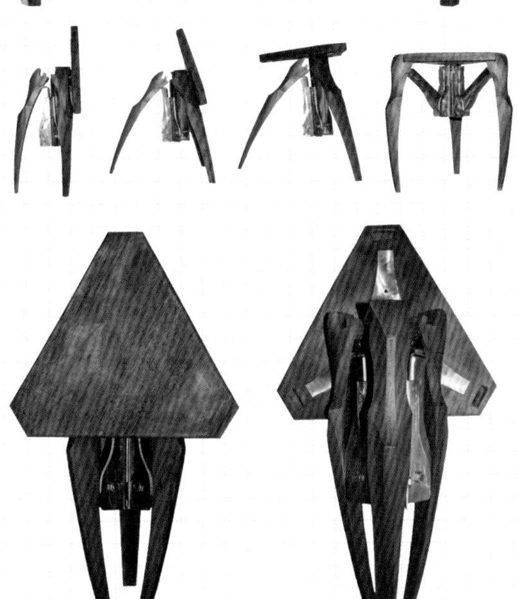

Presentation
発表

最終日での作品発表。この後、本作は東京での展示会に出品され、他の美大生作品の中でも特に注目を集めた。

範例B コーヒーメーカーのスツール

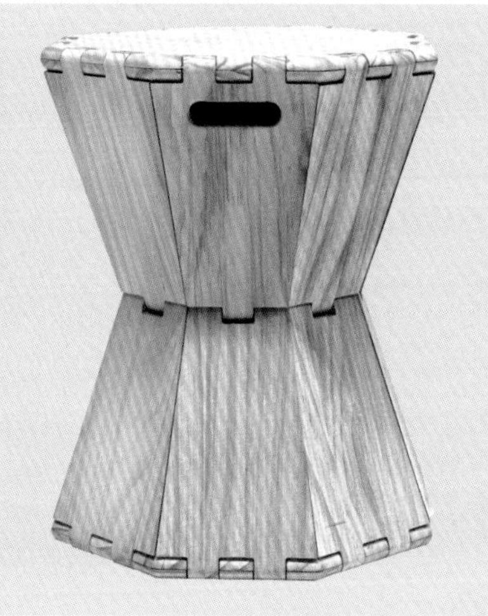

エスプレッソメーカーから発想したというこのスツールは、八角錐を組み合わせたフォルムが印象的だが、それ以上に独自の折りたたみ機構が斬新だ。折りたたみスツールとしてはやや重すぎるなど課題はあるものの、「構造の発明」として、将来また別の何かに活用することもできそうだ。ちなみに作者は、クラスの中でもトップレベルの優秀な学生であり、本作と同時に第3章で紹介するシェル型チェアも制作している。伊琨氏による2017年の作品。

Sketch
スケッチ

作者は2つの案を持ってきた。一方は筆者も子供の頃に見覚えのあるワイヤーの玩具からのアイデア。もう一方がコーヒーメーカーのイメージである。どちらも優れていたので、好きな方で制作を進めるようアドバイスした。

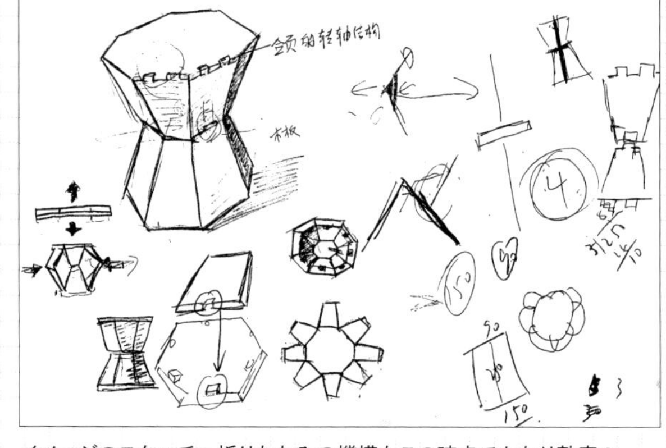

イメージのスケッチ。折りたたみの機構もこの時点でかなり熟度の高いイメージができている。中央右や右下には別のアイデアが描かれているのがわかるだろうか？（採用されなかった）。

最初にこの玩具を持ってきたので、何にするつもりなのかさっぱりわからなかった。自在に形を変えて遊べる仕組みだが、椅子にするには安定性に欠ける。

製品名はモカエクスプレスまたはエスプレッソ・ポット。90年近く前からあるロングセラーだ。

photograph by Hans Chr. R., derivative work by Saibo, CC BY-SA 3.0, via Wikimedia Commons

作者によるイメージイラスト。日用品の中にもおもしろい造形や仕組みを見出す、まさに観察眼があってこその発想だ。

Scale model

模型

模型段階でほぼイメージ通りのものができており、完成度の高いものになっている。頭の中に立体として、折りたたみの動きも含めてイメージできているからこそだ。

ボール紙を使った模型で、折りたたみ時の動きも具体的に確認。ヒンジの数や脚部の角度など、かなり精密に表現されている。

3D model verification

3Dモデル検証

3Dモデルによって、収納の仕組みや造形が自分のイメージに合うかなどを、さまざまな角度から検証する。

ヒンジ部分に使う鉄芯用の溝まで描画。この段階で精度の高いモデリングができている。

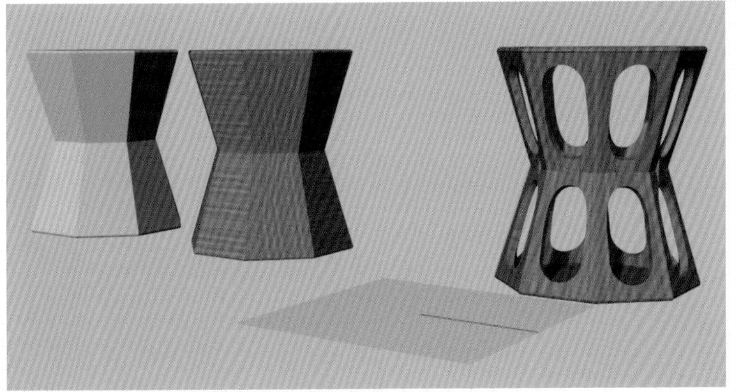

全体を木材のパネルで構成するため、かなりの重量となるはず。右のモデルでは、各パネルの中央部分をくり抜き軽量化を図っている。

Production
現物制作

学内の木工工房で制作に入る。軽量化のため、各パネルは薄手の板２枚を貼り合わせ、内側の１枚をくり抜く構造にした。

工房の裁断機でパーツを切り出してゆく。側面パネルは16組必要だ。

これらの表側の板に、中央部をくり抜いた板を貼り合わせて側面パネルにする。

座面は側面同様に内側の１枚を、底面は２枚ともくり抜いた板を貼り合わせることで、軽量化を図り、またヒンジの鉄芯を通す穴を確保した。

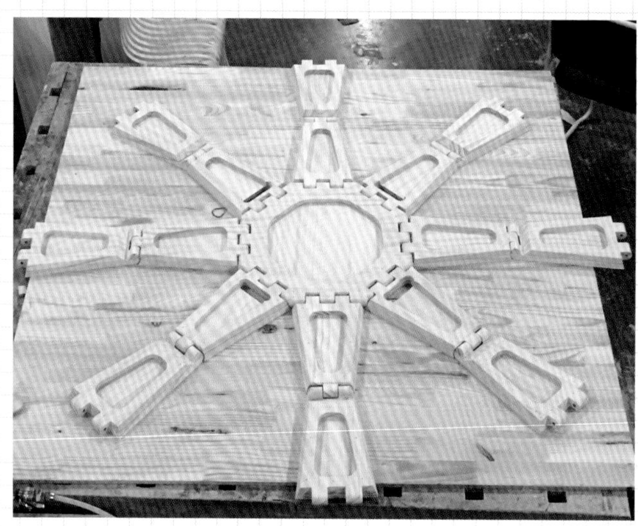

座面にすべての側面パネルを接続したところ。

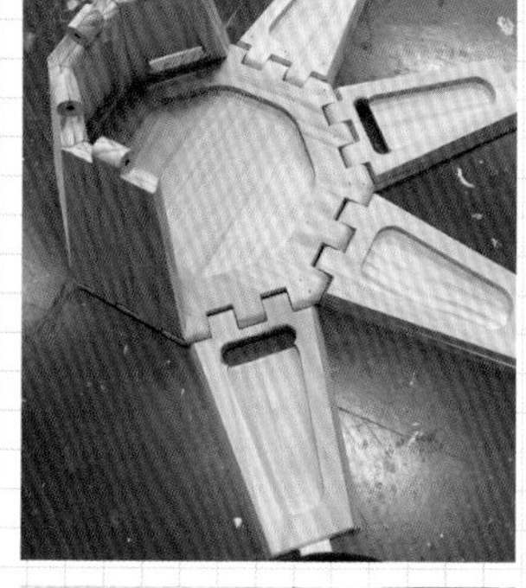

右上・座面側の側面パネル４カ所には、たたむ際に手を入れる穴を設けた。上下が一目でわかる目印にもなる。

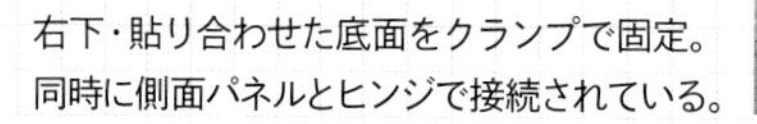

右下・貼り合わせた底面をクランプで固定。同時に側面パネルとヒンジで接続されている。

Completed work
完成

エスプレッソメーカーそのままの中央がくびれたフォルムは斬新でいてバランスも良く、木の質感も相まって見た目に心地よい一脚に仕上がった。

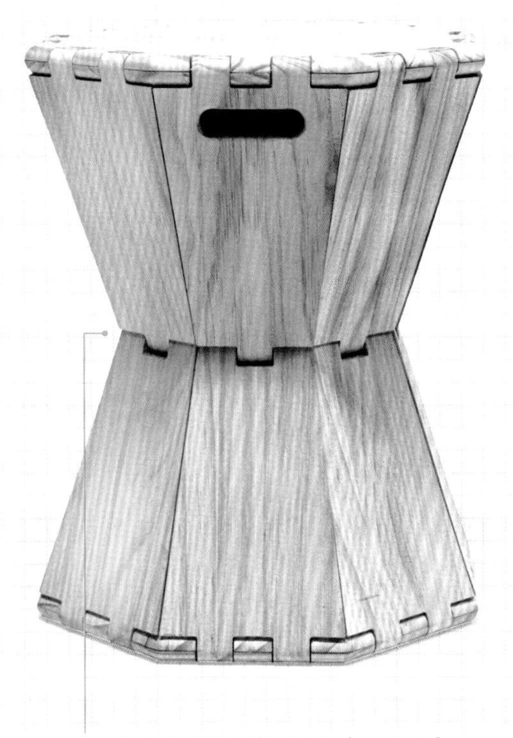

座った時に最も荷重がかかるのが、このくびれ部分。上下パネルの接合角度が重要で、最初から入念に計算してある。八面すべて正確に同角度にするため、工作精度も求められる。

合計24カ所のヒンジすべてに鉄芯が入るため、くり抜き構造にしてもなお、やや重いスツールとなった。商品化するには、木ではなくプラスチックを使いより軽くする方法もあるだろう。

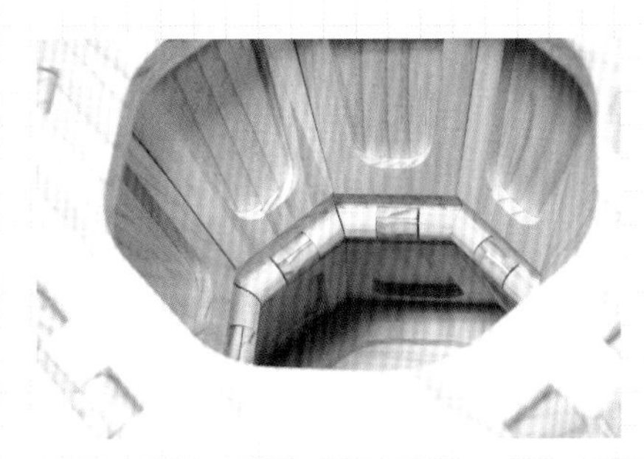

裏からも金具は一切見えない、洗練された造作。

Presentation
発表

模型も使いながら作品の機構を説明。

範例C

カマキリの三脚スツール

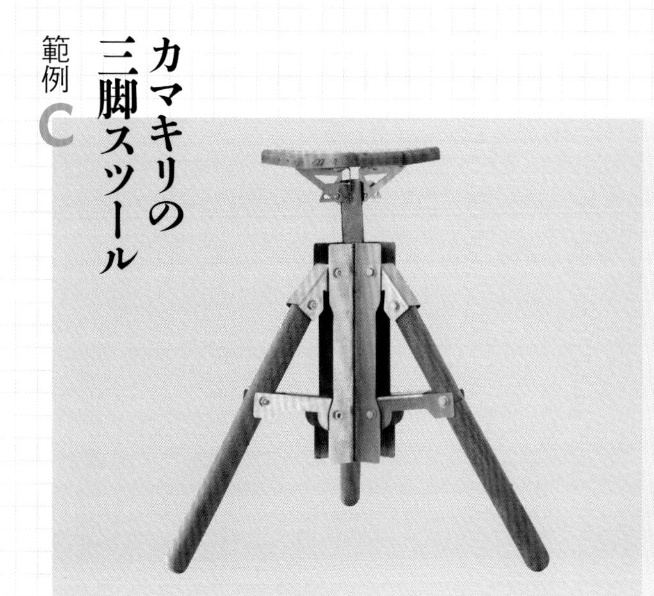

三角形の座面がカマキリの顔に似ているというだけではなく、開閉時の動きがカマキリの動作を想起させるスツール。座面を３つのパーツを合わせることで構成するという発想は、頭の中で立体的なイメージを動かすことができないと出てこなかっただろう。「立体的な思考を養う」という講座の目的をみごとに達成した例の一つだ。王子豪氏による2016年の作品。学生作品として同年の展示会に出品したところ、多くの人が関心を持って作品に触りに来た。

Sketch
スケッチ

スケッチの段階ですでにイメージは出来上がっていた。収納の方法、座面を三分割するアイデア、さらに三脚をたたむためのヒンジなどにも考えが及んでいる。

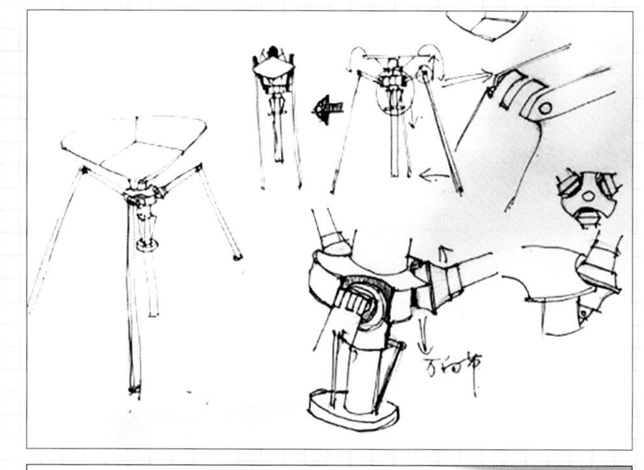

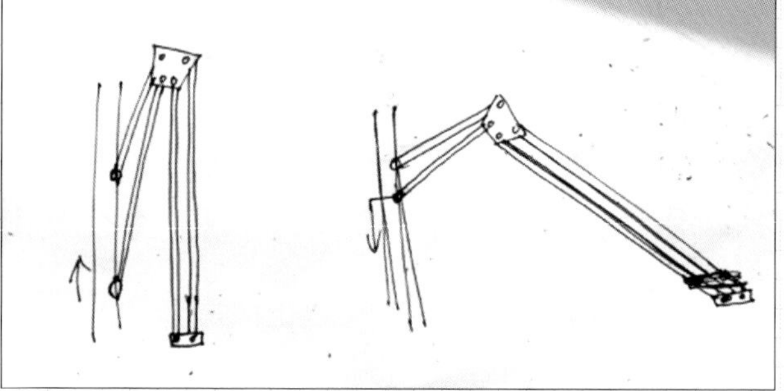

上２点・上方に脚をたたむこの収納方法が、カマキリの足やカマの動きを思わせる。左・３本の脚をたたむためのヒンジもスケッチ段階で考案していた。

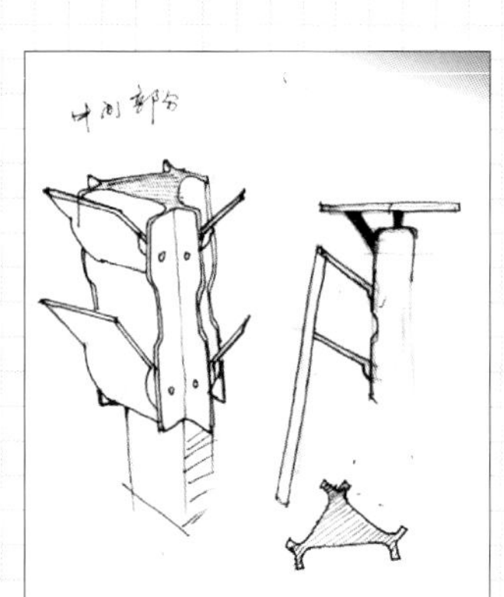

3D model verification

3Dモデル検証

すでにかなりの完成度だが、3つのパーツを合体させる座面をどう固定するかが課題だ。

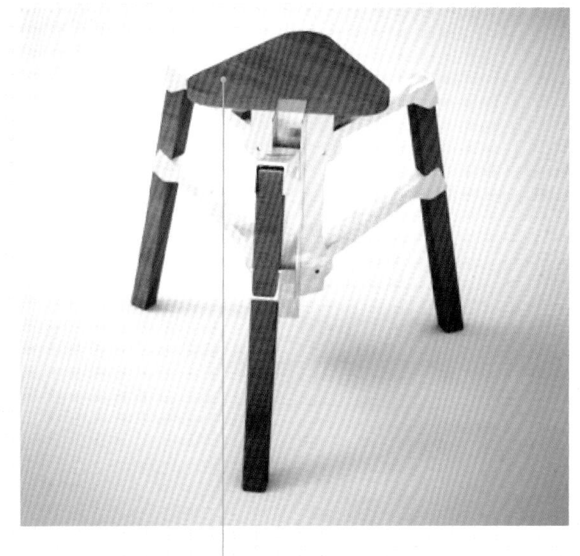

3パーツが合体した座面を、この状態でどう固定するか、また耐荷重をどう確保するかが工夫のしどころだ。

Production

現物制作

制作を進めながら、筆者の元へ何度も相談にやってきた。斬新、かつ完成度の高いアイデアといえど、解決すべき課題はたくさんある。

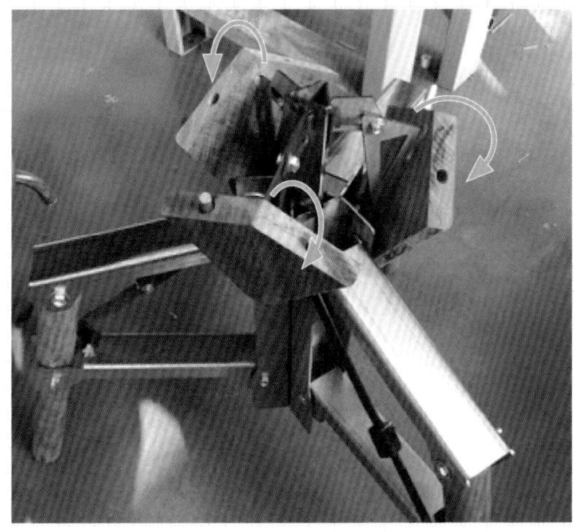

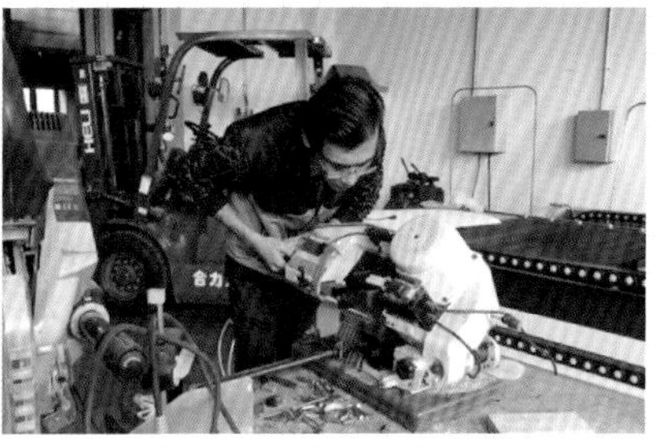

このスツールの最大の特徴である三分割座面。各パーツを一度、外方向へスライドさせてから開くことでたたむことができる。3つのパーツを水平に接続できるように金属の「ダボ」を内蔵している。

Completed work
完成

カマキリのような動きでコンパクトにたためるスツールが出来上がった。

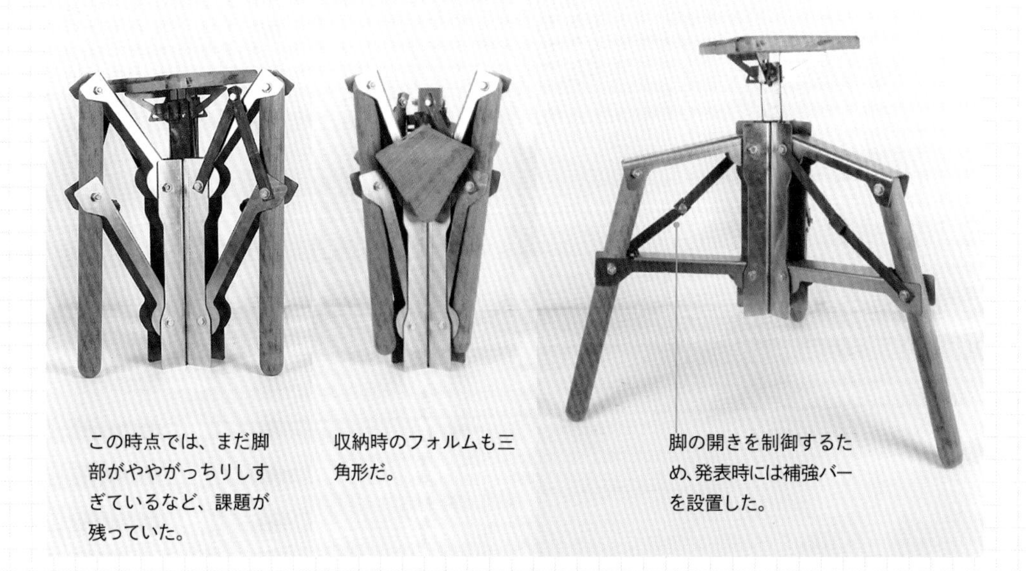

この時点では、まだ脚部がややがっちりしすぎているなど、課題が残っていた。

収納時のフォルムも三角形だ。

脚の開きを制御するため、発表時には補強バーを設置した。

Presentation
発表

模型の段階では理解できずに笑うクラスメートもいたが、発表を聞き、座部の仕組みに興味津々で触ってみる人もいた。

実はこの作者こそが、「発注サイズを間違えてしまい、やり直しのために学校と学外の工房間20kmを一日2回往復した」(p.66)というエピソードの持ち主だ。中央の金属部材のサイズを大きく見積もってしまったのだ。

この部分のサイズを計算ミスしていたという。

Improved model
改良

さらに改良を加え、使用時は脚部をまっすぐに伸ばすことで、よりシンプルな構造と外観に洗練された。

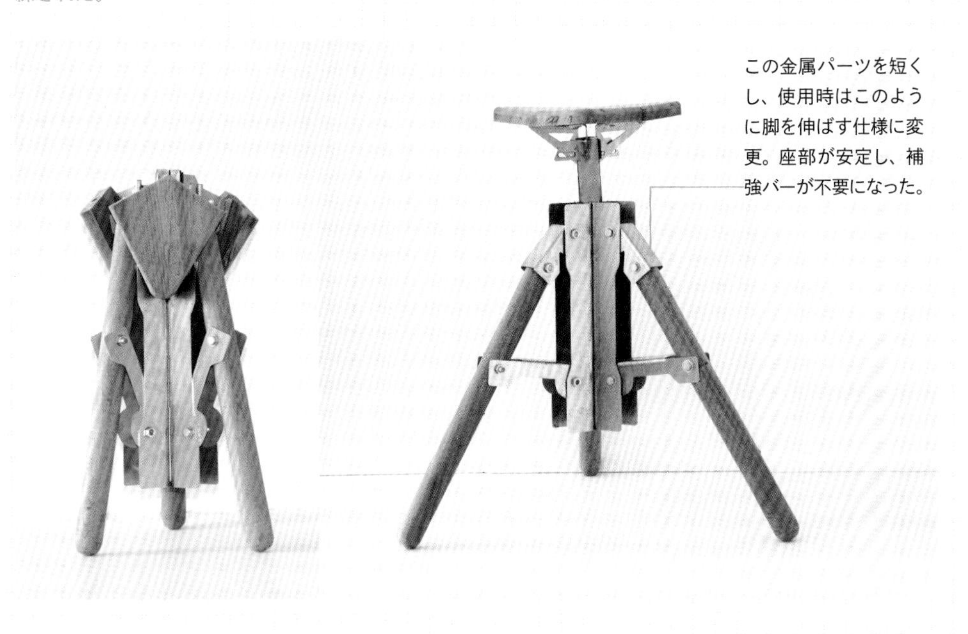

この金属パーツを短くし、使用時はこのように脚を伸ばす仕様に変更。座部が安定し、補強バーが不要になった。

Exhibition
展示会出品

2016年東京デザインウィークの学校パビリオンに出展。

ユニークな三分割座面が、来場者の関心を引いていた。

範例D

燕（ツバメ）フォルムのチェア

まるで燕の翼のような脚部のフォルムが特徴的な折りたたみ椅子。造形だけでなく、折りたたみ機構もシンプルで美しい、画期的な発明。背もたれと前脚の回転軸を互いのストッパーとする、つまり１部品に２役を持たせる仕組みがポイントだ。ほぼ商品化できるレベルに達しており、改良を加えた商品化の雛形は展示会にも出品を果たした。刘楹正氏による2016年の作品。

Sketch
スケッチ

最初に提出したスツールを修正して発表作品にほぼ近い形になった。

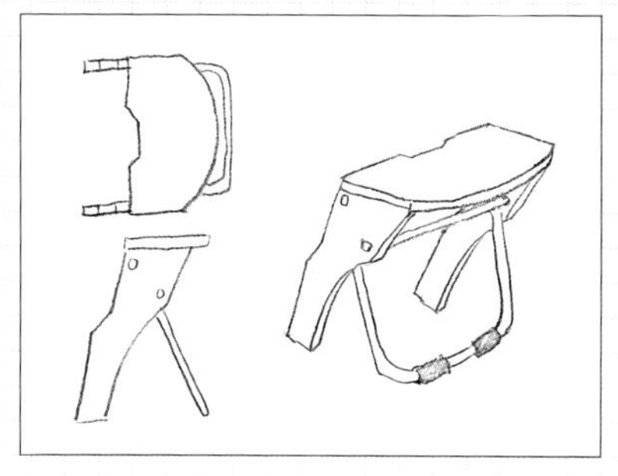

初案では、背もたれはなく、座面下に設けた横バーがストッパー役だった。

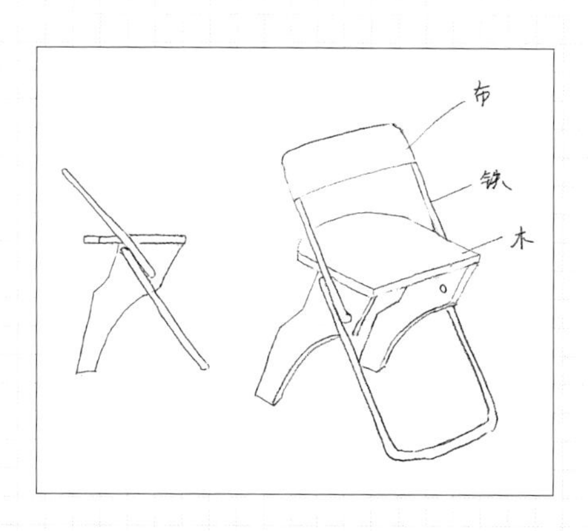

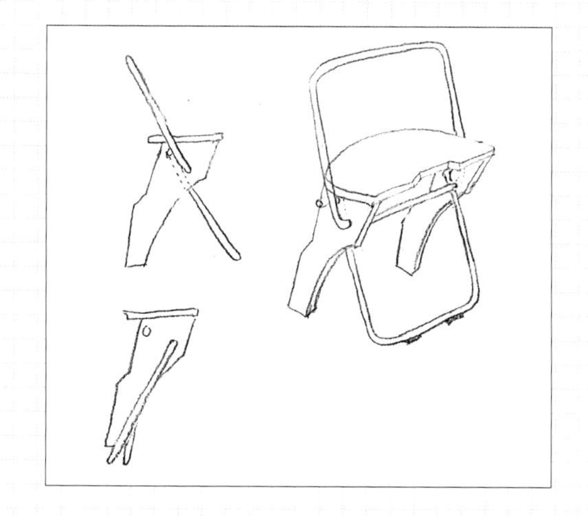

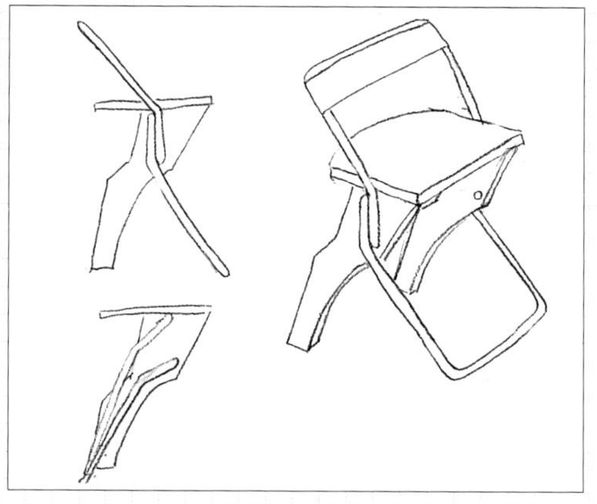

修正案では背もたれを追加。素材についてもイメージが固まっていた。背もたれと前脚をＵ字型パイプで作り、互いが他方の回転範囲を制御するというアイデアが、この時点から見てとれる。

Scale model
模型

２つのU字フレームが互いの角度を制御できるか、スムーズに折りたためるかを模型でテストしてみる。

発表作品とは異なり、この段階では両フレームとも燕型パネルの外側に付いている。

使用予定の素材に合わせて針金、木片、布で作ることで、イメージがより鮮明に。

3D model verification
3Dモデル検証

前脚のU字フレームは内側に取り付ける形に。回転軸を互いのストッパーにする仕組みが明確になった。

U字フレームの先端がそれぞれ内側・外側に曲がり、木製パネルに接続するデザイン。

折りたたむ際の動きも検証する。

Production
現物制作

学内の工房で制作。座部と後脚をどうやって接続するかなど、工房のインストラクターの知恵も大いに借りた。

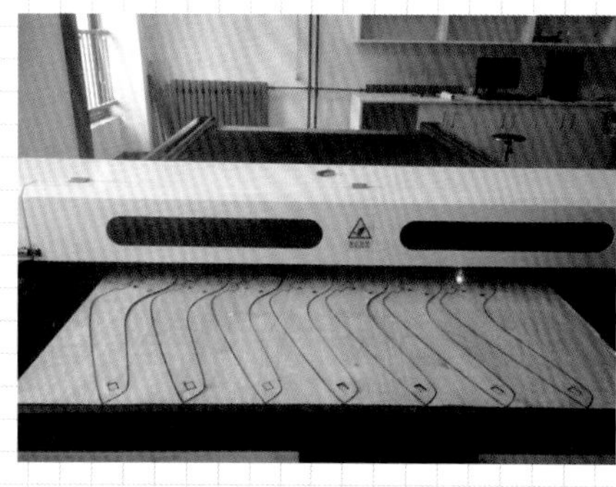

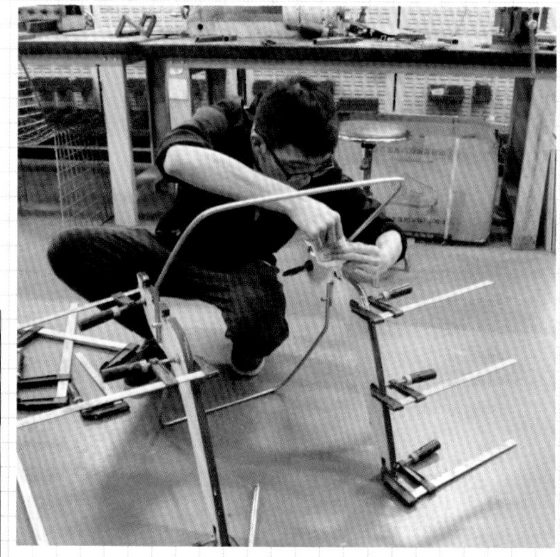

左・独特の曲線を持つ後脚パネルには、学内のレーザーカッターが活躍。右・カットした板を何枚も重ね合わせて堅牢な突き板（合板）にする。

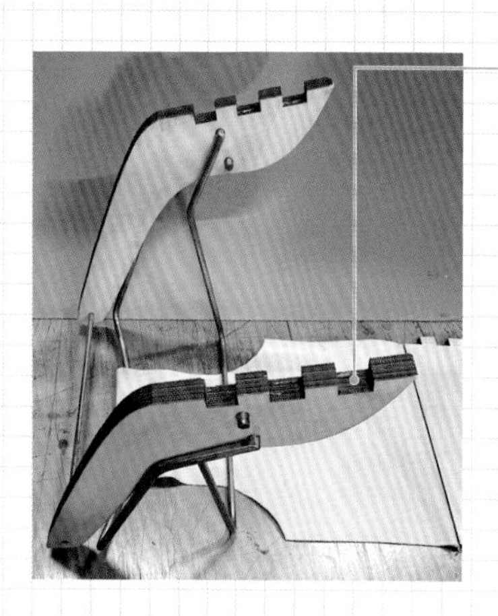

インストラクターに相談した結果、脚部パネルと座部、双方の接合部を凹凸に切ってはめ込む「組みつぎ」で、使用時のグラつきを抑えることに。最終的には接地部付近に横バーを入れて固定した。

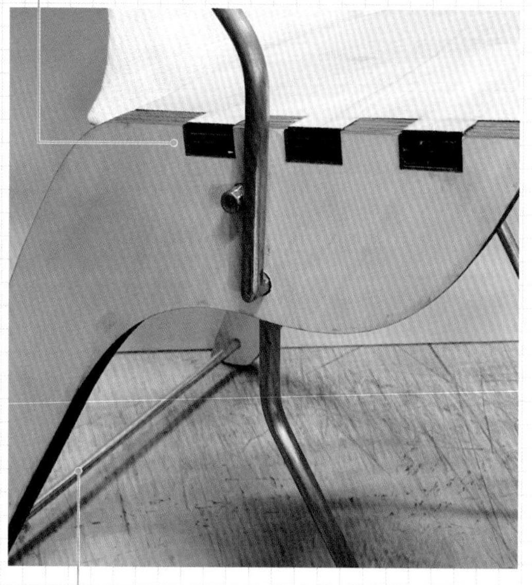

足元に横バーを入れて左右のグラつきを軽減。

金属パイプの曲げ加工も自分で。

Folding mechanism
折りたたみ機構

背もたれと前脚が互いのストッパーの役割をはたす。この仕組みが機能するためには、後脚パネルの「燕フォルム」は必然だったのだ。

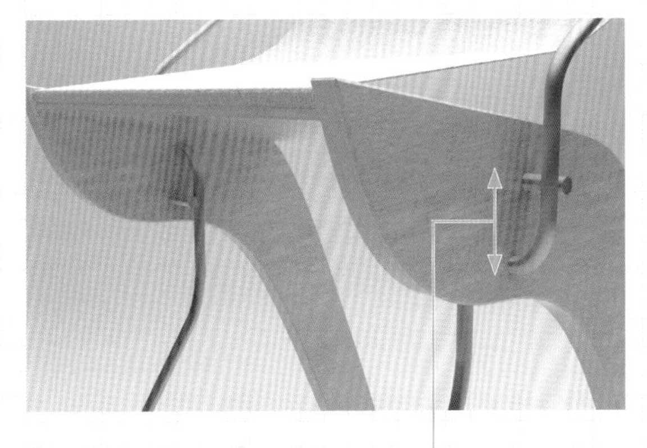

フレームの支点同士が離れているほど、テコの原理で互いのストッパーとしてしっかりと機能する。そのためこの部分は幅を広くとる必要がある。

前脚フレームの先端。ここを支点に前脚は回転する。と同時に、背もたれフレームの回転をここでロックし、後ろに倒れるのを防ぐ。

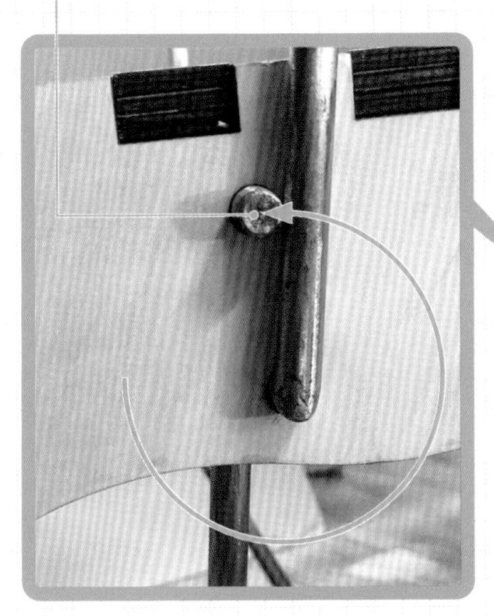

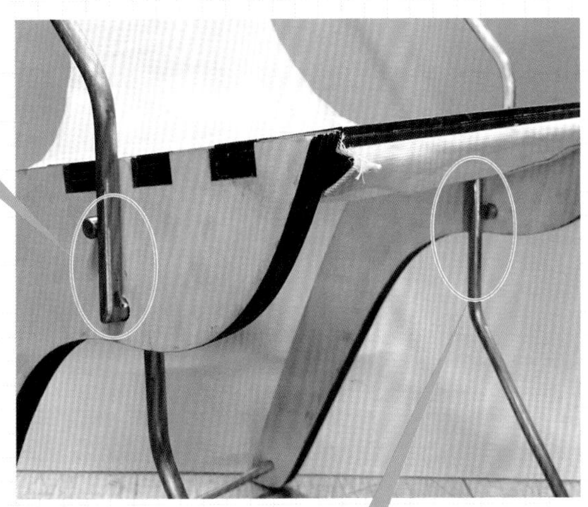

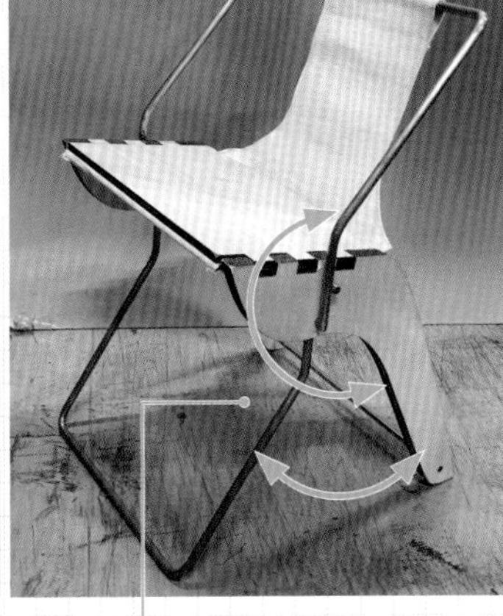

収納時は背もたれ、前脚共に後脚パネルと重なる位置まで回転させる。

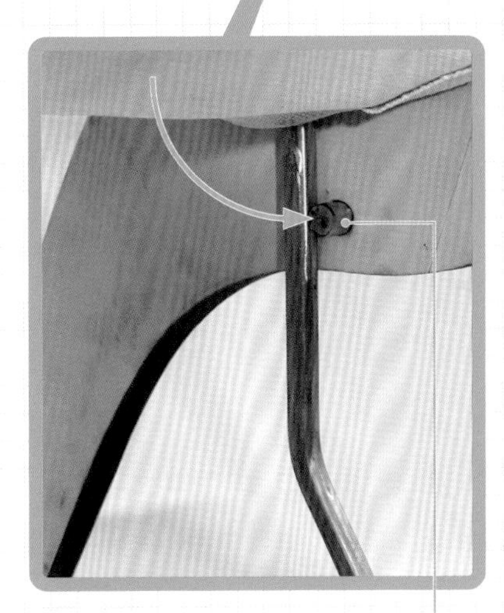

こちらは背もたれフレームの先端。背もたれが回転する支点、つまり回転軸であり、同時に前脚フレームがこれ以上前に開かないよう制御する。

Completed work
完成

安定性や耐荷重などまだ課題は残るが、造形的にも機能的にも美しい一脚が完成した。

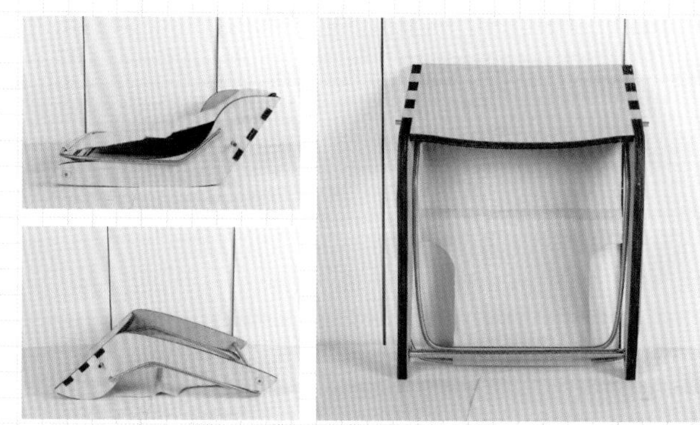

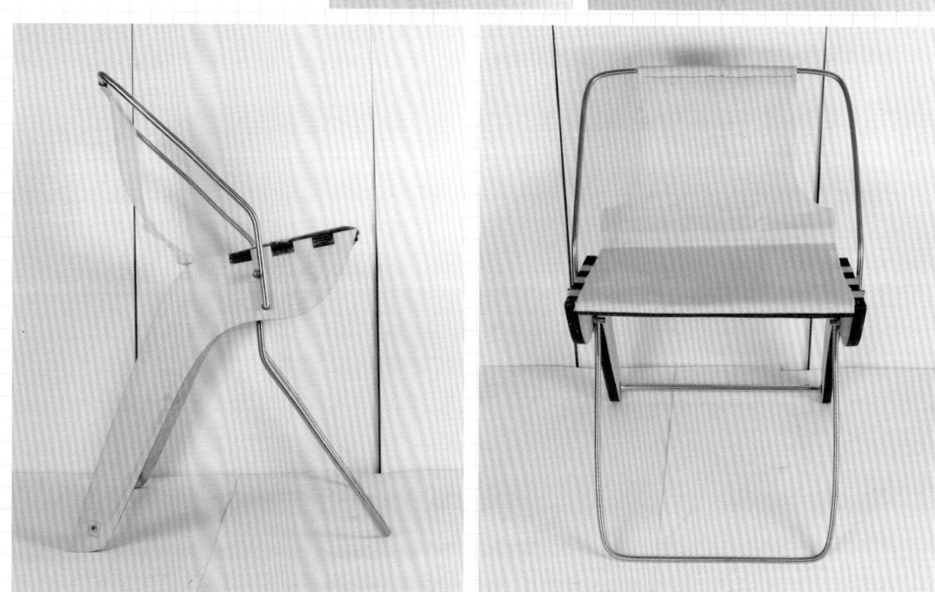

サイドパネルと座面をつなぐ「組みつぎ」がデザインのアクセントにもなっている。

Presentation
発表

この年の発表作品の中でも際立ってシンプルな、折りたたみ椅子らしい作品だった。

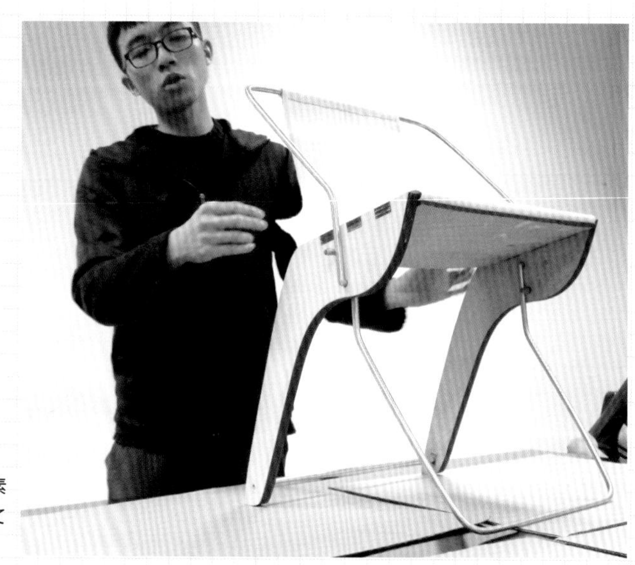

金属、木材、布という異素材がバランス良く使われている点も好感が持てる。

Mock-up
商品化のための雛形

フレーム部を角パイプに変更することで、操作しやすく安定感も高まった。さらに安定性を活かすべく、あえて小さい子供サイズの椅子にバージョンアップした。

背もたれは布からスポンジに変え、よりシンプルに。

角パイプを使うことでネジ留めが可能に。下の写真のようにここに横バーを通した。

荷重がかかり割れやすい座面には、プロの指南で高品質な木材を採用。

Exhibition
展示会出品

改良を加えたモデルを、2018年東京商業展示会 、同年の中国広州家具展の中央美術院ブースに出展した。

角パイプのフレームなので、回転軸として横バーを通すことができる。より強固なストッパーになると同時に、座面下の後脚パネルが左右に開くのを防ぎ、固定する機能も加わった。

範例E

バスケット式チェア

連続する円弧型のフレームが印象的なこの椅子は、オープンカーや乳母車の「幌」、もしくは筆者がかつて開発したバスケット等と同様のたたみ方で収納する。ありそうでどこにもなかった斬新な構造であり、また造形的にも美しい一脚。５点満点で５点がつく作品だ。最大のポイントは、肘掛け先端下部から下がる長方形リングと、それを引っ掛ける前脚のフック。この一カ所をロックすることで椅子全体が成り立ち、またフックを外すだけでたためる仕組みだ。素材やバランスを調整すれば、ローチェアとして立派な商品にもなりそうだ。吴浩东氏による2019年の作品。

Idea of a mechanism
構造の発想

扇のような開閉を立体的にした構造。幌や店舗の日除けなどに見られる仕組みだが、折りたたみ椅子に採用したものはこれまでになかった。

コーベル型と呼ばれる店舗のひさしにも見られる機構。

Firenze - Banca Toscana, Photo by Mattes, Public domain, via Wikimedia Commons

19世紀末の乳母車。現在のベビーカーの日除けにも同様の仕組みが使われている。

Livrustkammaren (The Royal Armoury) / Samuel Uhrdin / CC BY-SA, Public domain, via Wikimedia Commons

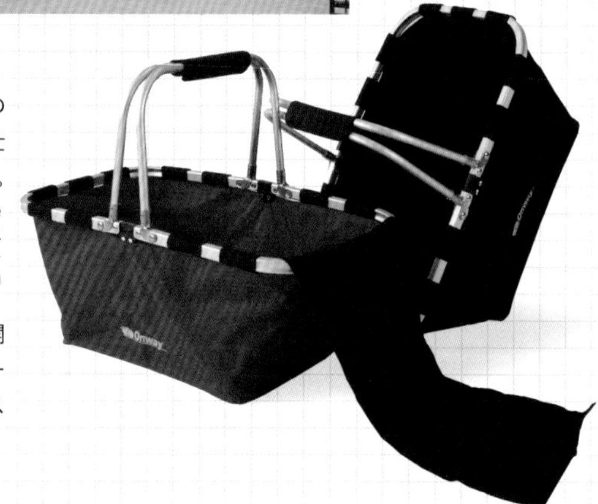

2005年に筆者が開発したアルミフレームの折りたたみバスケット。

Sketch and Scale model
スケッチと模型

最初のスケッチは簡単なもので、模型も紙で作ったシンプルなものだったが、折りたたみ機構のアイデアは明確だった。

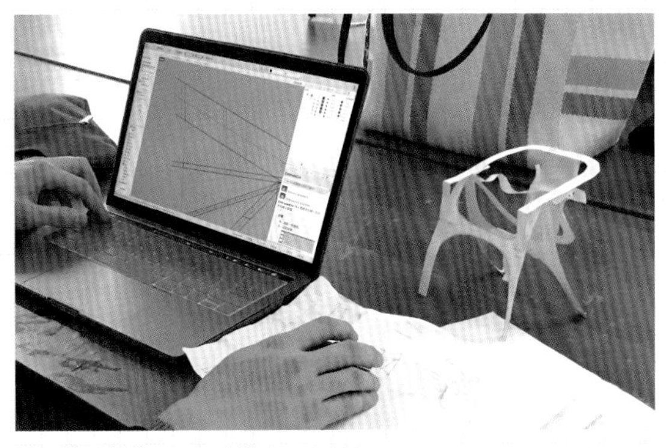

紙の模型段階では、まだ座面をどうするか定まっていなかった。

3D model verification
3Dモデル検証

収納状態も3D検証。フックを外すだけで重なった板状にたためる。

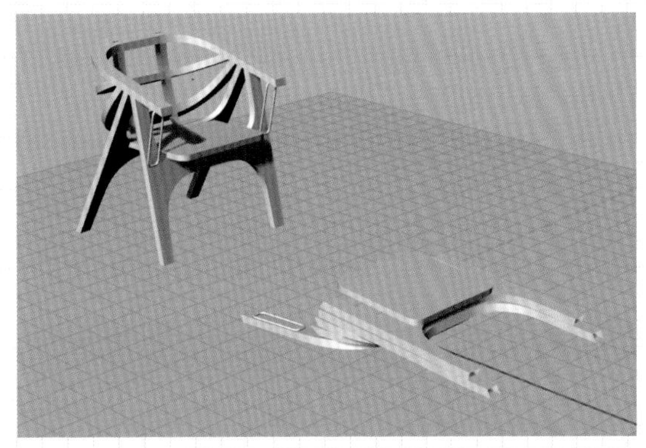

背もたれ部分の2枚の円弧フレームは、4本の布テープで固定する。座面は前後の脚フレームで支える設計だ。

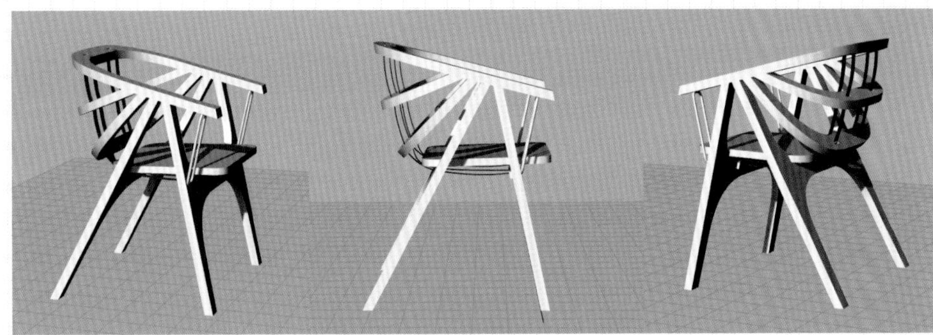

ほぼ最終形に近いバージョンでは背もたれに帯状の布を加えている。

Production
現物制作

素材には合板を使用。前後脚含むすべてのフレームをヒンジで接続するという設計だ。ヒンジの取り付け位置、フレームの接続面の角度も慎重に計算する必要がある。

合計５枚のフレームと１枚の座板、６つの合板部材を組み立てることで椅子になる。

一カ所ずつ、合計８個のヒンジを付けていく。この年のクラスは寡黙な学生が多かったが、作者の彼も黙々と作業を進めるタイプだった。

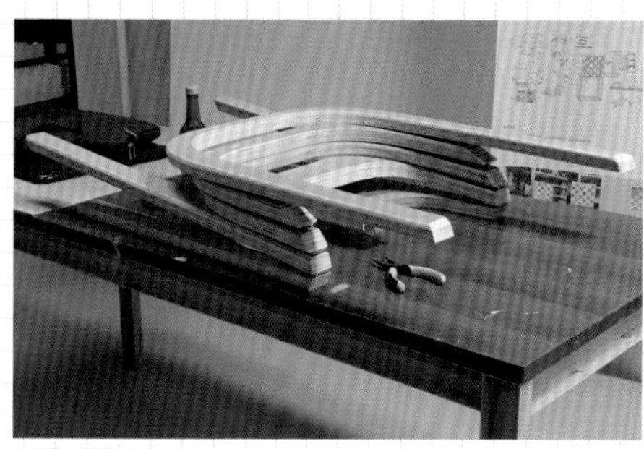

各フレームがヒンジで接続された。

座部の小さな板が、前後脚が開く角度を制御し、座面のシートを支える役割を果たす。

Folding mechanism
折りたたみ機構

前脚と後脚、背もたれ部分の２つのＵ字フレームがすべてヒンジで肘掛けのフレームに接続されている。肘掛けの手元部分に下がった長方形のリングを前脚のフックにかけることで、全フレームを固定する仕組み。テコの原理で成り立っている仕組みだ。

この２枚のフレームを固定するテープは、初案では４本だったが、１本になった。

全フレームが、最上部の肘掛けフレームにヒンジでつながっている。この部分が、開閉時の要、つまり「テコの支点」となる。

テコの原理でいうと背もたれ側が作用点、こちらが力点になるため、本来はここをもう少し長く取りたいところだ。

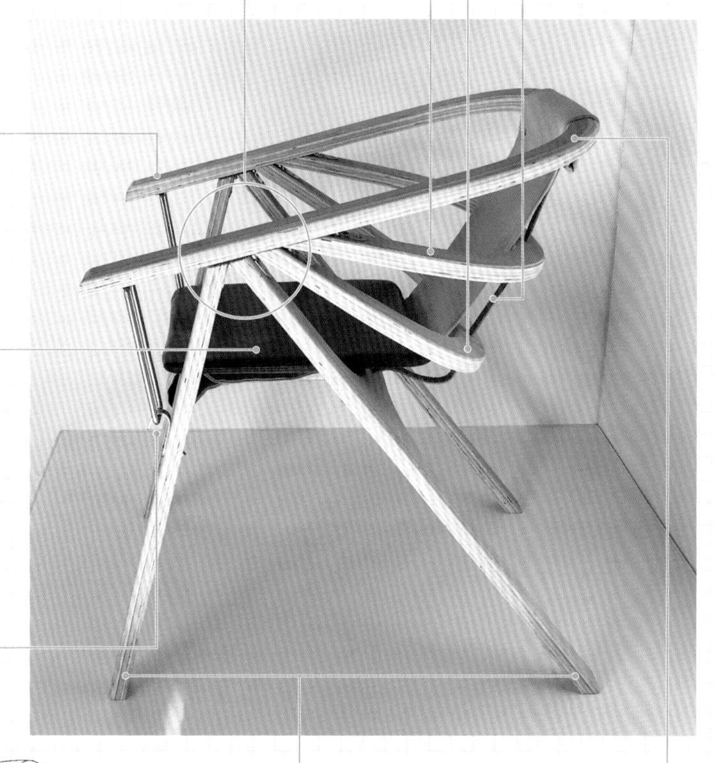

座面は苦労した部分。小ぶりの座板によって前後の脚の開きを固定し、クッション性のある座面シートの土台にもなる。p.96参照。

このフック一カ所ですべてを支え、留めているため、かなりの力がかかる。フックを解除するだけでパタパタとたたむことができる。

２枚の脚部フレームには全荷重がかかる。

テコの作用点に当たる肘掛けフレームのこちら側が長くなっているため、変形しやすい。

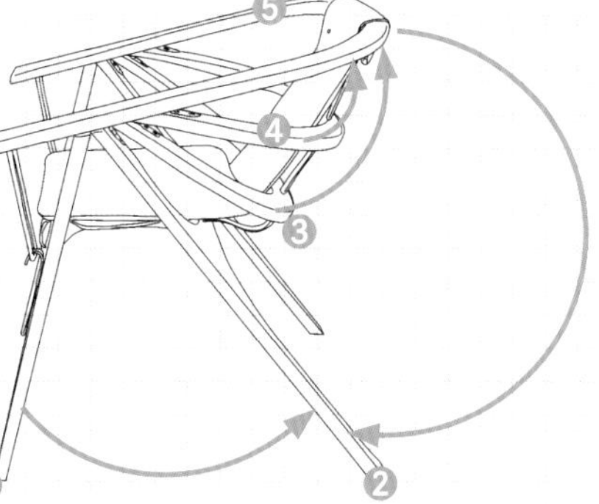

前脚❶前面のフックからリングを外すとロックが解除される。前脚❶と後脚❷、背もたれ❸❹と肘掛けフレーム❺が一度にたたためる。

Completed work

完成

シンプルな操作で開閉できるすぐれた仕組みを備えた、椅子らしい外観の作品に仕上がった。テコの原理なので、強度が課題となるが、工夫次第で改良できそうだ。例えば座面下の板と、肘掛けと背もたれの3フレームを金属製のもの(丸または扁平状パイプなど)にすれば強度が高まり、かつロックもしっかりと効く。また脚部も金属製に、そして低い姿勢で座るスタイル(ローチェア)にすれば、商品化も不可能ではない、立派な折りたたみ椅子になる。

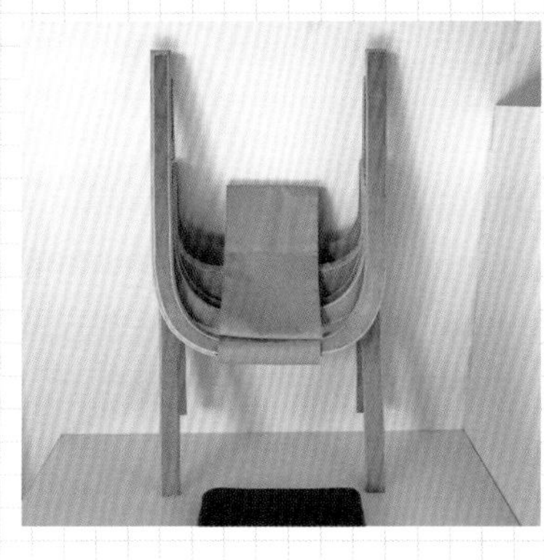

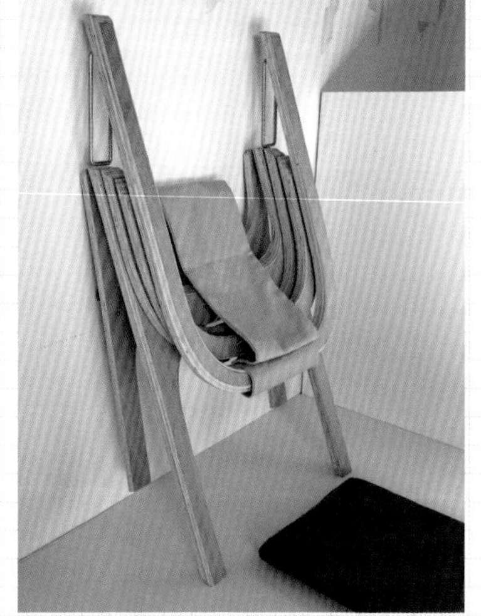

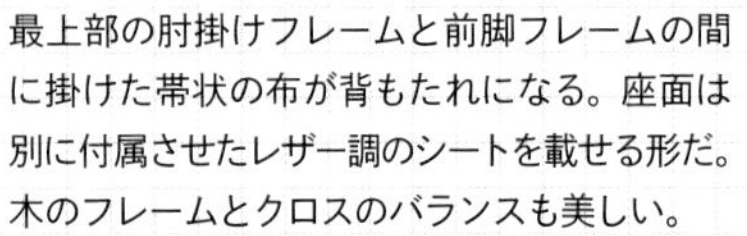

最上部の肘掛けフレームと前脚フレームの間に掛けた帯状の布が背もたれになる。座面は別に付属させたレザー調のシートを載せる形だ。木のフレームとクロスのバランスも美しい。

Presentation
発表

身長180cmほどの大柄な作者がゆったり座れるサイズと安定感がある。何よりも、収納状態から流れるような動作で展開できるスマートな構造が際立っていた。

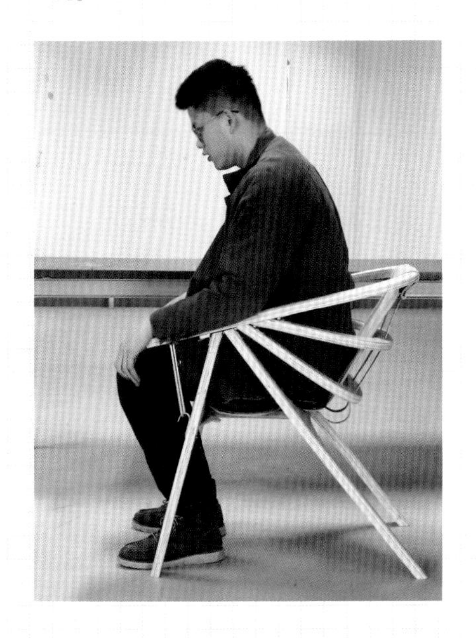

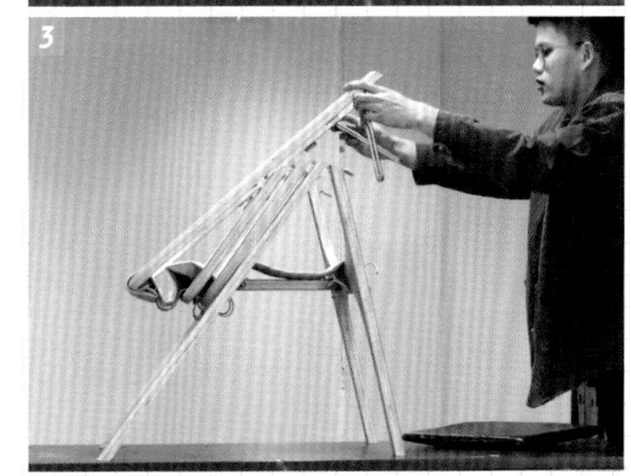

❶❷脚を開き、座板で固定。❸❹肘掛けフレームの先端を下げると自然に背もたれフレームが開き、❺肘掛けから下がるリングをフックに掛けるだけ。座面シートを乗せればすぐ座れる。

範例 F

Y字型スツール

一見、パズルのように複雑に見えるが、原理は紙箱などの仕切りに見られる身近な仕組み。２枚の平面パーツを互いの切り込みに差し込むことでロックする構造に、上下がＹ字型に開く仕様を加えて折りたたみ機構に発展させた。実にユニークな発想の、オリジナリティあふれるスツールだ。

構造的にも安定感があり、さらに素材の選び方などで、遊び心あるバリエーションもできそうな、将来性を感じる秀作といえる。宋炎彧氏による2019年の作品。

Idea of a mechanism and Scale model

構造の発想と模型

菓子箱や折詰、段ボール箱などの内部を仕切るのによく使われる「組み仕切り」という原理を折りたたみ椅子に応用している。右の写真のフレームだけで表現したスケルトン模型も、面に置き換え、Ｙ字部分を閉じた形で想像すれば、右下の図のような構造が土台となっていることが理解できるだろう。

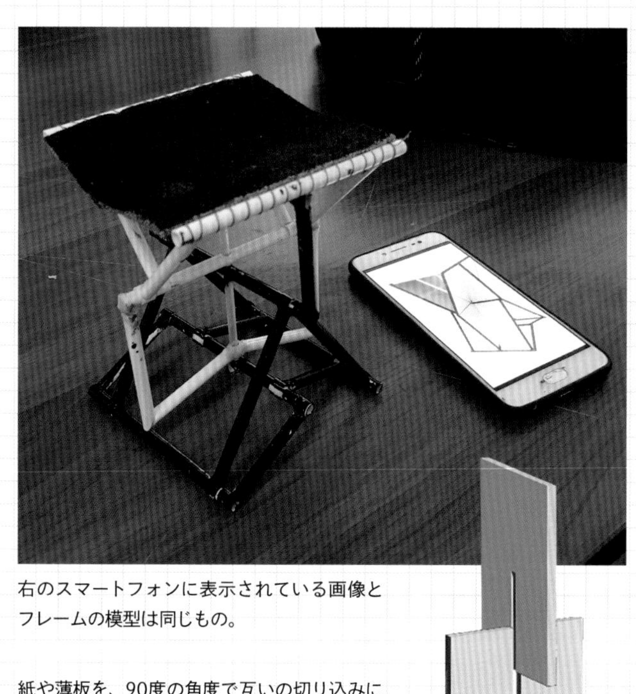

右のスマートフォンに表示されている画像とフレームの模型は同じもの。

紙や薄板を、90度の角度で互いの切り込みに差し込むことで立体的な仕切りになる「組み仕切り」構造。この原理で、複数の切り込みと仕切り板を使った井桁や格子状の仕切りは、誰もが日頃から目にしているはずだ。

3D model verification
3Dモデル検証

「組み仕切り」機構で本体パネルを折りたたむことはできるが、座面がないと椅子にならない。この段階でY字型に開いたパネルにシートを載せてクリップで留めるディテールまで完成している。

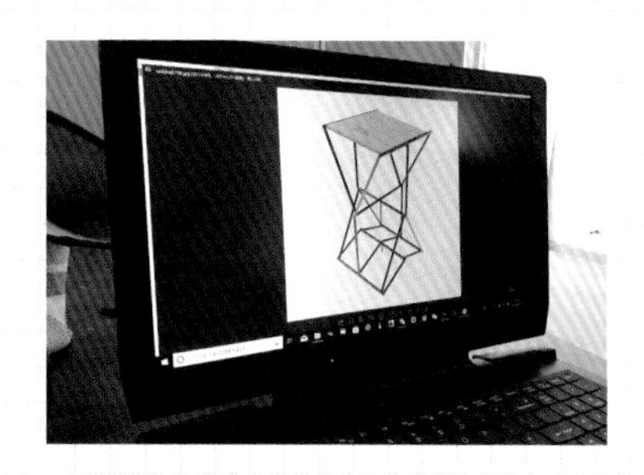

2枚のパネルがそれぞれY字型に開くことで、座面側と接地側で三角形ができる。非常に安定性の高い構造だ。

スケルトン状態だと理解に時間がかかるが、左の画像では白いフレーム、右の画像では黒いフレームが座面側のY字型パネルにあたる。座面も二つ折りにすることで、全体をフラットに収納できる。

Production
現物制作

3Dモデルでの本体は金属パネルのようにも見えたが、実際の制作では、細口のパイプに布地を張るスタイルに。座面は中央のヒンジで二つ折りにできる。

Folding mechanism
折りたたみ機構

スツール本体は、2枚の切り込み入りパネルだけで構成されている。このパネルが右図のように開閉し、上(座部側)と下(接地側)でY字型に開いて三角形を生成することで、安定感のある座具になる。

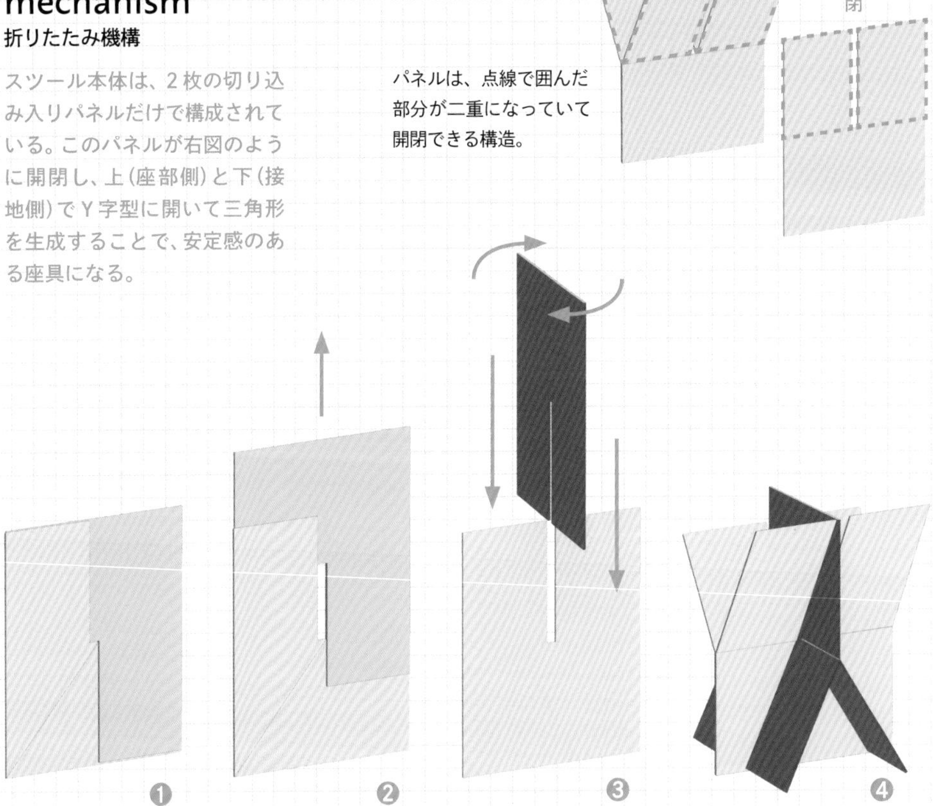

❶収納時は2枚のパネルがフラットな状態で組み合わさっている。

❷使用時は、一旦、上下に引っ張り差し込みを外してから…

❸90度回転させて再び差し込む。

❹上下をY字型に開き、上に座面を載せる。

Completed work
完成

一見華奢（きゃしゃ）に見えるが、上下の三角形が荷重を受け止める堅牢な構造。収納性に加え、軽量で携帯性にもすぐれている。レザー調の座面を金色のリベットで留め、ファッション性を加えたデザインも楽しい。素材の変化でさまざまなアレンジが広がりそうだ。

収納時は完全にフラットになる。

Presentation
発表

小ぶりなサイズ感からも、さまざまな実用シーンをイメージできる。小型軽量だが女性の作者だけでなく、より大柄な男性も問題なく座れるしっかりした構造のスツールだ。

範例G

三角フレームの二段テーブル

範例Fと同じ作者が、「組み仕切り」の原理をさらに発展させて作り上げたテーブル。上下２枚の板を複数の三角形で支えるという構造は、これまでにない斬新なものだ。二段構造の天板は茶器などを載せるサイドテーブルとしてちょうど良いし、折りたたみの仕組み自体は、焚火台などさまざまなアイテムへの応用も期待できる。宋炎彧氏による2019年の作品。

Idea of a mechanism and Scale model

構造の発想と模型

p.98のスツールとはまったく異なるように見えるが、この作品も、切り込みに差し込んで組み合わせる「組み仕切り」が発想の元になっている。こちらは上下で開閉する構造だ。

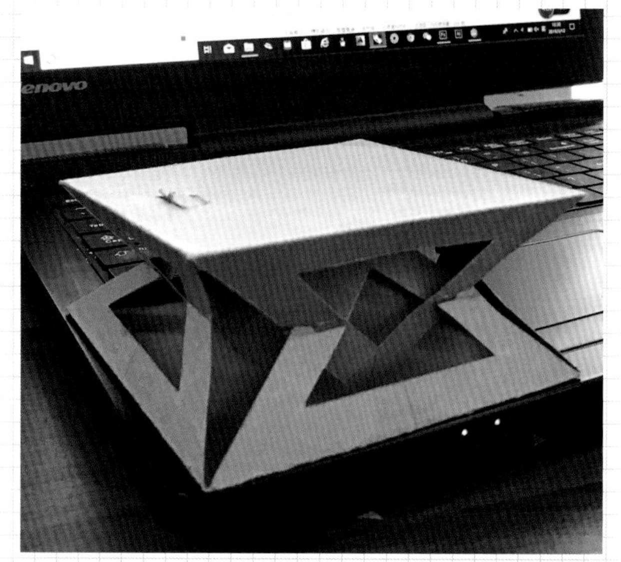

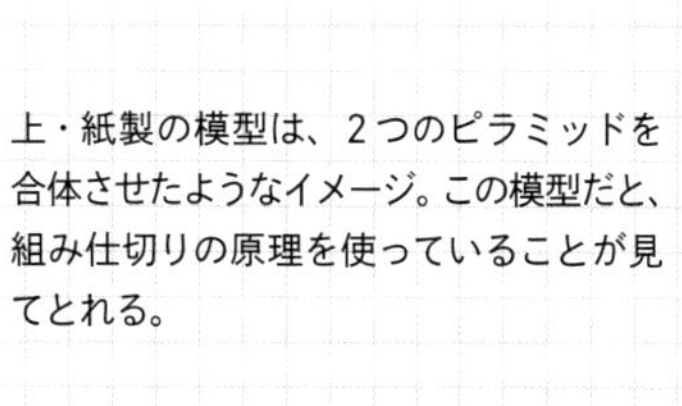

上・紙製の模型は、２つのピラミッドを合体させたようなイメージ。この模型だと、組み仕切りの原理を使っていることが見てとれる。

最初の紙模型の三角部分から余分な面を削り落としてスケルトン状態に。

3D model verification
3Dモデル検証

テーブルとして成立するにはしっかりとした天板は必須。天板を三角形フレームで安定して支え、かつスムーズに開閉するための仕組みを検証する必要があった。

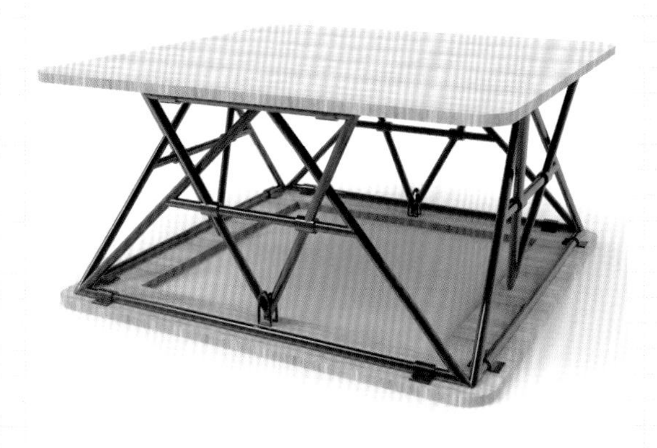

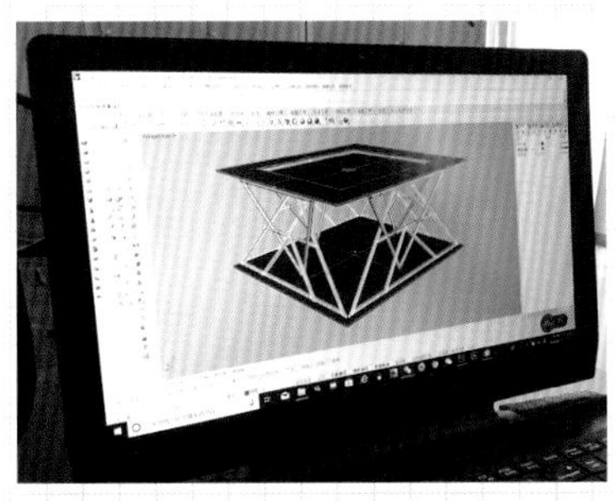

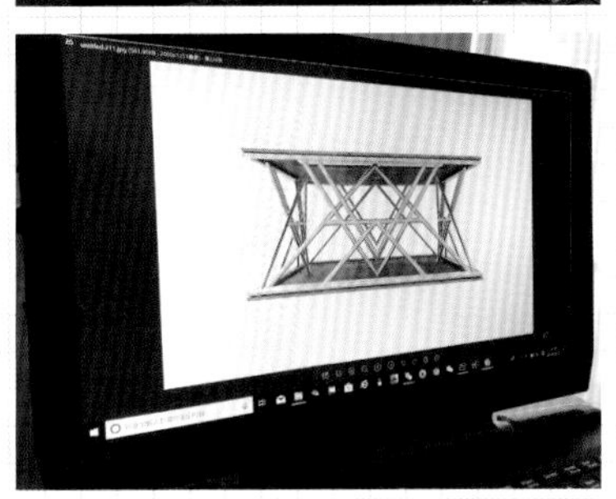

最初のバージョンでは天板は段差がなく完全にフラットな、いわゆる面一の状態。三角形の頂点をクリップで留める設計になっている。

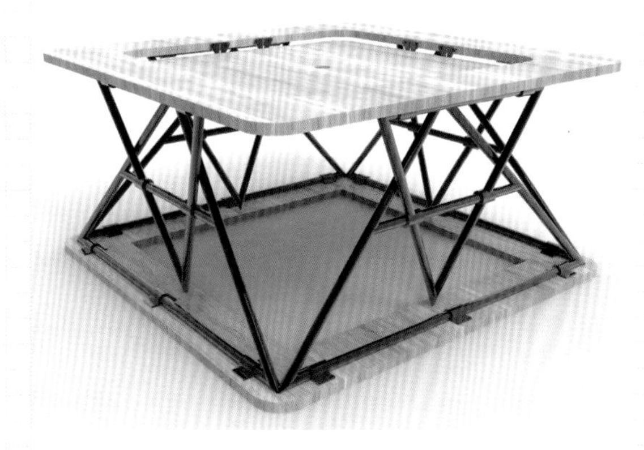

最終バージョンでは、天板は二段式。接地側と同じ形の枠の内側に、わずかに下がったもう一枚の板をはめ込んでいる。

Production
現物制作

内側の板を取り付ける前の状態を見ると、上下とも同じ形状なのがわかる。

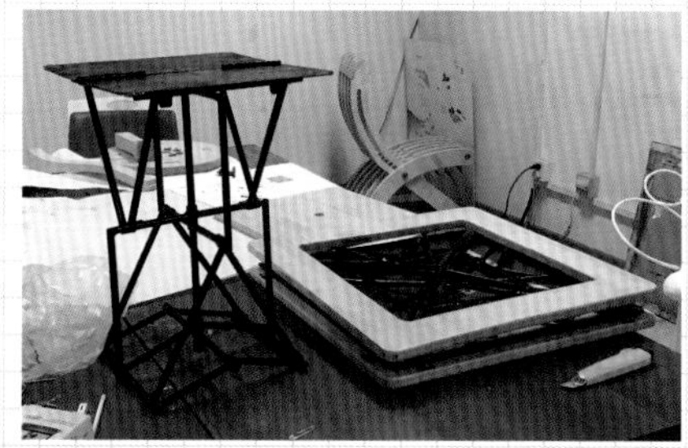

Y字型スツールと同時に制作。スツールとバランスの良い大きさだ。

どちらも枠状の板だが接地側はそのまま、天板側は写真内右の板をはめ込む仕様。

Folding mechanism
折りたたみ機構

複数の三角形で上下の板を支える仕組みがポイント。天板を引き上げると複数の三角形フレームが立ち上がり、一定の高さになると頂点が内側に倒れ始める。その傾斜が一定の角度になると互いの三角形が噛み合って固定され、自然と天板を落ちないように支えるという仕組みだ。

＊共に濃色の辺が上下の板に接続している側とする。

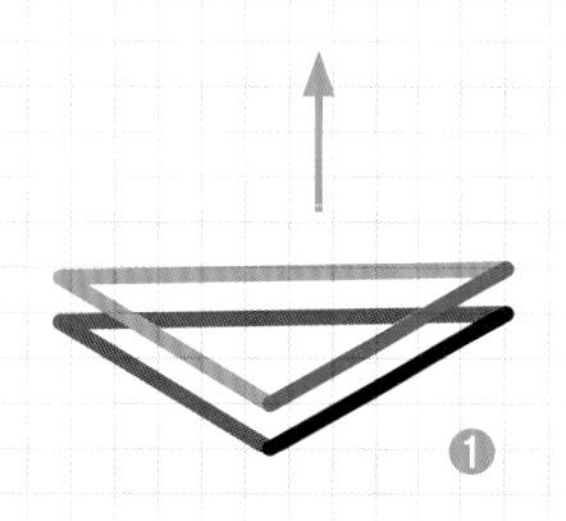

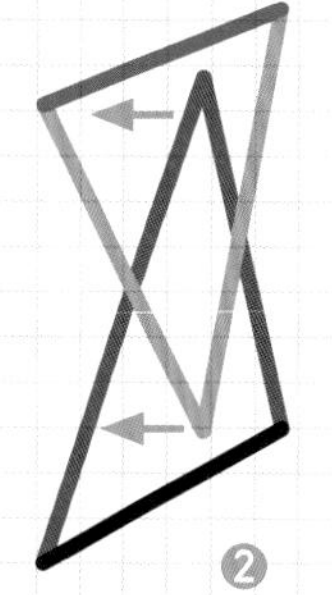

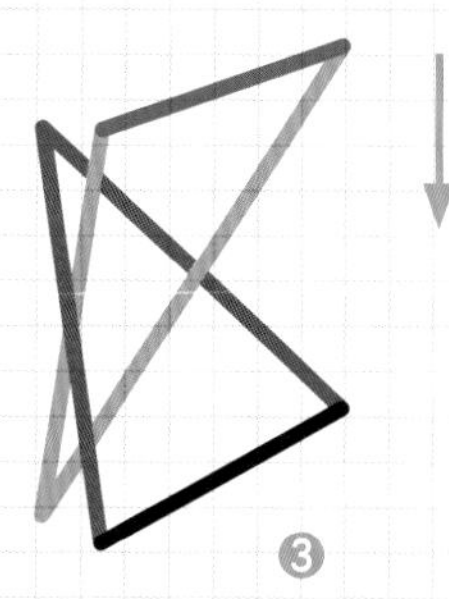

❶収納状態では上下の三角形は重なっている。天板を上に引き上げると…。

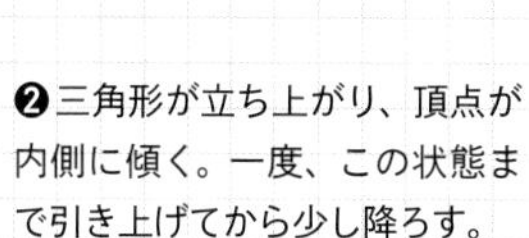

❷三角形が立ち上がり、頂点が内側に傾く。一度、この状態まで引き上げてから少し降ろす。

❸天板が下がり三角形が所定の傾きになると、カシャっとストッパーがかかる感覚で、自然に固定される。収納時も、一度❷の状態まで引き上げてから天板を下まで降ろす。

Completed work

完成

天板内側の一段下がった部分は、茶器などを載せるのにもちょうど良い。中央に開けた穴は、はめ込む際の取手代わり。枠部分にもう一枚板を重ね、部分的バタフライ天板とすれば、天板スペースも広がる。

いくつもの三角形が織りなす脚部の構造は、造形的にも美しい。

天板枠を引き上げて少し降ろすだけで上下に開閉できる仕組み。フラットにたためる点もすぐれている。

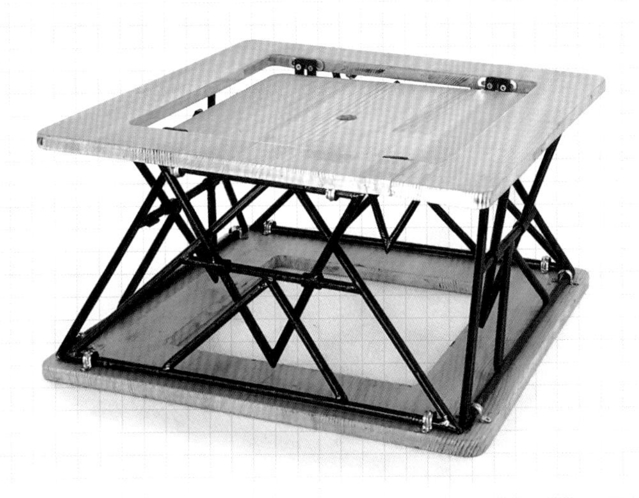

範例 H

三つ折りパイプチェア

弧を描く金属パイプが美しい、都会的で洗練されたミニマルデザイン。このシンプルな椅子に、驚きの折りたたみ機構が備わっているとは、誰が予想できるだろう。フレームパイプに内蔵した独自の仕組みによって、両サイドの肘掛けフレームを背もたれの背面に収納するという、これまでにない画期的な三つ折り方式。まさに常識を覆す発明として、パテントも取得した。周玥彤氏による2019年の作品。

折りたたみ椅子のタイプとして大別される前後開閉型、左右開閉型、中央収束型のどれでもない独自の方式で収納する。折りたたみ機構の詳細はp.110〜111に掲載。

Sketch
スケッチ

多くの優秀作品ではスケッチ段階から明確なイメージが見て取れるが、本作品の場合、最初のスケッチには、さまざまなアイデアの断片がちりばめられている状態だった。

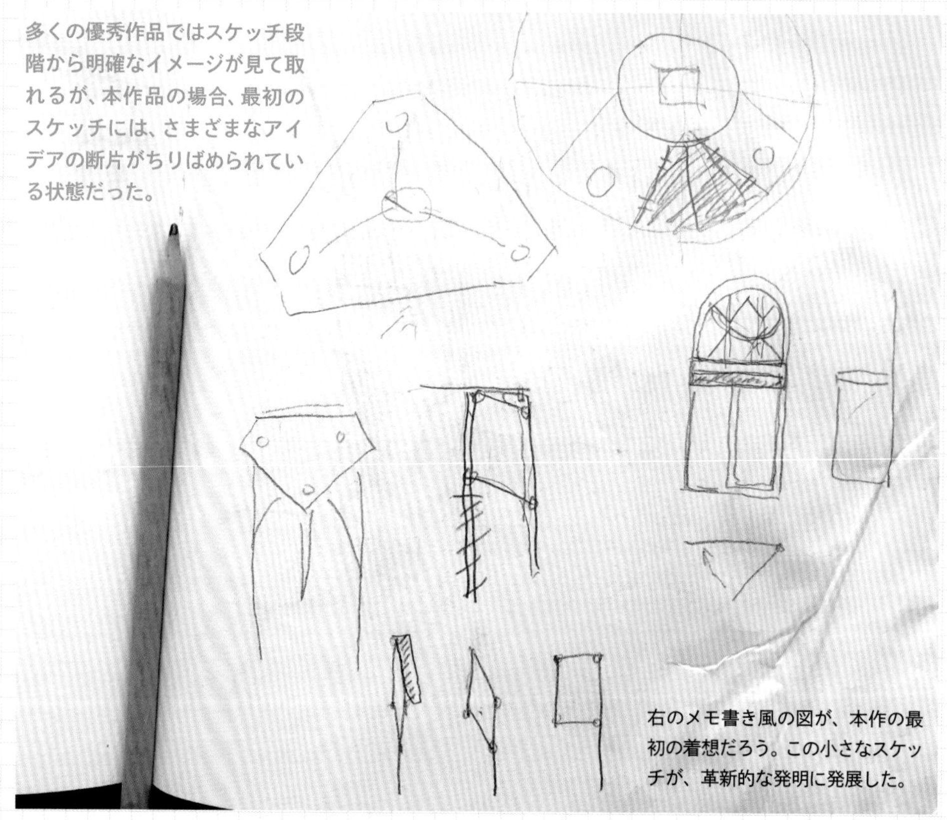

右のメモ書き風の図が、本作の最初の着想だろう。この小さなスケッチが、革新的な発明に発展した。

3D model verification
3Dモデル検証

スタイリッシュなデザインは、「たためない椅子」としても十分に通用しそうだが、最大のポイントはフレームパイプ内部の仕組みと、それを活かす美しい曲線。3Dモデル段階では座部の収納方法が明確でなかったが、現物制作では背もたれと座面を分けることで、折りたたみを可能にした。

ミッドセンチュリーの名作椅子を思わせるデザイン。光沢のあるメタルフレームとレザー風のシートというイメージだ。

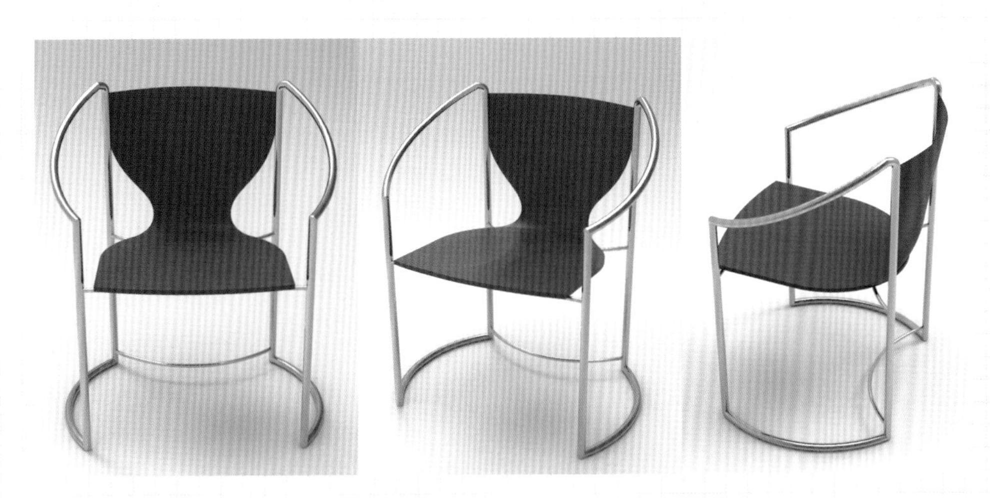

背側の座面位置と足元、2カ所の横バーは円弧を描いているが、これは左右フレームの肘掛け及び接地部の円弧と一致する。この同一アーチが本作のポイントになっている。

Production
現物制作

パーツはシンプルだが、それだけに精度が低いと雑な印象になり、折りたたみ動作にも支障が出かねない。特にフレームのパイプは、可動部がスムーズに回転する必要がある。

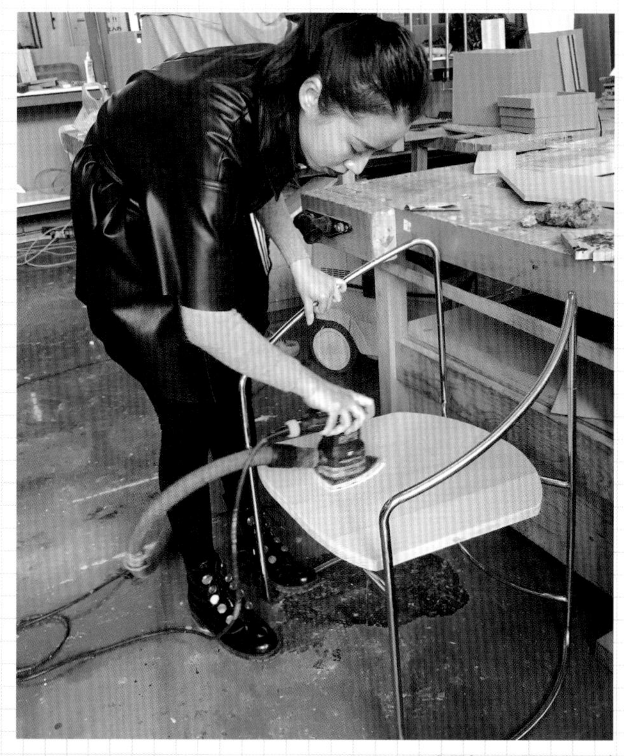

フレームの金属加工・組み立てができたら、次は木工工房で木製の座板を仕上げる。

座面の合皮クロスを張っていく。丁寧な手作業が高級感のある仕上がりに結びつく。

背もたれのクロスを張れば完成。座面奥側の曲線もフレームの円弧と共通している。

Completed work
完成

複数のアーチが呼応し合うメタルフレームにレザー調の座面がマッチした完成度の高い造形。素材に改善の余地ある背もたれは課題だが、何よりもまったく新しい折りたたみ機構を高く評価したい。

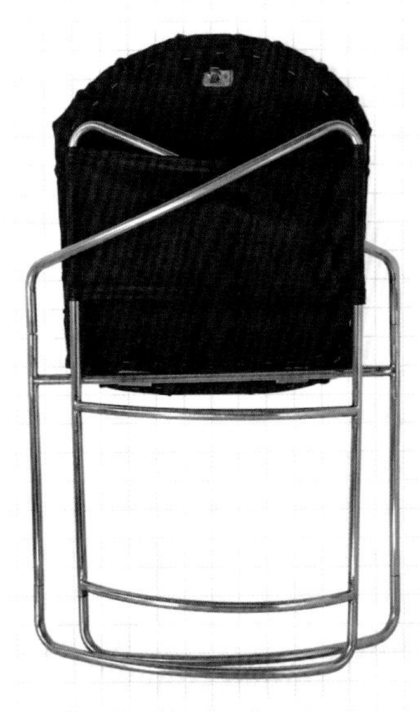

上・収納時は各アーチがぴったり重なり、三つ折りにたたむことができる。ラウンジや会議室にもうってつけだ。

Presentation
発表

使用時の座面は、背側横バーのアーチがしっかりと受け止めるので、安定感も耐荷重も十分だ。わずかなアクションで開閉できる点も素晴らしい。

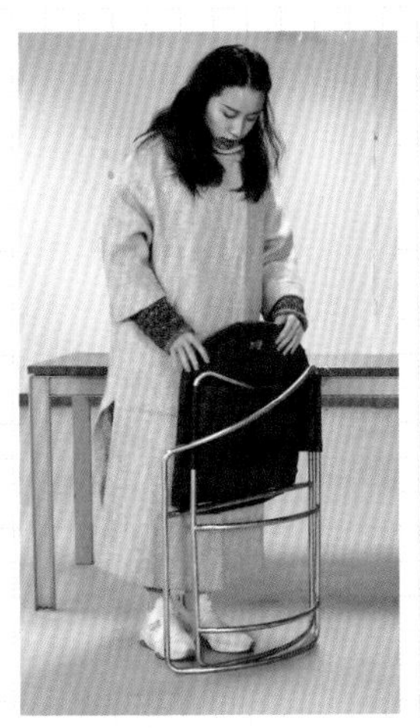

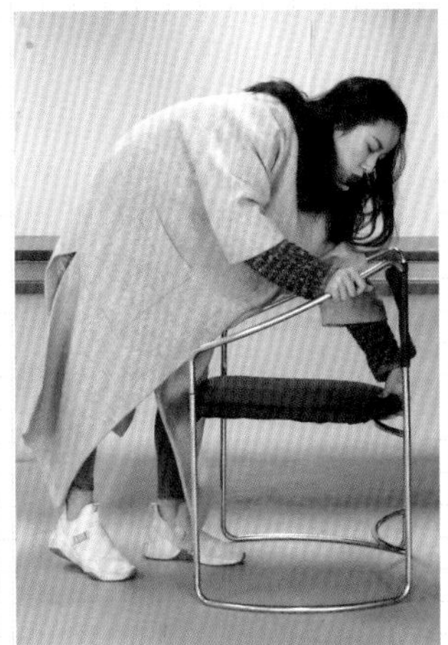

両サイドのフレームを開いて、座面を倒すだけで座れる。

Folding mechanism
折りたたみ機構

これまでにない仕組みなので説明が煩雑に見えるが、シンプルな操作で無理なく開閉できる、革新的な折りたたみ方式である。一続きに見えるフレームを分割し、4本の垂直パイプとの接続部を回転可能にすることで、このたたみ方が実現した。脳内で立体イメージを動かすことができているからこそ生まれたアイデアだろう。

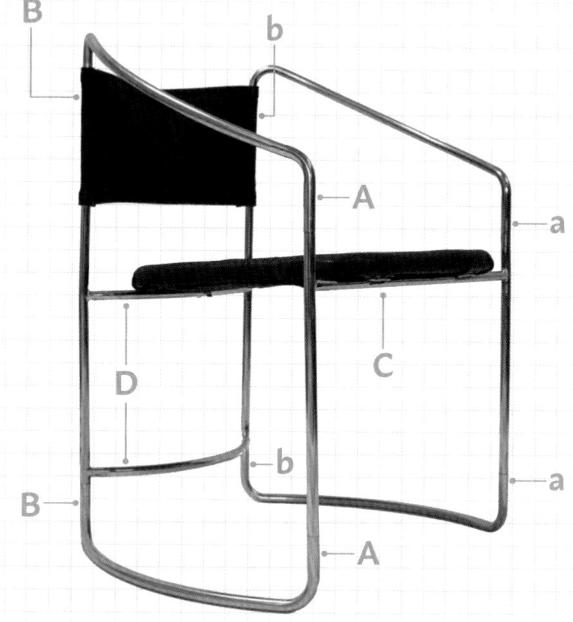

A・aは手前側の垂直パイプ、B・bは奥側（背もたれ側）の垂直パイプとアーム及び接地フレームとの接続部で、別々に回転可能だ。Cは手前側、Dは背側の横バー。

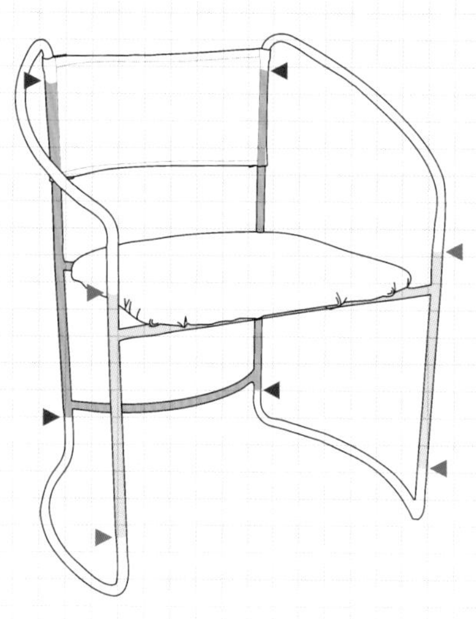

フレームのブルーとオレンジの部分は、その上下とは違うパーツ。それぞれ赤・青の三角で示した可動ポイントで接続されている。座面は手前側のブルーの横バーにヒンジでつながっている。

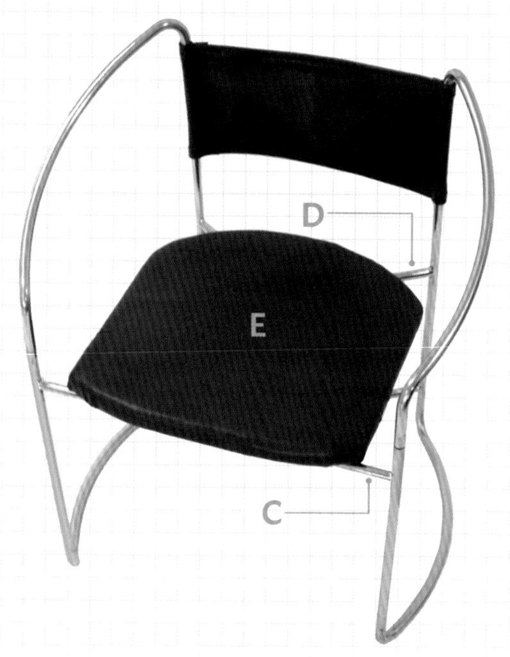

Eは座面。座面は手前側の横バーにヒンジで留められ、 奥から手前へ起こしてたたむ。

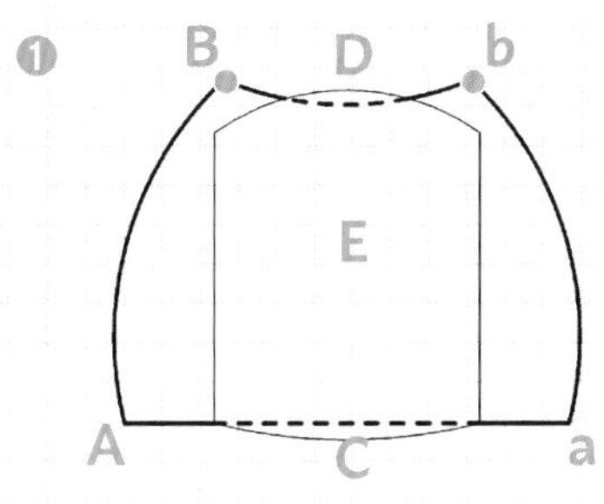

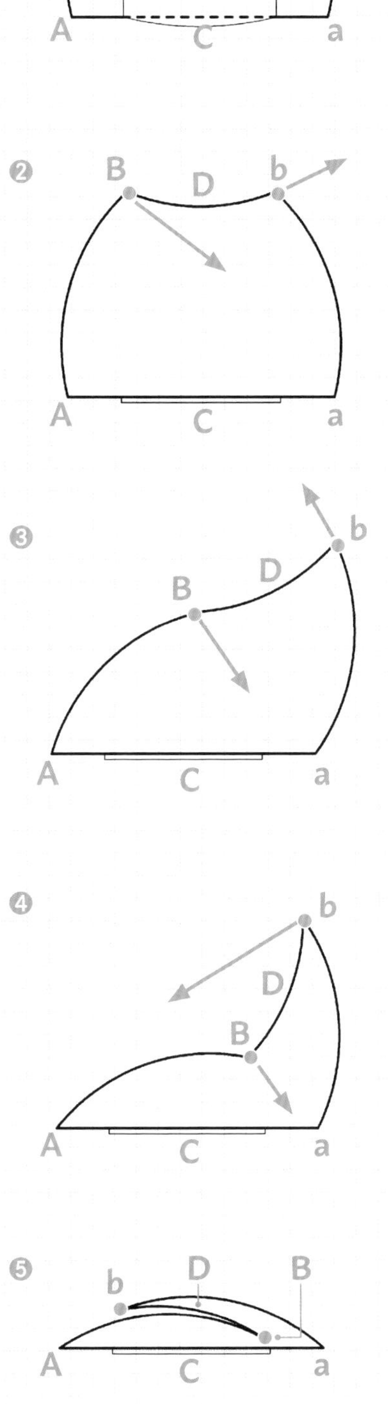

図の青丸は背側の垂直パイプ位置を示している。
❶図の下が椅子の手前側。座面EはCにヒンジで留めてある。
❷Eを起こし、bを右外へ引き、Bは右手前側に押し込む。
❸bを今度は左奥側へ、Bをさらに手前側へ。
❹bはA位置に近づけ、Bはさらにaに近づける。
❺三つ折り状態になった。

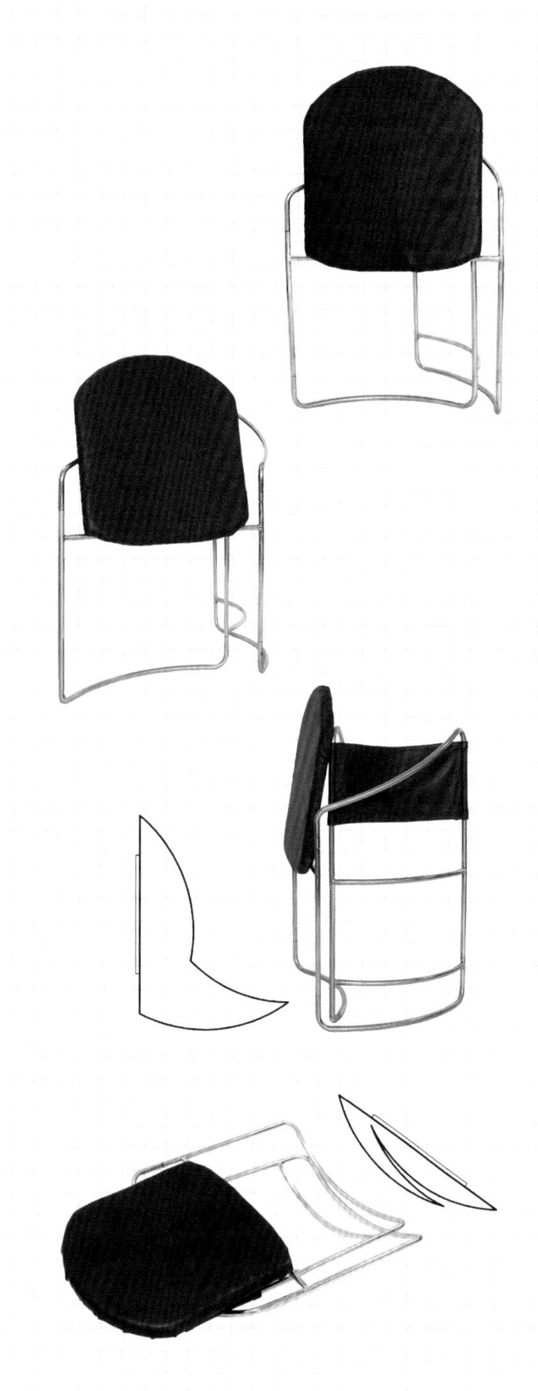

範例

骨のないスツール

この作品もまた、範例Hの三つ折りパイプチェアと同様、折りたたみ方式として大別される前後開閉型、左右開閉型、中央収束型のどれにも属さない独自の「折り紙方式」で収納する。

本章で触れた「自然界からのヒント（p.47）」の一例ともいえる、爬虫類のウロコからインスピレーションを得たスツール。ただし実際の爬虫類とは違い、このスツールには骨がなく、「ウロコ」を組み立てることで骨格の役割を持たせている。一方で、折りたたみ方法としては、折り紙芸術を取り入れた一種の新しい構造言語ともいえる。それまで誰も考えなかった、実に大胆な発想だ。

講座期間中に座れるスツールとして完成することはできなかったが、翌年のイタリアで開催されたミラノサローネ展示会では、若手の作品ブースで脚光を浴びた。余继绎氏による2019年の作品。

Idea of a mechanism

構造の発想

折り紙のように折ることでスツールという立体にする仕組み。一枚の平面になる状態と、小さく折りたたんだ状態という、2種類の違った方法で収納ができる点も斬新だ。

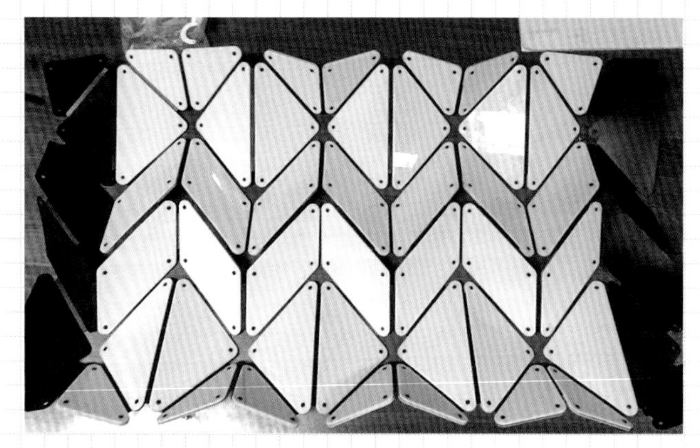

開くと、三角と平行四辺形の小さなパーツがいわば爬虫類のウロコのように並んだ「一枚の板状」になる。

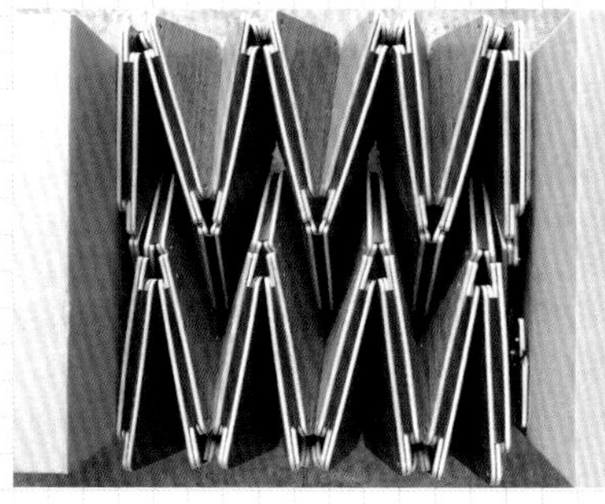

逆にアコーディオン状に小さくたたんで収納することもできる。

Selection of materials
素材の選定

構成としては、パーツと、パーツ同士をつなぐヒンジの役割を果たす素材のみ。金属のヒンジもパイプもない、ある意味では非常にシンプルな構造だ。しかし、だからこそ素材の選定が鍵を握っていることに、試作を進める中で気づかされることになった。

折る力所が多すぎてパーツのサイズ調整による公差の解消も難しい。

まずは薄いPVC板（塩化ビニール）で試作してみたところ、組み上げることはできた。しかしこれでは強度が足りない。しかも折り進めていった最後が噛み合わないという問題が判明。何度も折りたたむことによって公差（わずかな許容差）が積み重なったことが原因だった。

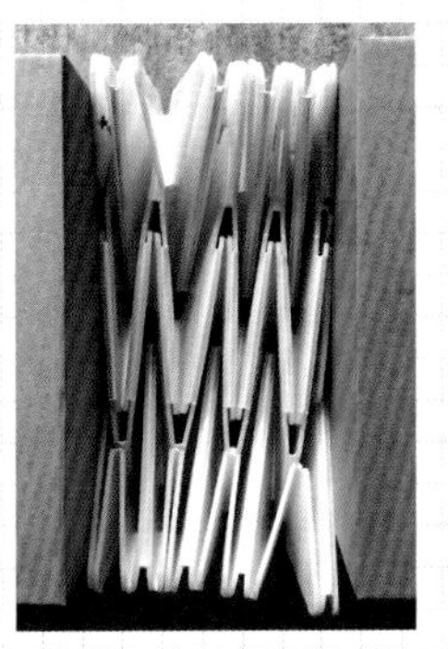

次にアクリル板でパーツを作ってみた。最初は薄いPVC板に留めた（写真上と右）。が、やはり噛み合わず、パーツ間に強靭な布素材を使い、折る角度を自在に変えられるようにすることで、折りたたむことが可能になった。さらに木製の板でも試みた（次ページ）。

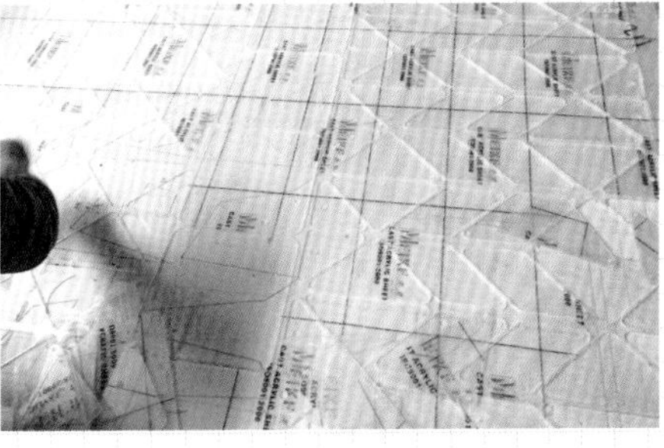

三角と平行四辺形のパーツ多数を、サイズを微妙に変えながら何度も作り直したが、やはり最後が噛み合わなかった。

Production
現物制作

スツールに組み立てた際に公差が重なり、最後の辺がピタリと合わない、つまりスツールの形状を固定できない問題をクリアすべく、試行錯誤を繰り返した。パーツのサイズ調整で公差を解消しようと試みたが、やはり噛み合わず失敗。パーツ間の隙間を徐々に拡大・縮小するように計算し、再度切り出したパーツで組み合わせたが、それでも噛み合わない。再度の失敗である。ついに講座の作品完成日になっても原因不明のまま、最後の固定方法は見つけられなかった。

最終的には自在に曲げられる強靭な布を2枚の木製パーツで挟む形を採用。しかし、最後が噛み合わず固定できない問題を、講座期間内にクリアすることはできなかった。

Completed work
完成

講座終了後、ようやくヒンジ代わりにパーツの間をつないでいる布の幅が、「噛み合わない問題」の原因だと判明。パーツ間の間隔を若干広げることで、一応成功に至った。フレームがないだけに、力がかかる方向や強さによってグニャングニャンと変形してしまう安定性の問題、またスツールに組み立てた状態を確実にロックする方法などは未解決。これらの課題は残るものの、一枚の平面から組み上げる、いわば「折り紙構造」は、非常に斬新であり、大胆な挑戦として大いに評価したい。

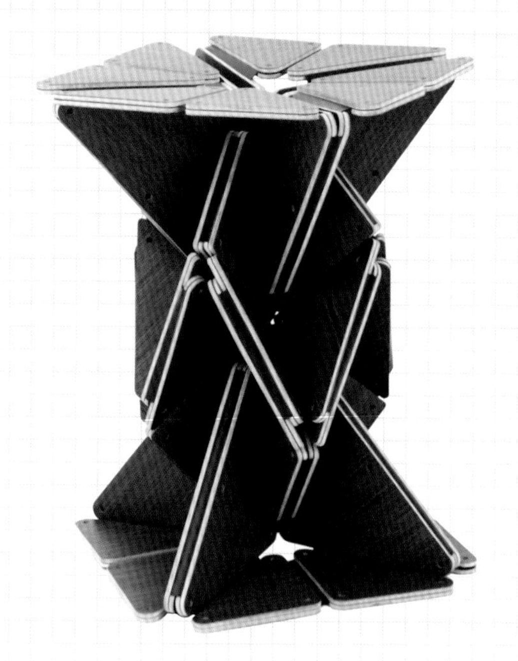

薄い木製のパーツで丈夫な布地をサンドイッチした構造。このパーツ間の幅を調整することで、スツールに組み立てた時の形状を固定することができた。

Exhibition
展示会出品

2020年のミラノサローネ（世界各国の最新の家具、インダストリアルデザイン、インテリアデザイン、テキスタイルデザインなどの展示が行われる国際見本市）で、「サテライト」という若手のデザイナーによる作品ブースに出展を果たし、注目を集めた。

若手ブースに展示した本作は、多くの来場者の関心を引き、座ってみる人も。出展した改良版は、こうして成人男性が座れる程度にはスツール形状が固定できるようになった。

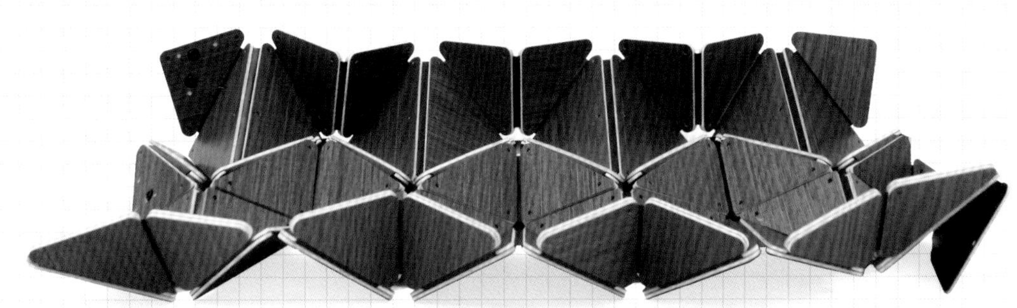

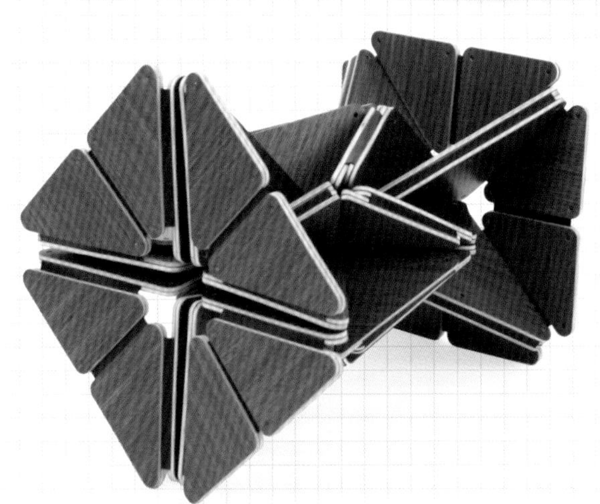

フレームがない分、安定性には課題があるが、逆に、布でつながった小さなパーツの集合体なので、身体の形状にフィットすることができる。座面も8枚のパーツが包み込むような形状になり、良好な座り心地だ。

本書で範例として制作プロセスを解説しているもの以外にも、学生たちの作品はそれぞれにユニークだ。印象に残っている作品の一部を紹介しておこう。

その他の学生作品

ジャバラ式折りたたみ椅子

ジャバラ式、またはアコーディオン風に、複数の板が並んだ形状の椅子は決して珍しくはない。複数合わせてベンチにする既存製品もある。このタイプに関心を持つ学生も少なくないが、折りたたみ椅子としての難点は、収納状態が大きいこと、そして板の集合体が座面になるため、どうしても座布団状のクッションや座板を載せることが前提となる点だ。

とはいえ、あくまでも構造の学習が本講座の目的なので、このタイプの椅子を発案した学生には、とにかく進めてもらった。自分の作品が「こんなに巨大で重くなってしまった」と反省する結果になるだろうが、その反省は将来につながるに違いない。

ジャバラのベンチ

曲線が美しい木製フレームを重ねたもの。複数並べてベンチにする構想だが、1ユニットでも大変な重さになってしまった。李金秋氏による2019年の作品。

原寸の作品制作に入るとその大きさ、重さを否応なく実感する。男子学生の手伝いがないと動かせない椅子になってしまった。

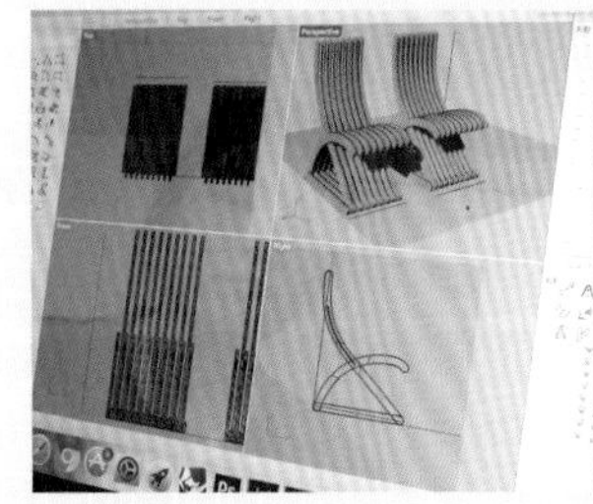

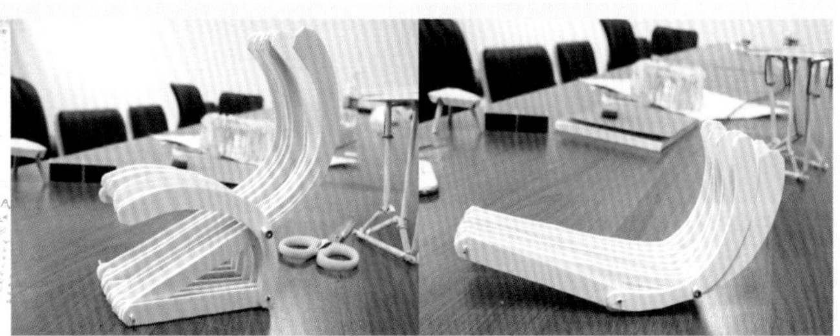

紙の模型や3Dの段階では、造形のおもしろさにばかり目を引かれるが…。

キャラクターチェア

構造も折りたたみの仕組みもベンチと同様だが、コミックのキャラクターを思わせる形状にして子供用の椅子を考案。子供サイズでもやはり重さが問題だが、造形が可愛らしいので、文房具や小物への転用も可能だ。応用が広がりそうな作品となった。李雅玲氏による2019年の作品。

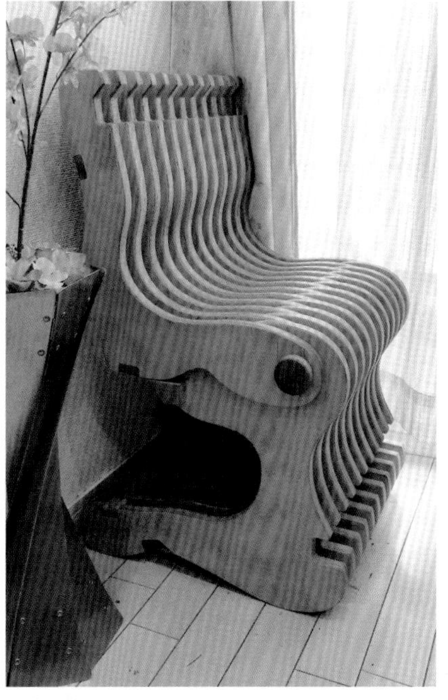

筆者の事務所に保管されていた作品。

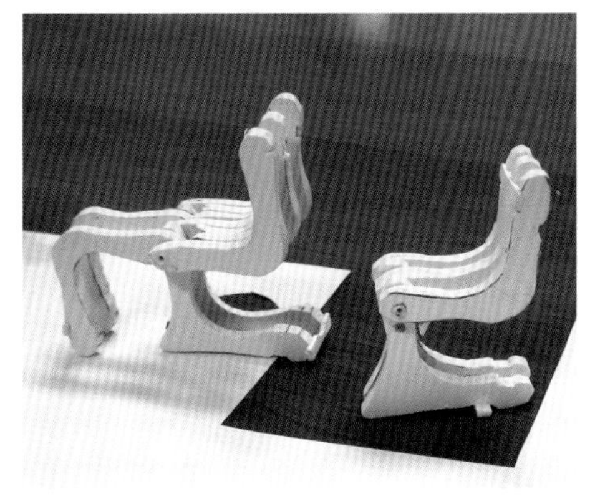

ジャバラのベンチ同様、脚を回転させて開閉する仕組みだが、こちらはフレームごとに角度を変えられ、多様な形状にできるのも楽しい。

子供用としてダウンサイズしても、多数の木製パネルを連ねるという構造である以上、どうしても重さの課題は残ってしまう。

キャラクター性のある造形、自分で形を変えられるおもしろさは、カードホルダーなど小物にしても活かせそうだ。

その他の学生作品

さまざまな開閉方式

基本的な前後・左右開閉、中央収束以外のユニークな収納方法にチャレンジした作品も多い。

バタフライチェア

左右開閉ではなく、中央を支点として本のように開閉する仕組み。まさに蝶の羽ばたきをそのまま椅子にしたようなファンタジックなデザインも魅力的だ。潘衛娜氏による2011年の作品。

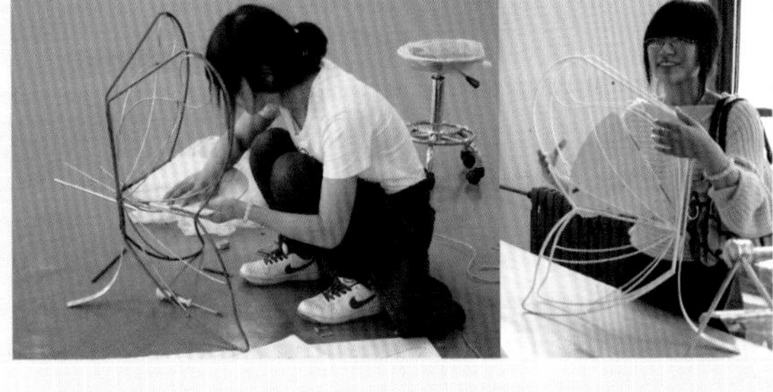

翅の形のフレームに翅脈（翅に通っている筋）のようにワイヤーを配したデザインが最大の特徴。腹部を様式化した弓形フレームが後ろに伸びて転倒を防止する構造になっている。

トライアングルスツール

シンプルな動作で平面状にたためる、脚部の収納方法がユニークな三角スツール。パイプの継ぎ目で回転させる仕組みは、範例Ｈ（p.106）と共通だ。李雅玲氏による2019年の作品。

一続きに見える脚部パイプに継ぎ目を設け、そこを回転させてたたむ仕組み。

座面の裏３カ所のうち１カ所がクリップ式で着脱可能になっている。

継ぎ目から下を回転させて開閉。

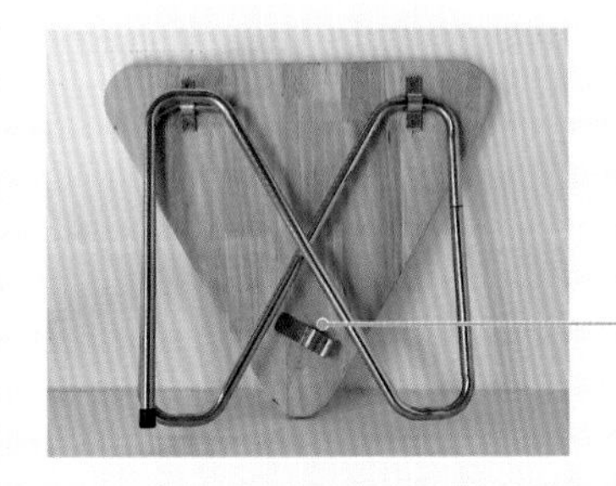

第3章

ビジネスにつなげる

流通・販売まで、
商品としてのプロセスを学ぶ。

第3章

ビジネスにつなげる

オリジナル作品の完成からその先へ。大学内での発表というゴールの後に、学生たちの作品の中から優れた数点を現実に商品化するというプロジェクトを試みている。商品として製造・流通・販売というプロセスを学び、体験する機会を提供することが目的だ。

1 作品を商品にする試み

作品から商品へ

学生たちがデザイン思考を学び、わずか２週間という追い込まれた状況で創造性を発揮し、オリジナルの折りたたみ椅子を制作する。大学での筆者の講座は、前章で記したようにその発表が一つのゴールである。しかし、当然ながら実際のものづくりにはその先がある。アイデアの創出→模型の検証→現物の制作→商品の製造→流通・販売といった流れのうち、学内で体験できるのは前半部分なのだ。そこで筆者は、最後までの全プロセスを学生たちが学び、体験できるよう、大学での講座が終わった後もなお、学生作品の一部を実際に商品化し、そのフォローをしてきた。

学生の作品を商品に変えるには大きな「壁」がある。その壁を越えるためには、作品にある種の変質が求められるのだが、これは学生作品に限ったことではなく、世界中のデザイナーや技術者のものづくりにも共通する話だ。自らのアイデアが商品として社会に流通し、世界中の人々に愛用される……壁を越えた先にあるのは、ものづくりに携わる者にとっての夢ともいえる成果だが、実際に手に入れられるのはわずかな人で、多くの人は無念のまま諦め、あるいはせっかくのアイデアもどこかで眠らせたままとなり、または時代の変化で鮮度が落ちてしまうこともあるのだ。

商品化への壁

この「壁」を乗り越えるには、いくつかの条件がある。その条件を満たさないと作品は作品のままとなり、その先には進められない。いわば立ち枯れてしまう。あるいはいくつかの条件をクリアしたものの、壁を越えるには至らず、途中で挫折してしまうケースも珍しくない。ましてや折りたたみ家具という分野は条件も難しく、越えるべき壁はなおさら高い。それはプロダクトの世界の厳しい現実だ。

ビジネスの現実から見れば、学生作品はあくまでコンセプト段階であり、作りも粗末で言ってみれば「粗大ごみ」にも見える。それを商品にするには作者がさらなる改良を加え、改造しなければならない。時にはシンプルに洗練し、また時にはエッセンスとなる特徴的なファクターだけを残して丸ごとデザインを変えなければならない場合もある。

もちろん、中にはファイナルに近い作品もある。その差は、商品化にあたっての制作者の総合的な能力の有無といえるだろう。つまり、コンセプト段階の「作品」を、自分がイメージする「商品」に変質させる力が問われるのだ。それがないと何も始まらない。p.18で述べた眼力やp.46の観察力のことだ。同じエッフェル塔、凱旋門を見ても、そこに作品のヒントが見えるか見えないかの違いだ。この能力がなければ、手作りの作品は資料や現物の形で残されず、世間に知られないまま消え去ることになる。

この講座の最終的なゴールは、学生に商品とは何か、商品化するためにはどういうプロセスがあるのかを知ってもらうことである。そのために、一部の学生作品を実際に商品化するという実験的な試みを敢行した。全受講生がすべての工程に参与することはできないが、結果として知ることができると考えたのだが、学生はもとより、業界内でもそれなりの反響が得られた。

商品化に必要な条件

学生作品を商品に切り替えるためには多くの条件が求められるが、端的にまとめると下記のような項目が挙げられるだろう。

条件1 構造的に優れている、
またはユニークであること

これはすべての条件の基本である。過去になかったものかどうか、または過去の商品を改良して、より利用しやすく、より使いやすくしたものかどうか。また、現段階の作品では欠陥（課題）があるが、それを別の手段でカバーできるかどうか。これは商品化する第一の条件であり、制作者にとってモチベーションの源でもある。サイドテーブル１のサポートバー（下の写真)、サイドテーブル２のロック機構（p.123写真）などが好例といえるだろう。

条件２　部品が製造可能であること

商品は部品から構成されたものである。部品一つひとつが製造可能でないと完成品は成り立たない。時には、一点なら可能だが、数十〜数百個の製造となると不可能な作品もある。3Dプリントが簡単にできる今日では製造不可能な部品は少なくなったとはいえ、いざ作ろうとなると、やはりできないものもあるのだ。

条件３　材料が入手可能、及び加工が簡単であること

作品、または試作品ができても、商品にするには耐荷重の問題、繰り返しの使用に耐える素材の問題、安定供給の問題などがある。例えば、「アンドンテーブル」の板と板との間に使用する「布」（p.123写真）は強度が必要でありながら、折りたためる柔軟性、何回も折り曲げられる耐久性のある素材でないと商品として成り立たない。時には商品の性格に合った材料（例えば軽量素材）がない場合もある。

条件４　製造コストは一般使用者が買える範囲であること

時々、作品は優れたものだが、製造は煩雑で手間暇がかかる、素材のコストが商品に合わないといった場合もある。結果的に高額な製造費のかかる高価なものになってしまう。そうした作品は当講座の趣旨と合わないし、仮に商品化したとしても一般のユーザーは買えない。例えば学生作品で、本革の座面に複数のネジで柄を形成するユニークなデザインが目を引くスツールもあったが、一脚の座面を作るには一日かかる。商品化の条件に合っていないので、発想はおもしろいが商品化はしなかった。

条件５　市場のニーズにマッチすること

これは当たり前のことだ。デザイナー個人用ではなく、社会の多くの人に受け入れられる商品でないと本講座の趣旨に合わな

範例Ｊ：サイドテーブル１（詳細は p.136）
この小さなサポートバー（円内）によって、脚部を固定し、耐荷重の確保に成功した。

い。市場のニーズに合致して、人々の生活の役に立つものでなければならない。前述したリサーチとマーケティングという基本を理解できているかどうかが問われる。

条件6　開発に必要な資金があること

これは多くのデザイナーや開発者の悩み事だ。図面にして、金型を起こして作らないと商品化に踏み込むことができない。いつまで経っても手作りサンプルを見せるだけでは、お客様の注文につながらない。しかしお金をかけて金型を起こしても売れるとは限らないのも現実である。売れなければ金型の先行投資が無駄になってしまう。あらゆる業界における昔ながらの問題だ。ある程度の失敗は許容できる資金力、または絶対売れる自信がないと踏み込めない。一種のギャンブルであり、鶏が先か卵が先かの悩みだ。

条件7　流通に適すること

商品ができた。しかし売る先がないというケースは、実は珍しくない。あるいは少量は売れたが、先行投資には合わなかったという場合もある。個人商店やネット販売で売ることはできるが、それではなかなかヒットにつながらず、結局、不良在庫を抱えてしまうことになる。流通ルートを確保できるかどうか、そこに乗せられる価格かどうかも条件の一つである。例えば、問屋、小売という流通にかけるには掛け率が合わないということもある。そうなると結局自分でコツコツと在庫を抱えて売ることになるが、それでは結果として多くのユーザーの手に届けられないのだ。

条件8　修理が可能であること

家具には修理がつきものだ。使い捨てもあるが、少ない。使う人の環境や使い方はさまざまであり、故障したり、壊したり、または経年劣化もある。構造上、大量生産のためにリベットで留めたり、溶接でつないだりすることもあるが、そうなると修理ができない。よって、最初から部品交換や

範例K：サイドテーブル2（詳細は p.142）
膝関節のような可動部を容易に、かつ美しく開閉できるよう独自のロック機構（円内）を開発した。

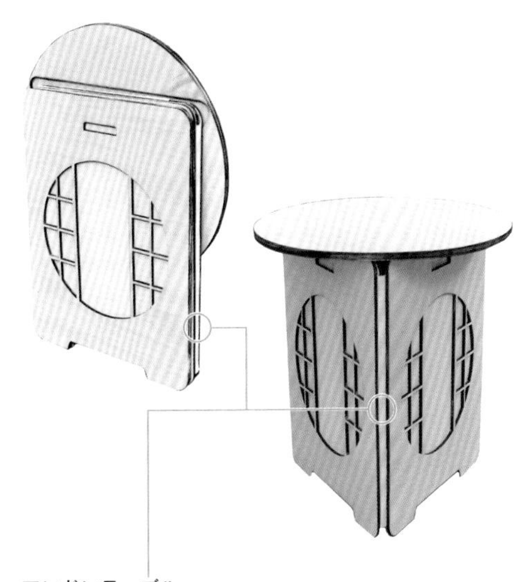

アンドンテーブル
柔らかな光を放つ行燈に天板を載せた折りたたみテーブル。脚部の3枚の板のつなぎにヒンジではなく布を採用することで軽量化したが、繰り返しの折り曲げにも耐える素材の吟味が必要だった。

手作業で修理できるように商品化する段階で考えないといけないのだ。

■

このような条件の下に商品化のプロセスを一通りたどり、作品の作者本人にも作業の状況報告や最終的な商品の姿、そして販売状況が見えるようにしている。また、次年度の学生にも先輩の作品の商品化プロセスを知ってもらい、創作の喜びや社会的な意義を教えられればと考えている。

授業詳細

商品化のための模型制作／雛形制作

本項に挙げた条件1〜8に適うと思われる作品は、模型、そして原寸大の雛形の制作に進む。工場で相当数を生産し流通に乗せることを前提としたプロセスは、授業としての作品制作とは次元の違う検証が必要となるが、それこそが学内では得られない経験である。模型、雛形とも制作は筆者のオフィスや工場で行う。

商品化のための模型制作

本講座の実技授業での模型制作、そして発表のための原寸作品の制作のプロセスは、実際の商品開発でも行われる。ただし、商品化を前提にした検証は、より厳密で繰り返しの修正が必要なことは言うまでもないだろう。

模型では、折りたたみの機構は成り立つのか、また椅子やテーブルとして使えるものになりそうか、独創的で魅力あるデザインかなどを確認するためのモデルを作る。この段階ではさまざまな試行錯誤が可能だ。

商品化を前提にした雛形検証

それが優れたコンセプトの作品であり、仕組みやデザインが縮小サイズの模型では成り立つものであっても、実際に１：１で成立するのか、各部材は原寸での製造が可能なのかどうかといった検証は非常に重要だ。雛形とは模型の拡大版であり、このプロセスで、一つのアイデアだった作品を「製品」としての仕様に落とし込むための検証をする。さまざまな技術、経験、ノウハウが問われる過程であり、この段階で再度の検証とスペックの変更、または修正が必要になる。実物大の雛形で、寸法の調整など細かい部分の修正をして詰めてゆくのだ。実にアナログな作業ではあるが、パソコンでの寸法と現物が違っているケースは少なくない。やはり現物があってこその検証・変更・調整であり、創作の一環として重要なプロセスである。

範例 N：ジラソーレチェア模型（詳細は p.158）
束ねた棒を椅子にするというアイデアを実現した一脚。紐で編み上げた構造は、紐を通す穴の位置で形が決まる。この模型段階で、何度も試行錯誤した。

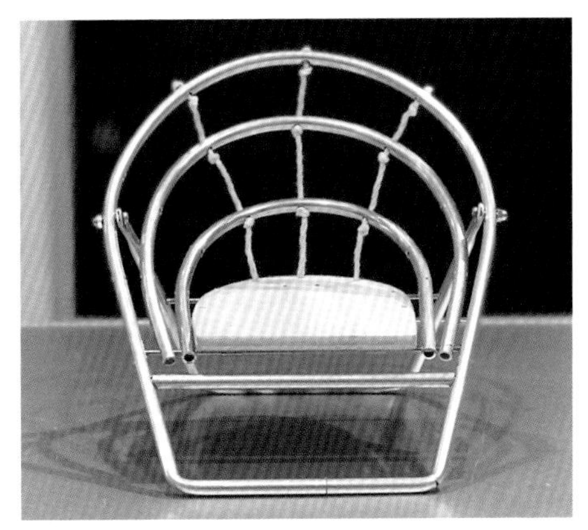

範例 O：シェルチェア模型（詳細は p.162）
講座での発表作品は、二枚貝を思わせる楕円をらせん状に重ねたデザインだったが、商品化には巨大すぎたため、改良を重ねてこの模型に着地した。弧を描くワイヤーの背もたれに、シェルのイメージが活きている。

範例 M：焚火ラックテーブル模型（詳細は p.152）
元々のアイデアは折り紙から発想した椅子だった。３つの三角形の構成は安定感抜群で、収納時には各三角形が一つながりになるユニークなアイデア。ただし収納サイズ、重さなどが課題となり、椅子ではなくテーブルとしての商品化になった。

プラネタテーブル模型（完成形は p.129）
講座で制作したのは、折り紙風デザインのテーブルを椅子に転じたものだった。作品自体はよくできていたが、商品化には開閉機構の複雑さ、重さが課題となり、テーブルとして活かすことに。3種作った模型のうち、星形が美しいこのタイプを採用した。

商品化に向けた雛形

範例 N：ジラソーレチェア雛形（詳細は p.158）
ホームセンターで購入した木のポールと紐で組み立ててみた雛形。この作業で、ポール間の紐の長さや張り具合を調整してベストな寸法を探る。ここではテンションのバランスが非常に重要だとわかった。

範例 O：シェルチェア雛形（詳細は p.162）
弧を描く背もたれも含め、手作業によるパイプの曲げ加工で作成。パイプ同士の間隔などの寸法を確認した。さらに背もたれ上段には、紐を巻き付ける加工もしてみた。

範例 M：焚火ラックテーブル雛形（詳細は p.152）
木の板の替わりにホームセンターで購入した金網を使って組み立ててみた。

プラネタテーブル雛形（完成形は p.129）
原寸大の雛形でサイズ感を確認。3Dモデルで算出した寸法に従って実際に板を切り組み立ててみたところ、かなりの大きさで、かつ重いものになった。

範例 J：サイドテーブル 1 雛形（詳細は p.136）
手元にある素材を削るなどして制作。ほぼイメージ通りのものができ、ファイナルに近いといえる。一方で課題として、開閉時に天板下のレールスライドがスムーズに動かせないという改善点も見つかった。後はどんな素材を使うかだ。

範例 K：サイドテーブル 2 雛形（詳細は p.142）
工場にある端材で作ってみたもの。イメージ通りにできたが、ロック機構が弱いという課題も明確になった。グラグラ揺れる問題、天板と底板が同一のものだとバランスが良くないのも改良点だ。

範例 P：サドル型スツール雛形（詳細は p.166）
ポイントである座面の形状の確認、そしていうまでもなく座り心地の確認をする。思ったよりも座り心地が良く、自信がついた。座面後ろ側の横バーが回転する仕様にすれば、座る人の体型にかかわらず、心地よく座れることがわかったのは、思わぬ収穫だった。

2　商品化への制作

雛形から商品へ──メーカーに制作依頼する

雛形での検証が終わったら、いよいよキャンパス外のプロの力を借りる。メーカーに試作品の発注をかけるのだ。

優れた構造特性を表現したい、美しい造形にしたい、欲しくなるような魅力ある商品に仕上げたい。この段階になって、すなわちファイナルに近づくにつれて、作品は、創作者、制作者のこうした思いが反映された製品になってくる。またそうでなければならない。

商品としての選択

メーカーに依頼するには、実際の商品として生産することを前提にあらゆる要素の詳細を決める必要がある。素材の選択、仕上げの加工方法など、マーケットを念頭に置いて考えなければならない。例えばターゲットはどういう人なのかによって、使う素材も変わってくるのだ。販路やターゲット次第で、時にはより高価な素材を使える場合もあるが、反対に部分的に高級感などを犠牲にする場合もある。やむを得ず一部のディテールや機能を割愛する場合もある。

この段階は、作者にとって難しい選択が続く。例えば、きれいに仕上げるには金型を起こさなければならない。先行投資が必要となるが、その先行投資に見合う利益が得られるかどうかを考えなければならないわけだ。また、造形にマッチする素材を選ばなくてはならない。さまざまな金属、木材、竹材、プラスチック、あるいは合成材などから最適解を見つけるのだ。さらに表面加工にも、亜鉛メッキ、ニッケルメッキ、

授業詳細

メーカーに制作依頼

さまざまな検証、検討の後、メーカーに試作品の制作を依頼する。それぞれの完成品は、模型段階からはあらゆる点で改良、洗練されている。後は商品としてのデビューを待つのみである。

範例 O：シェルチェア（詳細は p.162）

アルマイト処理、粉体塗装などなど、それぞれより細かく分類があるが、どの加工がこの商品にマッチするかといった判断には、作者の審美眼も問われるだろう。あるいは手に入るもの、加工可能なもの、そして大量生産が可能であることなど、諸条件を踏まえて総合的に判断する必要がある。もちろん、そこには前述したリサーチやマーケティング活動も含まれるが、どんなに調査・分析を重ねても「絶対売れる」とは限らない。どうしても「先行投資ありき」となるわけで、いわばギャンブルのような冒険であることは否めない。この段階で熟考の末、先へ踏み込まずに止まってしまうことも珍しくはないのだ。

ただ一つ言えることは「やってみないとわからない」ということ。冒険するか退却するか。リスクもあるが期待もあり、ものづくりの楽しみを実感できるプロセスでもある。

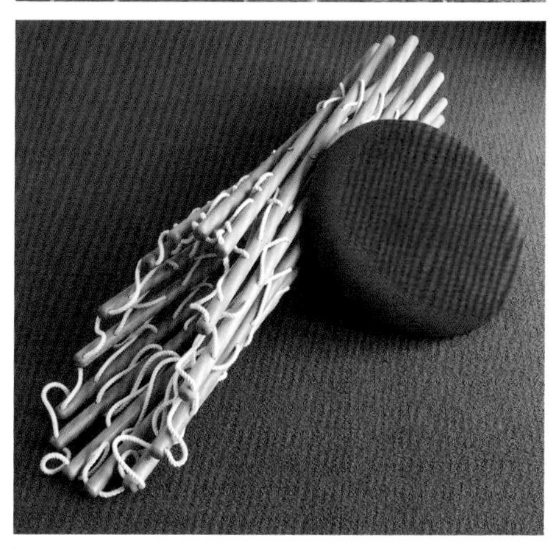

範例 N：ジラソーレチェア（詳細は p.158）

プラネタテーブル

範例 M：焚火ラックテーブル（詳細は p.152）

完成した試作品

範例 J：サイドテーブル 1（詳細は p.136）

範例 L：聖火焚火台（詳細は p.146）

範例 K：サイドテーブル 2（詳細は p.142）

アンドンテーブル

3　展示会出展

授業詳細

展示会に出品

国内外の展示会に出品して、他校やさまざまな企業の製品と肩を並べる。商品として、厳しい目に晒され、ジャッジされる洗礼でもあるが、当講座からの出品作品は、高評価を得ることが多い。

市場の洗礼を受ける

先述の商品化に必要な条件などでも触れたように、創作は社会に受け入れられてこそ価値を持つ。さらに言えば、優れたものづくりの根底には常に「社会のため」「人々に必要とされている」という要因があるはずだ。展示会への出展は、まさにその社会に受け入れられる商品への第一歩である。

展示会というのは、作品＝商品が初めてユーザー及び業界関係者の目に触れる場であり、ここで公開することで、多くの人に見て評価してもらうことができる絶好の機会でもある。

もちろん評価はポジティブなもの、ネガティブなものまちまちだが、それでいい。本講座から生まれたこれらの商品群は「従来のものとは違う」「これまで見たことがない」「インパクトある製品だ」などと高く評価する声が多いのは事実なのだ。多くが過去になかったものなので、造形もユニークでおもしろい。中にはすぐにビジネスにつながる製品もあれば、この出展経験で次への課題を得て帰る作者もいる。

2016年
東京デザインウィーク
学校パビリオン
聖火焚火台、アンドンテーブル、蟹足のスツール、燕フォルムのチェア、カマキリの三脚スツールなどを出品した。

サドル型スツールの座り心地を確かめる人。この男性のように体格の良い人も楽に座れるよう工夫してある。

聖火焚火台は、そのオブジェのような造形的美しさが映えるよう展示。

2018年中国広州家具展学校ブース
中央美術学院のブースが用意された。ジラソーレチェア、サドル型スツールなどに実際に座ってみる人も多く、来場者の関心を引いていた。

2018年
東京ビッグサイト
インテリアライフスタイル展
プロによるプロのための国際見本市であるこの展示会では、オンウェーの商品として出品。当社の最新作やフラッグシップモデルと肩を並べた。

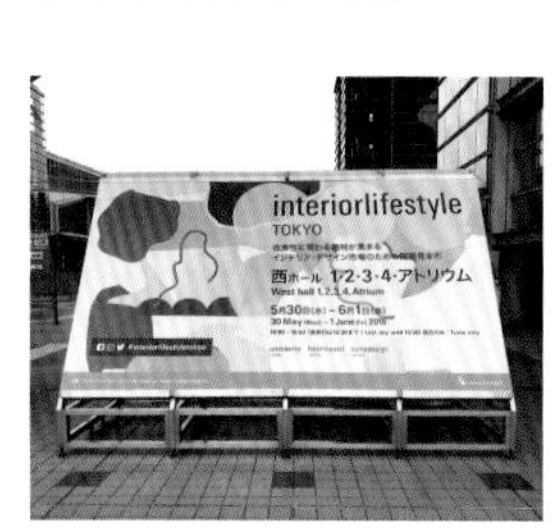

オンウェーのブース内の目立つ位置に展示した。作者だけでなく同級生や後輩たちにも、貴重な経験となり、同時に大きな励みにもなっただろう。

4 流通にかける

カタログ、雑誌に掲載する

商品化した作品は、展示会で発表すると同時に製品カタログに載せて販売ルートにかけるのが、一般的なフローだ。もちろんそれだけではなく、雑誌などに露出してより多くの人に認知してもらうことが大切だ。

筆者は一部の商品化した作品を自社のカタログに載せ、自社の商品と一緒に流通にかけている。同時に雑誌などに広告を出したり、誌面でも紹介してもらっている。それらの作品のいくつかは多くの雑誌読者やユーザーに評価され、話題にもなった。その一部は今も販売されている現行商品だ。

とりわけ「サイドテーブル１」は発表当初大きな話題となり、多くの雑誌に取り上げられた。そのユニークな構造とバランスの取れた竹・アルミの組み合わせ、線・面・球体で構成した絶妙なデザイン性が、多くの人を惹きつけた。耐荷重の課題は残るが、ほんのわずかでも歴史に残したいと感じさせる作品である。

また今でも人気のある「聖火焚火台」は、らせん状構造の美しいフォルムが非常にユニークというだけではない。どの方向でも一瞬で開閉できる独自の折りたたみ機構は、過去に類を見ない優れたものだ。これら学生の作品を商品化した大学発の商品群は、その高いオリジナリティでアウトドア業界にインパクトを与え、注目されている。

授業詳細

流通にかける

当社の製品カタログ、そして雑誌などのメディアに掲載されることで、本格的に商品としてのデビューを飾ると言って良いだろう。とりわけ雑誌で記事として紹介されることは、日々、国内外の新製品の情報や実物に触れている編集スタッフからの評価を得られるということであり、大きな意味がある。

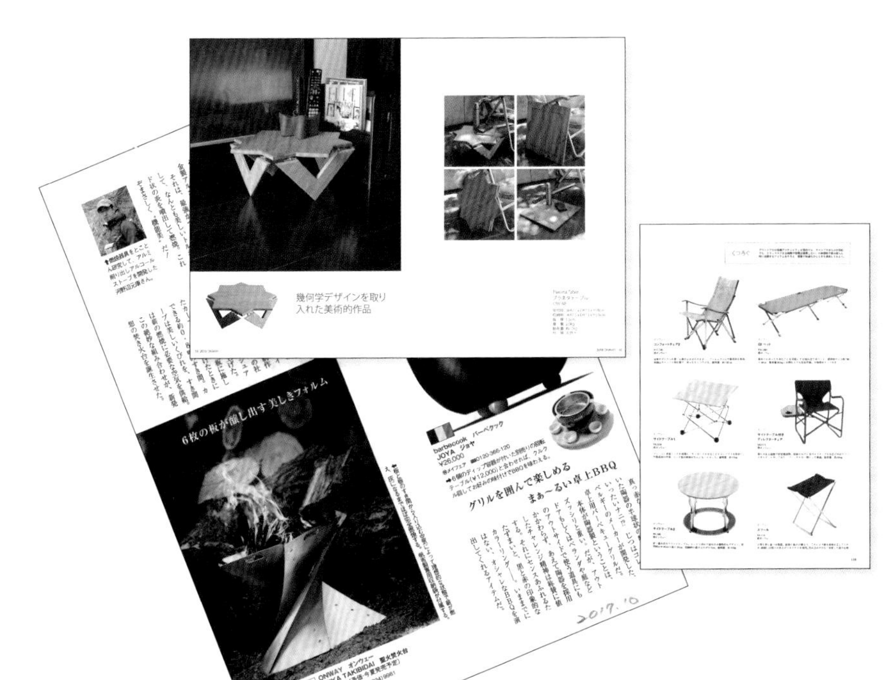

上・オンウェー商品カタログの掲載ページ。折りたたみ方など製品の仕様の他、使用シーンや使い方の提案などもユーザーに伝わるよう工夫する。

中・2013年　エイ出版『キャンピングギアガイド』に取り上げられた。

下・2017年　アウトドア誌の老舗、小学館『BE-PAL』6月号でも紹介された。

column

折りたたみ椅子の優劣は判定が必要なのか

コロナ禍が沈静化した今年、筆者は初めてインテリアデザイン協会の関係者の集まりに出席した。場所はある有名な木工家具製作所の東京ショールームだ。ショールームにはどれも大変高額な、室内用の椅子がずらりと展示されている。筆者が長年携わっている椅子――大量生産によって、たくさんの人が求めやすいように価格を設定している金属製の商品とあまりにも対照的。同じ椅子といってもまったく違う世界に来てしまったと感じて、一瞬、踵を返して帰ろうかとさえ思った。

しかし、落ち着いて考えてみれば、どんなに高価な椅子も、使用する材料のコストや製造の難易度の違いからその価格が割り出されただけであって、作者の努力は高額でも低額でも同じだ。製品に注ぎ込む開発者、技術者の情熱も、椅子に対する見識も変わらない。高額な木製の椅子も、安価な金属製の椅子も、最終的には消費者の審判（購買につながるかどうか）を受けなければならないのだ。場違いと感じる必要はないと思い直し、会場に留まった。

とはいうものの、実を言えば、販売価格以外に、椅子の良し悪しを客観的に判断するのは難しいのも事実なのだ。座り心地も造形的な美しさも、評価の基準は十人十色だ。デザイナーや開発者がどんなに良い椅子だと思っても、消費者の評価が得られない場合もある。良い椅子の特徴を科学的に分析する試みをする人もいるようだが、まだ明確な分析結果は出ていないようだ。人文科学の視点が入るとさらに難しいだろう。

一方で、折りたたみ椅子については、評価しやすい一面もある。というのも、折りたたみ椅子の最も重要なファクターは「構造」だからだ。開く、たたむという物理的な動きがあってこその折りたたみ椅子であり、いかに収納時に小さく、使用時には大きく展開するか、開閉の動作は簡便かどうかは、客観的に判定できるはずだ。また使用時にリラックスできるかどうかも人間工学の観点から評価できる。そういう意味で、折りたたみ椅子の機能性に客観的な優劣を付けることは可能だろう。

では、実際に何らかの基準を定めて、優れた折りたたみ椅子というものを科学的に判定すべきかというと、筆者はそうは思わないし、椅子全般に関しても十人十色の判定でかまわない。基準などなくても歴史や宗教を超えて多くの人が普遍的な美を感じる造形は存在するし、そうした美しさを備えてかつ、多様な人が快適に座れるものであれば、価格に関係なく、それは良い椅子だと言えるのではないだろうか。

第3章

ビジネスにつなげる

範例
学生作品から生まれた製品

サイドテーブル1
サイドテーブル2
聖火焚火台
焚火ラックテーブル
ジラソーレチェア
シェルチェア
サドル型スツール

範例 J

サイドテーブル1

2011年の講座で、ある学生が上下折りたたみ式の椅子に挑戦した。上下に開閉する折りたたみ方式は、自動車のタイヤ交換などで使うジャッキ、そして電車のパンタグラフなど決して珍しくはない。しかし、左右・前後開閉や中央収束型と比べて、構造上最も耐荷重が弱く、座具としては相応しくないのだ。ただ一方で、折りたたみ構造を経験的に学ぶには良い機会になる。

作者は学内の木工工房で木材を使い、パンタグラフ式の脚部を持つスツールを制作、講座最終日の発表に提出した。本来は「自作の椅子に自分で座って見せる」こともプレゼンテーションの一部なのだが、耐荷重の足りないこのスツールは「座れない椅子」だった。しかし、その造形は美しい。中国の杭州六和塔や浅草寺の五重塔を思わせる重層的な造形を何かで残せないかと思案した結果、サイドテーブルとして商品化することになった。肖然氏による2011年の作品。

Student work
学生作品

講座の課題として学生が制作したのはスツールだった。結果として座れない椅子になってしまったが、パンタグラフ型の脚部の造形が美しく、ユニーク。商品化においては、こうした優れたデザインを違うアイテムで活かすことも珍しくない。

作品発表時に学生が提出したスツール。X型に組み上げた脚部が美しい。巻き付けた赤いリボンが「座った時つぶれない」ためのストッパーだが、実際に座るのは難しい。

椅子としては成り立たなかったが、その造形は、中国杭州の六和塔（下左）や浅草寺の五重塔（下右）のような歴史的建造物を想起させるものだった。

（下左）Zhangzhugang, CC BY-SA 4.0 via Wikimedia Commons,
（下右）Ocdp, CC BY-SA 3.0 via Wikimedia Commons

Scale model and Mock-up
商品化のための模型／雛形

オリジナルの脚部は木製で、Xを３層重ねた形状だが、これをアルミパイプに替えてＸ２層で作ることとした。上下開閉の動きと安定性の課題は、サポートバーとスライド機構の採用で解決した（次ページ参照）。さらに造形としての視点から、「平面」の天板、「線」が交差する脚部というコントラストにもう一つ、「円」が欲しいと考え、足先にボールを付けたデザインを考案した。

まずはホームセンターで買ってきた発泡材の球を足先に付けてみる。

原寸大の雛形模型。デザインはこれで固まった。
問題はどんな素材、加工技術で実現するかだ。

❶サポートバー

天板下の幕板と上部のX型を接続するサポートバー。この部分の上下動をロックするだけで脚部全体が固定され、つぶれることなく使用できる仕組み。折りたたみ時は下の写真のように二つ折りになる。

❷スライド機構

❸球形の足先

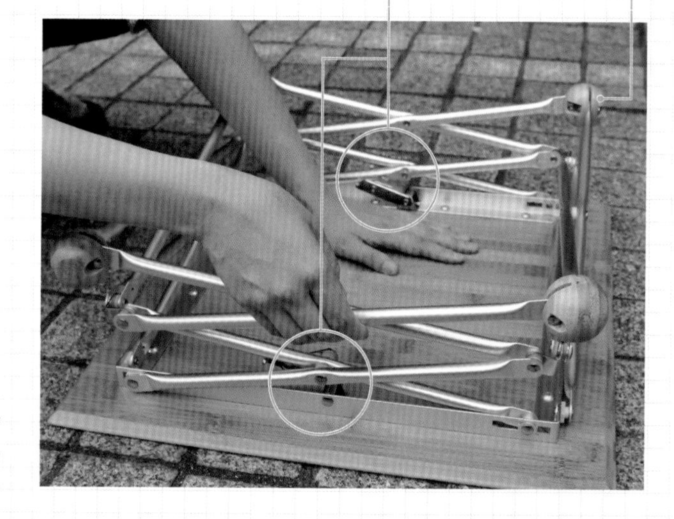

Folding mechanism

折りたたみ機構

椅子ではなくサイドテーブルとしても、当然ながら相応の耐荷重は求められる。シンプルな動作で開閉でき、飲み物などを安心して載せられる安定感を得るために考案したのが、①サポートバーによるロック機構と、②スライド機構だ。さらに③高度な加工技術による球形の足先も、絶好のアクセントになった。

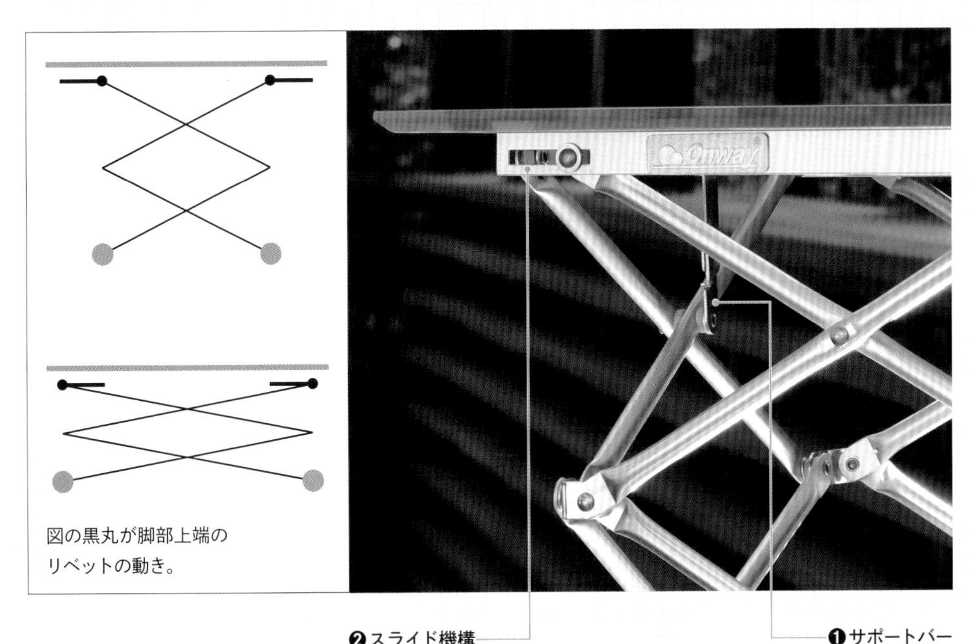

図の黒丸が脚部上端のリベットの動き。

❶サポートバー

❷スライド機構

X型の脚部は、開閉に伴って高さだけでなく幅も変化する。その動きを一定の範囲内で制御するにはサポートバーを下段にも設置すれば良いのだが、交差するアルミパイプが生む「塔」のイメージが損なわれてしまう。そこで、天板下の幕板にスリットを穿ち、そこに特殊ワッシャーを入れることで水平動のコントロールを可能にした。

Order prototypes
試作品の発注

試作品の制作を依頼するメーカーを決めるにあたっては、どんな素材を使いどんな加工技術で製造するかを考慮する必要がある。本製品では、デザインのアクセントになる足先の球体に天板と同じ竹の集成材を採用することにしたため、技術的な難易度が上がってしまった。右記のように竹集成材のボールは割れやすく、必要な深さの溝を切るには極めて高度な技術が求められるのだ。フローリング材を扱う工場に頼み込んだところ、通常扱うことのない「球形」を作成するための機械を新たに導入して応えてくれた。

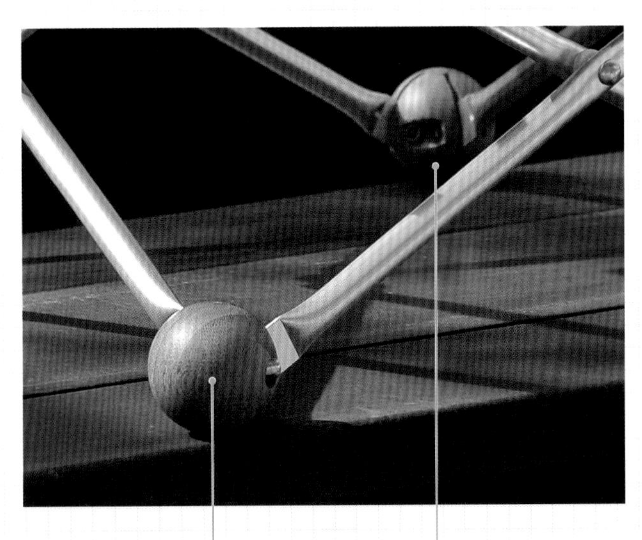

❸球形の足先

脚部の開閉に伴ってパイプとの接合部が動く必要がある。そのため球体に溝を切り、そこにパイプ先端を差し込んだ上でネジ留めするという工夫が必要だった。

※写真は全て完成した試作品。実際の商品と同等のものだ。

上・ブース正面の目立つ位置に展示。洗練された造形がひときわ目を引いた。左上・写真は2013年　エイ出版『キャンピングギアガイド』。左下・2013年　地球丸フィッシング専門ムック『フライロッダーズ』。

右・「塔」のイメージは受け継ぎながら、機能的にも造形的にもビジネスの視点で磨かれ、商品として通用するものになった。サイドテーブルとしては十分な10kgの耐荷重。収納時はわずか10cmになる優れた折りたたみ機構だ。下・オンウェーのコンセプトブックにも掲載。

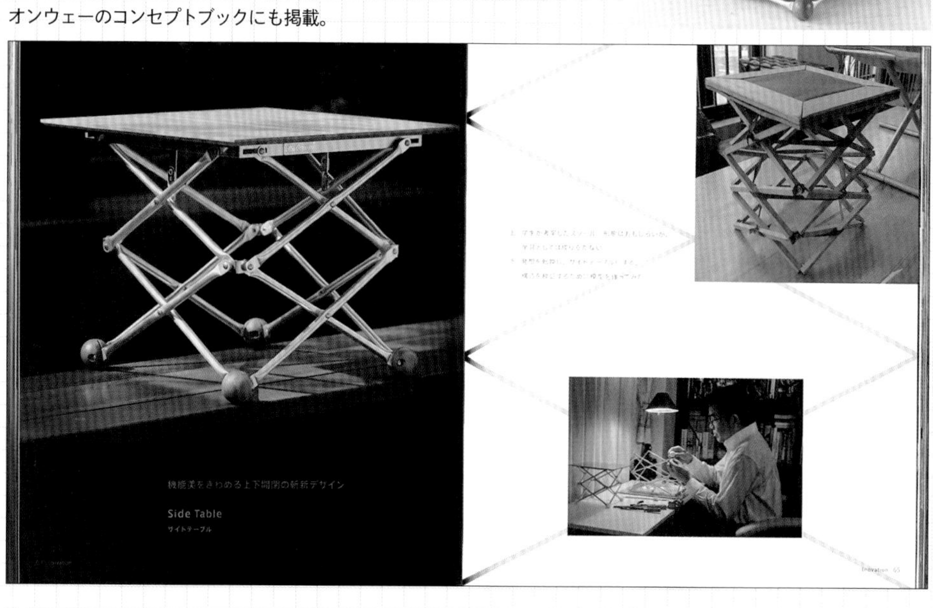

竹の集成材と光沢を抑えたアルミパイプ、素材感のハーモニーも美しい。オンウェーのフラッグシップモデルであるコンフォートチェアとも相性の良いサイドテーブルが完成した。

商品スペック

スクエアサイドテーブル OW-4040

サイズ（約）
使用時：W45×D45×H36.5cm
収納時：W45×D45×H10cm

重量：2.6kg

耐荷重：1kg

材質
フレーム：アルミ合金
フレーム表面：アルマイト
天板、接地部：竹集成材
金属部品：ステンレス、スチール

範例 K

サイドテーブル2

この革新的な機構は、テーブルにとどまらずさまざまな家具や道具に応用できる。

この製品もまた2011年の講座で、「上下折りたたみ式の椅子」に挑戦した学生、李秦濛氏による作品がオリジナルである。複数の脚を「膝を折る」ような形でたたむユニークなスツールだが、サイドテーブルとして方針転換し、商品化を果たした。

先述のように上下折りたたみ式は、他の方式と比べて耐荷重で劣り、座具にはふさわしいとはいえない。サイドテーブルなら座具ほどの荷重はかからないが、それでも安定性は必須であり、使用時にしっかりと立ち、容易に収納できる折りたたみ機構が課題だった。

この課題を解決したのが、スプリングと特殊パーツを使ったこれまでにないロック機構だ。完成したテーブルは、竹素材の天板を支える４本脚を折りたたむと、なんと6cmという薄さに収納できる。2012年の発売以来、好評を博し、この独自の仕組みに関心を寄せてくれる人も少なくない。

Student work
学生作品

原作は８本もの脚を持つスツール。折りたたみ方はユニークだが、人の体重を支えるには多数の脚が必要となる。それはすなわち開閉操作が煩雑になることも意味している。この作品も前掲のサイドテーブル１と同様、テーブルに転身し成功を収めた。

膝を折るように曲がる脚は、キリンやシカなどの脚を思わせる。ユニークだが、８本を１つずつ曲げる操作はあまりにも煩雑だ。

筆者に作品の説明をする作者。人が座るには、これでも耐荷重は十分とはいえない。加えて、座面の高さが70cm程度は必要なため、作品では座面のシートと土台を厚くして高さを稼いでいる。

Mock-ups and Prototypes
商品化のための雛形と試作品

新開発の折りたたみ機構のテーブルをどんなデザインにするのか。雛形での検証に次いで、天板や土台の素材を変えたバージョンを制作依頼。外観次第で、イメージされる利用シーンも変わってくるだろう。p.145の完成形に至るまでに色々な組み合わせを試みた。

雛形では全体をアルミ素材で作成。収納状態もコンパクトで美しい。

天板と土台をメラミン加工板にしたバージョン。白とメタリックシルバーの組み合わせが、清潔感を醸し出す。

天板に竹の集成材を採用。野外だけでなく、屋内のシーンにも似合うサイドテーブルになった。

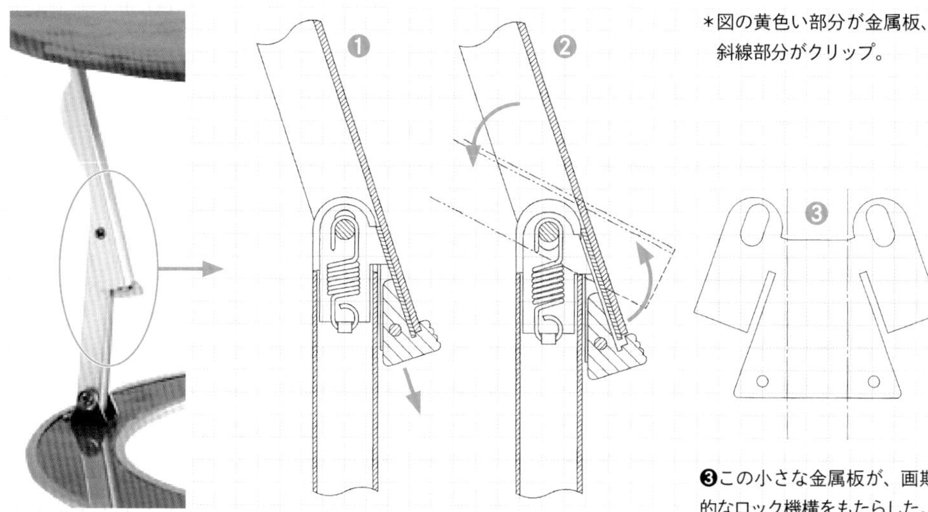

図の黄色い部分が金属板。❶使用時は、クリップと連動したスプリングの力により脚を伸びた状態でロック。❷クリップを引くとスプリングが伸びてロックが解除される。

❸この小さな金属板が、画期的なロック機構をもたらした。「コ」の字型に山折りにした形で、脚の関節部分に内蔵する。

Folding mechanism
折りたたみ機構

原作では球形ビーズでロックする設計だったが、脚１本ずつのビーズを押して開閉するのは手間がかかる上、安定性にも不満があった。そこで脚の内部にスプリングを内蔵し、これと連動するクリップによるロック機構を考案した。広く応用できるこの発明によって、ささやかながら社会に貢献できたのではと密かに自負を感じている。

クリップを引くだけでロックが解除され、脚を折りたためる。
４本脚なので、操作も煩雑ではない。

Exhibition and Publication
展示会出品と雑誌掲載

中国広州家具展の中央美術院ブースに出展。アウトドア雑誌の記事としても取り上げられた。

上・2018年3月中国広州家具展学校ブースに出展。
右・2013年　エイ出版『キャンピングギアガイド』にも取り上げられた。

Launch
製品カタログに掲載

オンウェーのカタログにも掲載され、本格的に商品としてデビュー。ユーザーからの反応も良かった。

商品スペック

ラウンドサイドテーブル
OW-44

サイズ（約）
使用時：直径40×H28cm
収納時：直径40×H6cm

重量：1.7kg

耐荷重：10kg

材質
フレーム：アルミ合金
フレーム表面：アルマイト
天板、接地部：竹集成材
金属部品：アルミ複合材

範例 L

聖火焚火台

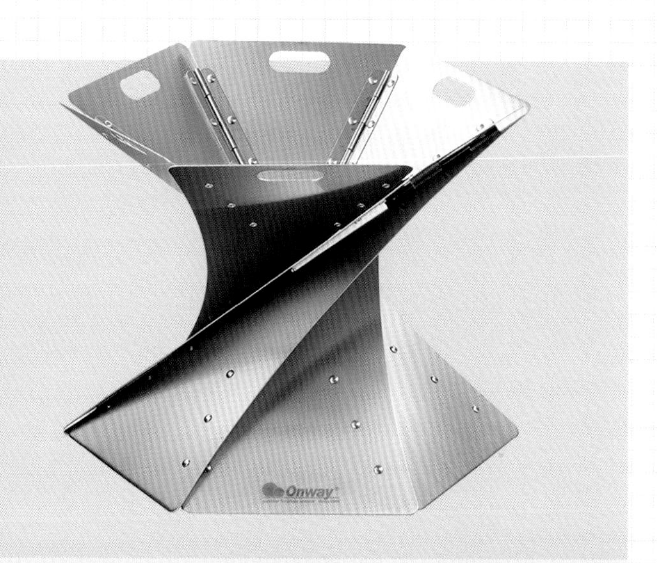

角柱にひねりを加えた形状は、これまでにもしばしば作られており、ウェブで検索すれば多数のスツールやテーブルがヒットするだろう。実際、筆者の講座でも2人の学生が、この形状の折りたたみ椅子に挑んだ。

最初の1人は2011年、折り紙で試作を重ね、金網シートでの現物制作を試みたが、折り始めと終わりに発生する「ズレ」が解決できず断念。違う形状に切り替えての提出となった。

その5年後、2016年にこの形状に挑んだ学生、宋炳男氏が、ついに問題の「ズレ」を解消する方法を発見。ひねり六角形のスツールを完成させた。独自の工夫が可能にした折りたたみ機構は、聖火台を思わせる美しい造形の焚火台に結実。商品化を果たした。

Idea of a mechanism and Sketch

構造の発想とスケッチ

角柱にひねりを加えることで垂直方向につぶせる仕組み。幾何学的な美しさに多くの人が魅せられる造形だが、折りたたみ機構として実際に制作するには困難がある。

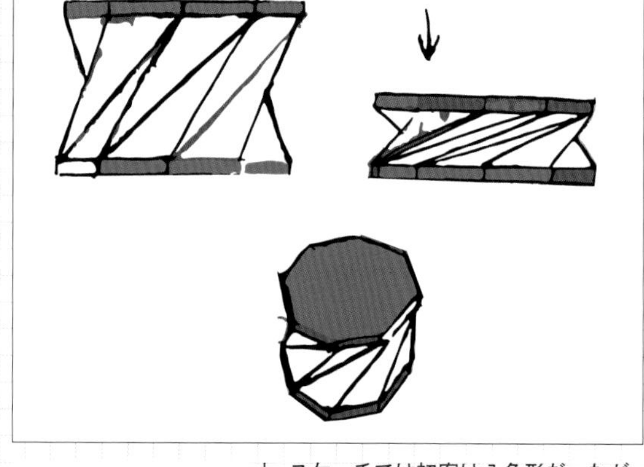

上・スケッチでは初案は八角形だったが、六角形に変更。下左・学生作品の3Dモデル。下右・四角柱をひねった造形の代表としては、ハーマン・ミラー社の椅子のデザインで知られるイヴ・ベアールの「カダ・スツール」などがある。

ブルックリン・ミュージアムGift of Yves Behar展2010より。Yves Behar "Kada" Stool, 2006. Creative Commons-BY (Photo: Brooklyn Museum, CUR.2010.15.1a-b.jpg)

Issues and Solutions

課題と解決策

金属メッシュシートを折り重ねてたたむ2011年の作品も、金属板パネルを連ねる2016年の作品でも、中心部で素材の厚みが重なり、端と端に高低差ができてしまう。最初と最後をつなぐことができず、モノとして成立しないのだ。作者は、この段差を解消するための方法を夜を徹して考え抜き、深夜２時、ついに解決策を発見したとのメールが筆者に届いた。それはヒンジの接続部に段差を付け、同時にわずかに重ねてつなぐことで、「パネル同士の間に遊びを持たせる」というものだった。

2011年の挑戦者。中心部ではシートが何重にも重なってしまう。

厚みのない紙の模型（上）では成立するが、厚みのあるボール紙（下）では成立しない。

厚みのあるボール紙では、１枚目と６枚目が合わない。パネルを隙間なくつないだ場合でも同様の結果である。

パネル間に微妙な隙間と重なりを作ることで、美しい盃型が成立する。もし隙間なく接続されると、中心部が詰まった状態となり、厚み分の「ズレ」が逃げられず蓄積する。結果、左のボール紙模型のように最初と最後で高低差が出てしまう。

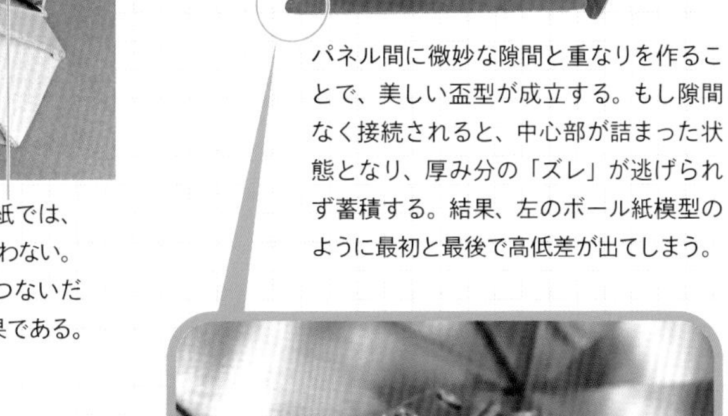

パネル間に隙間ができる。

わずかに「重なり」を持たせてつなぐ。

ヒンジの片側（重なりの下になる側）にガスケットとして小さな金属板を噛ませることで隙間を作っている。

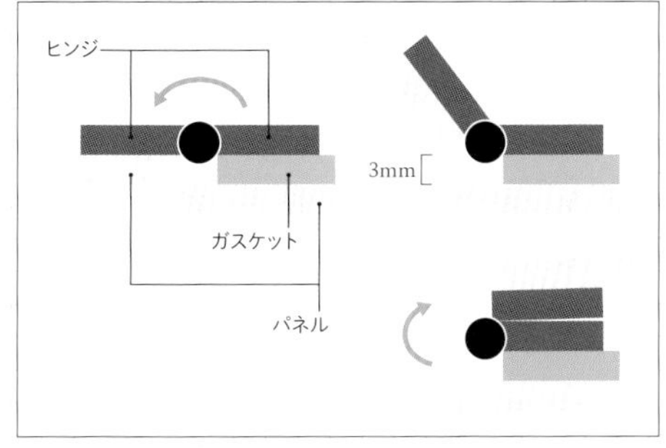

図：ヒンジの片側にガスケット（シール材）を入れて段差を付け、隙間を作った。

Production
現物制作

ズレ問題の解決策が見つかった後は、緻密な計算によってパネル形状とヒンジ接続位置を割り出し、制作に入る。

同形のパネル6枚で構成される。

「ヒンジのつなぎ方」が重要なポイント。隙間の大きさと重なり具合が、造形の成否を握る。

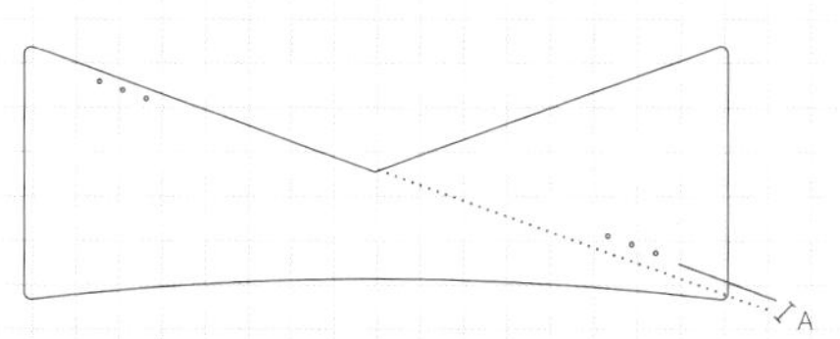

緻密な計算から描き出したパネルの形状。
◯部分がヒンジの取り付け位置だ。

Student work
学生作品

六角形の木製座面を載せて完成。モダンアートのような折りたたみスツールが出来上がった。「ヒンジの接続方法によるズレ解消」という、一見小さな発明だが、実現不可能な造形を可能にし、世界中のデザイナーを悩ませてきた問題に答えを出した。

どこにもズレや矛盾のない幾何学的造形美。

Presentation and Exhibition

発表／展示会出品（原作）

最初の挑戦から５年、ついに角柱ひねり形状が、折りたたみ椅子として形になった。

講座での発表でも確かな存在感を放っていた。

2016年東京デザインウィーク学校展に出展。中央美術学院ブースのポスターにも採用された。

3D model

商品化のための3Dモデル

角柱ひねり形状を可能にしたこの発明は、座具にとどまらずテーブルやインテリア小物、小さな建造物などさまざまな応用が考えられる。その実証として、焚火台に転用して商品化することになった。

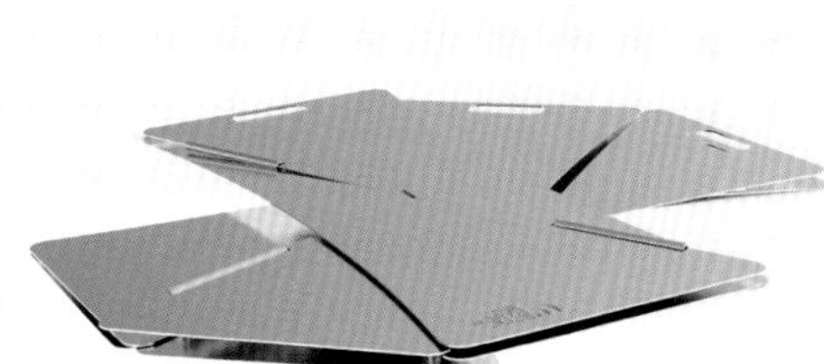

Completed product
完成

次の五輪を東京で迎える2016年、「聖火焚火台」という名で発売に。より深くくびれた盃のような形状に、ワンアクションでたためる持ち手代わりの穴を加え、機能的にも造形的にもさらに進化した、2023年現在現行の商品である。

商品スペック
聖火焚火台
OW-3833

サイズ（約）
使用時：W38×D33.5×H28cm
収納時：W45×D43×H6cm
重量：3.2kg
耐荷重：10kg
材質
ステンレス合金

ひと回り小さいSサイズも展開。

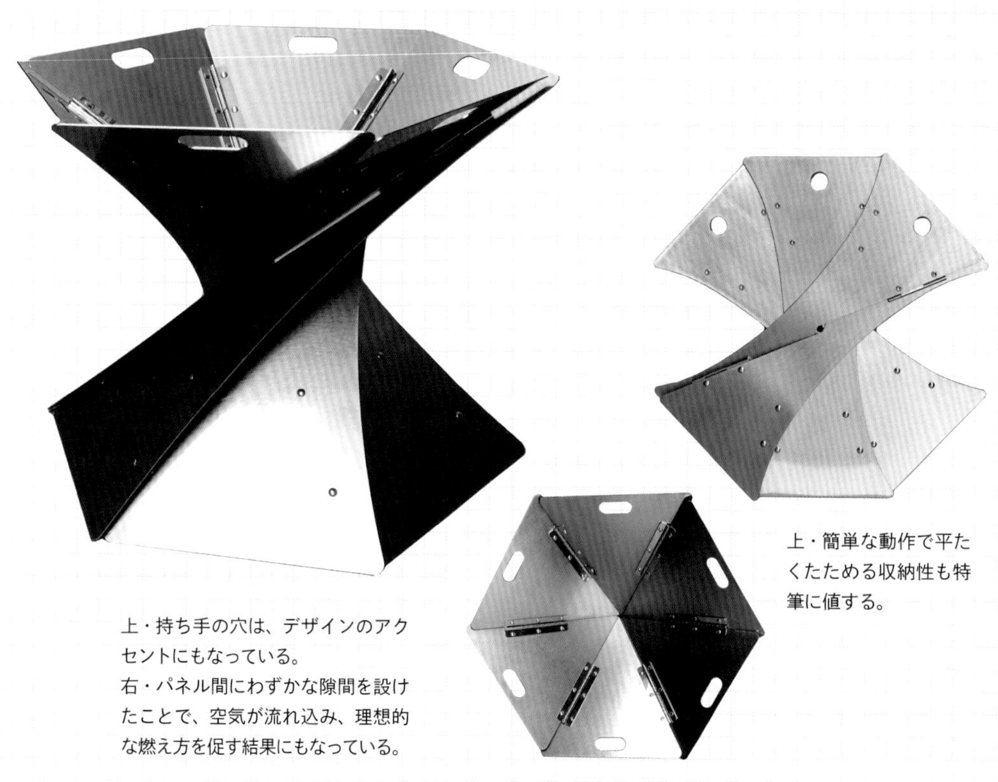

上・簡単な動作で平たくたためる収納性も特筆に値する。

上・持ち手の穴は、デザインのアクセントにもなっている。
右・パネル間にわずかな隙間を設けたことで、空気が流れ込み、理想的な燃え方を促す結果にもなっている。

Exhibition and Publication

展示会出品と雑誌掲載

小さいながらも画期的な発明を活かして、多様な「ひねり形状」を展開。花器や高台皿など、幅広い用途を提案した。

2018年、中国広州家具展学校ブース。バリエーションを一堂に展示。

東京ビッグサイトでの2018年インテリアライフスタイル展。巨大な花瓶に転用。

そして生まれたのか

朝食をとったら夕方まで源流で釣り三昧したい――と、あるフライフィッシャーマンは考えた。というのも、あるとき、愛用の真鍮製アルコールストーブで湯を沸かそうにも、待てど暮らせど湯が沸かず、燃料は減るいっぽう…。そんな苦い経験をした彼は、約1年もの試行錯誤の末に、なんとストーブを自作。それが、この削り出しアルミ合金製アルコールストーブだ。それは、最強かつ高出力。そして、なんとも美しいトルネード状の炎を噴出して燃焼。これぞまさしく"機能美"だ！

↑燃焼器具をとことん研究して、アルミ削り出しアルコールストーブを開発した河野辺元康さん。

➡これが、アルミ削り出しだから実現したトルネード燃焼。美しすぎる！ 従来の鋳造プレスパーツでは炎をここまでコントロールすることはできなかったのだ。

ペチャンコにたたまれた物体をパッと開くと、綺麗なくびれをもつ聖火のような形に立ち上がる。中国の国立教育機関である中央美術学院の学生がデザインした折りたたみ椅子を、制作指導を担当したオンウェーの社長、泉里志さんがブラッシュアップして焚き火台に仕上げた。

ポイントは、6枚の板に施したカーブと、組み上げたときにできる約0.8㎜のすき間。カーブは美しいくびれを、すき間は薪の燃焼に必要な空気を供給。この絶妙な組み合わせが、新発想の焚き火台を誕生させた。

6枚の板が醸し出す美しきフォルム

←板と板のすき間から入り込む空気によって理想的な状態で薪が燃え、灰になるまでほぼ完全燃焼する。

ONWAY オンウェー
SEIKA TAKIBIDAI 聖火焚火台
¥12,000(予価・今夏発売予定)
問オンウェー ☎03(3234)9981

➡6個のディップ容器…と合わせれば、テーブル(¥12,000)と合わせれば…ル皿してお好みの味付けでBBQを味わえる。

グリルを囲んで楽しめる
まぁ～るい卓上BBQ

真っ赤なシリコン製の脚が付いた陶器の半球状の物体――。いったいナニ!? じつはコレ、ベルギーのメーカーが開発した、卓上用バーベキューグリルだ。

本体が陶器製ということは、ズッシリと重い。だが、アウトドアもしくはベランダや庭などのアウトサイドで使う道具にもかかわらず、あえて陶器を採用したチャレンジ精神は称賛に値する。それにセンスあふれるたたずまいと、黒と赤の印象的なカラーリング――。いままでにはない、オシャレなBBQを演出してくれるアイテムだ。

9 BE-PAL 6月号 2017

上・オンウェー2018年のカタログ。多数の穴を開け、焚火台としての性能とデザイン性を高めたタイプ。オブジェとしても美しい。
左・アウトドア専門誌、小学館『BE-PAL』2017年6月号にも取り上げられた。

範例 M

焚火ラックテーブル

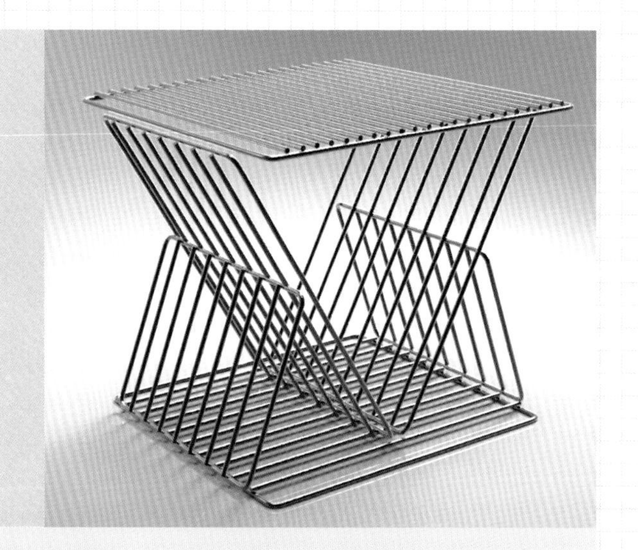

前掲の聖火焚火台は最初は折り紙からの着想だったが、本作も折り紙を使い考案された。

開くと一つながりになる複数の長方形の板が、組み立てると3つの三角形でできた椅子になる。座部の大きな三角形を両側の小さな三角形が支えるという、非常に安定した構成だ。この素晴らしい発想を形にした作品がとてもおもしろかったので、商品化することになった。携帯性が課題となったが、2パーツに分け、素材を金網に替えることで解決。斬新で優れた構造が、焚火まわりの道具として活かされた。阮思楠氏による2017年の作品。

Sketch and Scale model

スケッチと模型

巻物のように長くつながった複数の板を折ることで、三つの三角形を構築する仕組み。安定感にも優れ、かつユニークな発想なので、作品として制作するよう推奨した。

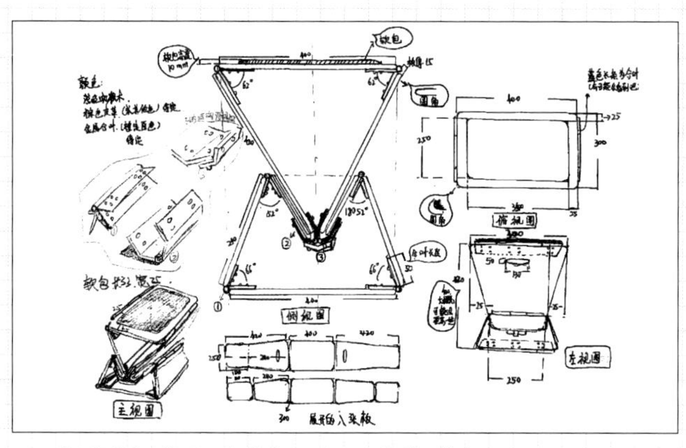

ヒンジの角度など細かい部分までスケッチ段階で考慮している。

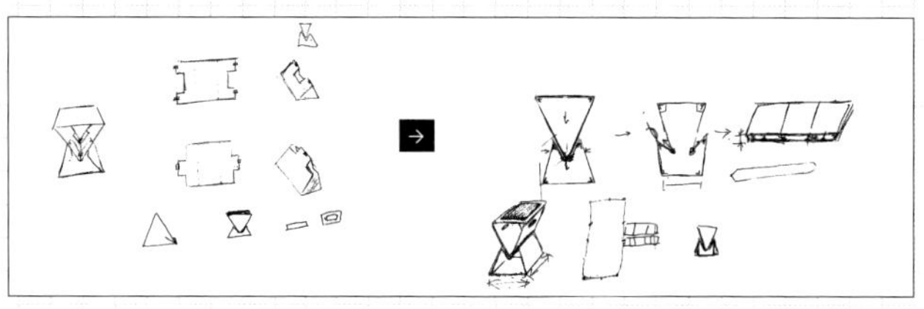

通常は「収納するため」に折りたたむが、これは椅子として「使用するため」に折りたたむという点もユニークだ。

紙で作った模型。三つの三角形から成る、非常に安定した構造だ。

3D model verification

3Dモデル検証

基本的な造形はスケッチそのまま、3Dモデルでは、各部の幅や奥行きを調整している。持ち手の位置、座面のクッションの大きさなどもほぼスケッチ通りであり、現物制作もこのまま進められる完成度だ。

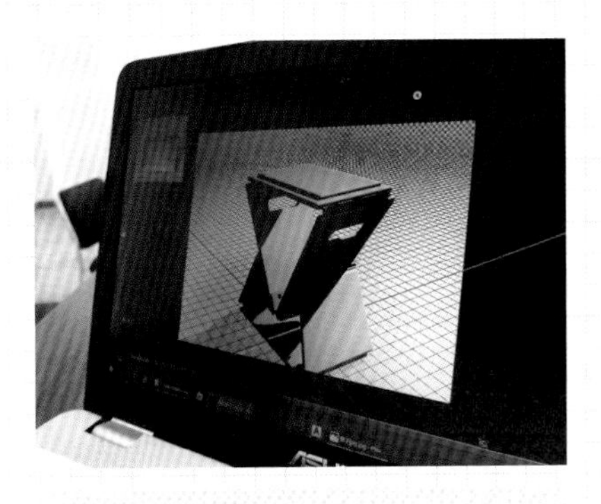

木材の色とテクスチャーも加わって、より完成品のイメージに近いものになっている。

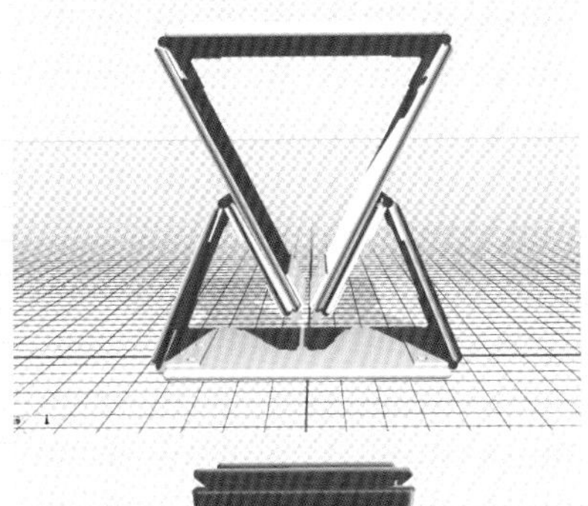

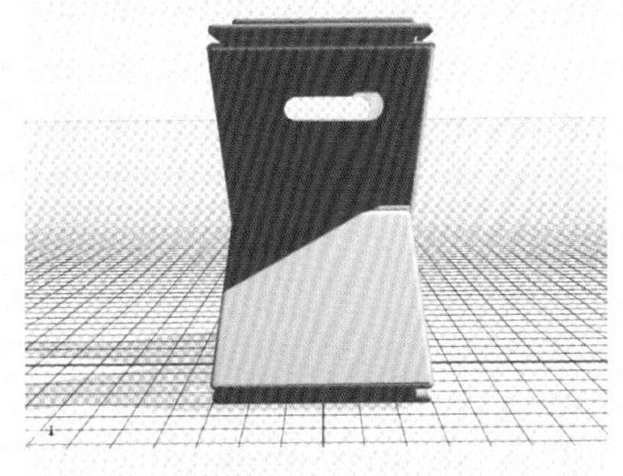

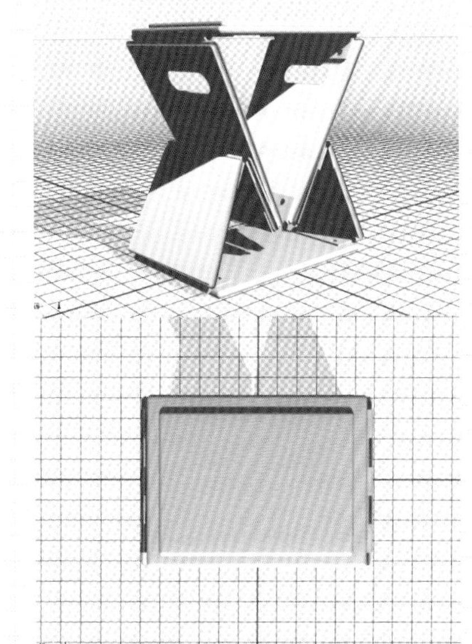

スケッチでは、座部に当たる大三角形と脚部の二つの三角形の奥行きにかなり差があるが、3Dではほぼ同サイズとなり、安定感が増している。

Student work
学生作品

「木の板とヒンジだけ」とも言えるごくシンプルな要素から、安定性とバランスに優れた造形と斬新な開閉方式を併せ持つスツールが完成した。

制作途中のパーツ。これら大小８枚の板をヒンジでつなぐだけでスツールになる仕組みだ。

収納状態では２枚のスノコのようにフラットな状態（写真下）。座面板を持ち上げることで、三つの三角形ができる仕組みだ。

Presentation
発表(原作)

持ち手を持ち上げるだけでスツールに。つながった板を折ることで椅子になる仕組みを、作者自身が披露する。

形態として安定している三角形を三つ組み合わせた、非常にバランスの良いスツールだ。

Scale model and Mock-up

商品化のための模型／雛形

この発想のおもしろさを何らかの商品として活かすことに。まずはスツールとしての可能性を探るため、ベニヤ板の模型で検証したが、作品自体が重く、収納状態があまりに横に長く、携帯に不向きという課題が浮き彫りになった。

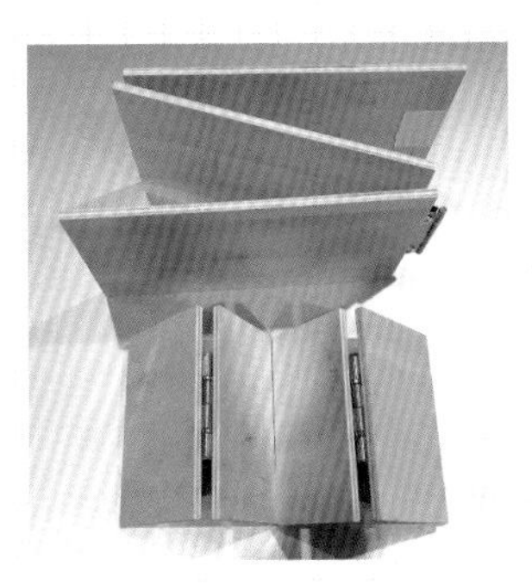

左・収納時の「長さ」を改善するため、座部の大三角形と脚部の小三角形とで、二つのパートに分けてみた。

右・二つのパートに分けたモデル。収納時の「長さ」は解消したが、重さはそのまま。ボリュームもコンパクトとはいえない。

3D model

商品化のための3Dモデル

重さが問題なら素材を代えて、何とかモノにできないかと考えあぐねた末に、焚火まわりの道具にする案がひらめく。早速、原作者に金網をイメージした3Dモデルを作ってもらった。

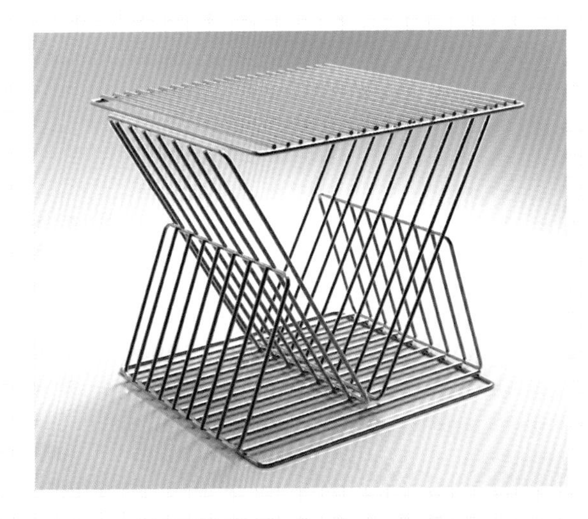

キッチンのグリルのような金網をイメージしたモデルが送られてきた。実に斬新だ。

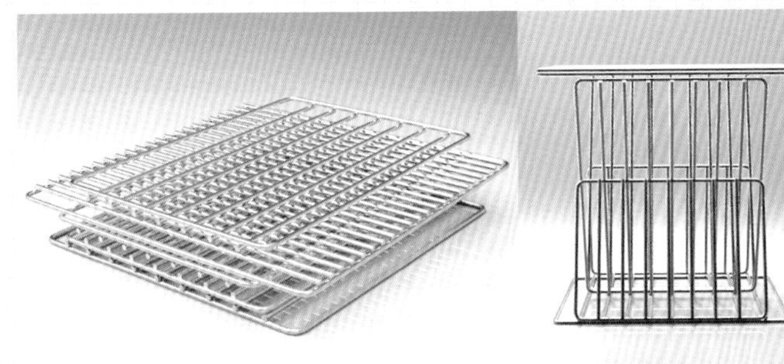

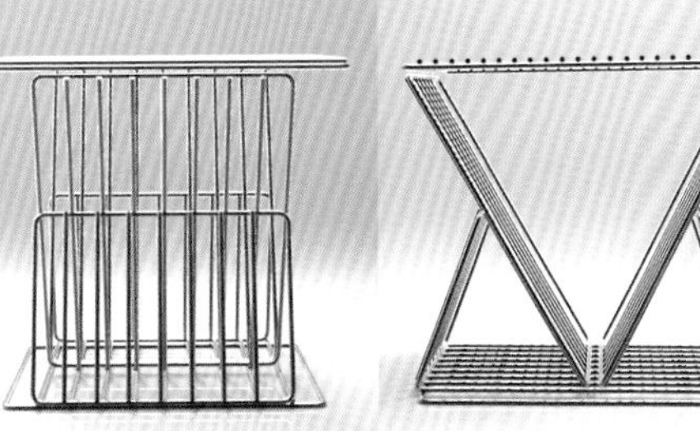

Scale model and Mock-up

商品化のための模型／雛形

ホームセンターのキッチン用品コーナーで金網を購入し、イメージモデルを試作。新鮮な印象が気に入り、金網工場に商品として発注することになった。

文字どおりキッチンの金網で組み立てた模型。
実際の重量だけでなく、見た目にも軽快だ。

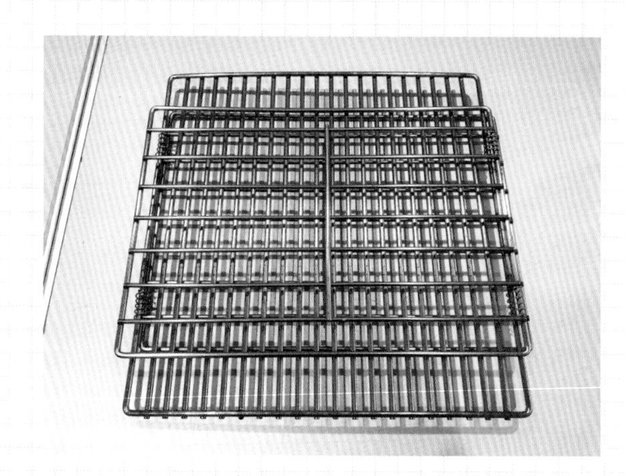

Launch

製品カタログに掲載

オンウェーのカタログに掲載され、商品としてデビュー。焚火台と共に、アウトドアでの焚火周辺ギアとして売り出された。

Onway

オールステンレス製
焚火ラックテーブル

熱や衝撃に強いので、焚火やバーベキューのときに気軽に熱いものを乗せていただけます。
シェラカップや薪なども持ち運べるラック仕様！
組立は突起にはめ込んでいくだけで簡単、板のように収納できる便利なテーブルです。

使用時　収納時

Fire Rack Table
焚火ラックテーブル
¥9,800(税別)

・使用時：W34×D35×H32.5cm
・収納時：W34×D35.5×H5.5cm
・耐荷重：約10kg
・重量：3.2kg
・材質：ステンレス合金
○収納袋付き

2018 ONWAY 58

Completed product
完成

課題作品のスツールから、これまでにないスタイルの焚火まわりの多用途テーブルが誕生した。ステンレス製なので熱に強く、非常に軽量、コンパクト。

安定感に優れた三角形構造に加え、熱に強いステンレスの金網を採用しているので、熱い鍋やバーベキュー用品も安心して置ける。

クリップにワイヤーをはめ込むだけでラックに。容易に組み立てられる仕様も、学生作品から受け継いでいる。

商品スペック

焚火ラックテーブル
OW-3435

サイズ（約）
使用時：W34×D35×H32.5cm
収納時：W34×D35.5×H5.5cm

重量：3.2kg

耐荷重：10kg

材質
ステンレス合金

範例 N

ジラソーレチェア

漏斗状に紐で組み上げたスティックの一部を短くして、座れる形に。円錐形の座部をはめ込むことで、漏斗型が閉じないよう角度を固定し、座面の水平を確保する狙いだ。

束ねた棒をひねることで生まれる美しい造形。これを何かに活かせないだろうか。おそらく世界中のデザイナーたちが考え、試みてきたこのテーマに取り組んだ学生がいた。椅子にしようというのだが、世界のどこにも前例がない。つまりそれだけ難しいということだ。スティックの束をどうやって成形・固定し、椅子として安定させるのか。果敢な挑戦の結果、とても安心して座れるものではなかったが、実に斬新な椅子が誕生した。これを評価すべきと考え、商品化することになった。オリジナルは、郝書言氏による2017年の作品。

Idea of a Mechanism
構造の発想

束ねた棒による造形には、多くのデザイナーが魅せられてきた。ニューヨーク近代美術館(MoMA)のショップでも、かつてフルーツボウルとして販売されていた。これを椅子にするのは極めて難しい挑戦でもあった。

MoMAで売られていた「サテライトボウル」という名前のひねり構造を持つ作品(現在は販売終了)。

Student work
学生作品

14本の棒を紐でつなぎ、漏斗状に組んでフレームとした。そこにちょうど収まる円錐形の座部をはめ込むことで、自由に動く棒を固定する仕組み。これまでにない外観と構造を持つ椅子だ。

Mock-ups and Prototypes

商品化のための雛形と試作品

商品化のためにクリアすべき課題は多かった。椅子として成立し、安定して座るためには、歪んだり壊れたりしてはならない。そのため荷重が偏らないよう、紐のテンションを均一にする必要がある。さらに、座面の形と固定方法は最大の課題だったが、これには「椅子の神様」と呼ばれる名匠、宮本茂紀氏の手と知恵を借りることでクリアした。

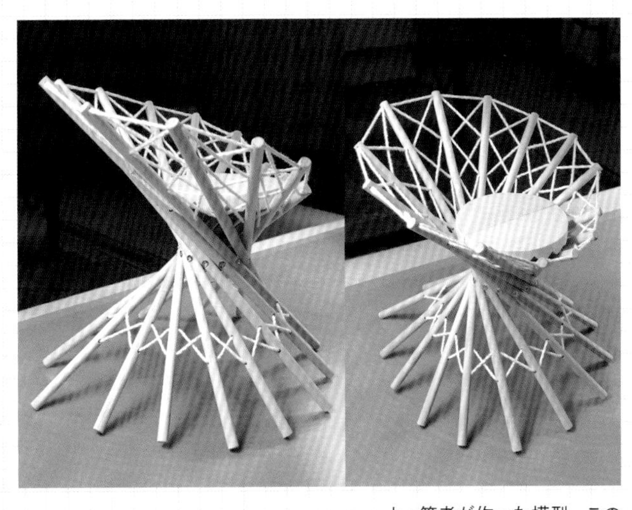

上・筆者が作った模型。この模型で紐の穴やテンション、結び方を確認。ここでの検証により、次の原寸大模型（左）の紐を通す穴の位置を決めた。また、椅子としての機能と同時に造形的な美しさも追求。上部の漏斗型は学生作品より大きく開き、脚部の後ろを長く取ることで「貴婦人のスカート」のようなフォルムを作り出した。

模型での検証結果を反映させて筆者が作った原寸大の模型。課題である「座面を水平に固定する方法」が見つからないままだったが、国内外のデザイナーの椅子作りに携わってきた宮本茂紀氏に現物制作を依頼した。

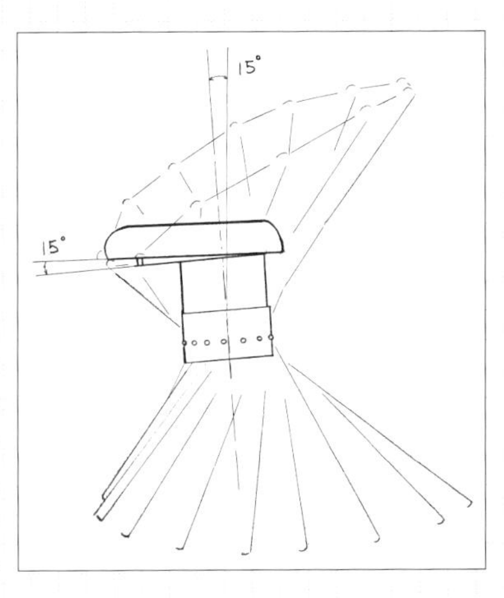

座部の固定方法を模索する中で、上部漏斗型の中心と座部の中心がずれていることが判明。宮本氏の提案により、座部とフレームの中心を円錐ではなく円筒形に変更した。座部側の円筒をフレーム側に差し込むことでしっかりと固定でき、かつ座面の上下移動もできる仕組みだ。同時に全体が前傾しているフレームに対し、右のスケッチのように座部に角度をつけることで、水平を確保できた。

Completed product
完成

学生の果敢な挑戦が、ビジネスのスキームの中で磨かれ、名匠の力を借りて製品に結実した。総重量12kgという重さは、折りたたみ椅子としては異例だが、世界のデザイナーに一歩先んじた、記念碑的一脚となった。

宮本茂紀氏の手による完成品。木の棒の束が、ワンアクションで折りたたみ椅子に変わる。誰も作れなかったこの美しい椅子を、イタリア語で向日葵を意味する「ジラソーレ」と名付けた。

天然木のスティックに紐と座面は綿素材。質感もディテールも、職人の手仕事ならではの完成度だ。

Launch
製品カタログに掲載

オンウェーの2018年カタログにも掲載され、本格的に商品としてデビューした。

商品スペック
ジラソーレチェア
OW-7560

サイズ（約）
使用時：W75×D60×H88cm
収納時：W22×D127×H22cm
重量：12.5kg
耐荷重：約80kg
材質
フレーム：天然木
座面・組紐：綿
クッション：ウレタン、化繊生地

Exhibition
展示会出品

国内外の展示会にも出品。これまでにないユニークな造形が、存在感を放っていた。

2018年3月、中国広州で開催された家具展の中央美術学院のブース。来場者も興味津々で、座ってみる人も。

2018年5月に東京ビッグサイトで開催されたインテリアライフスタイル展。

範例

O

シェルチェア

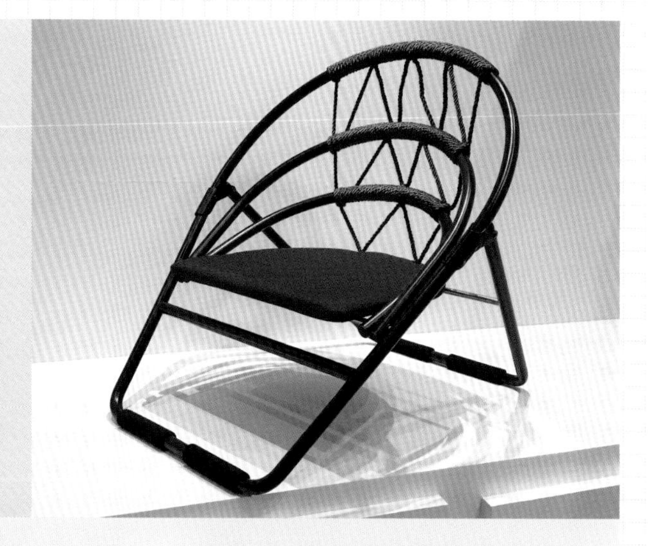

前掲のジラソーレチェアの作者と同じ学生がもう1点を考案。フランスのデザイナーによる彫刻のような木製の椅子に着目し、その楕円を連ねた「貝」のようなイメージで折りたたみ椅子を作ろうと試みた。こうした形状の椅子は少なからず存在するものの、折りたたみ椅子はかつてなかったのだ。

結果、実に立派な作品が出来上がった。サイズ的にも構造も、そのままではとても商品化できるものではなかったが、貝のイメージは造形的にもおもしろく、さまざまな工夫と改良を重ね、商品として生まれ変わることになった。オリジナルは、伊理氏による2017年の作品。

Idea of a Mechanism
構造の発想

発想の元になった椅子は、大きさの異なる木製の楕円を連ねたオブジェのような造形。折りたたみではないが、各楕円に可動性を持たせることで、平面にたためるのではないかと、作者は考えた。

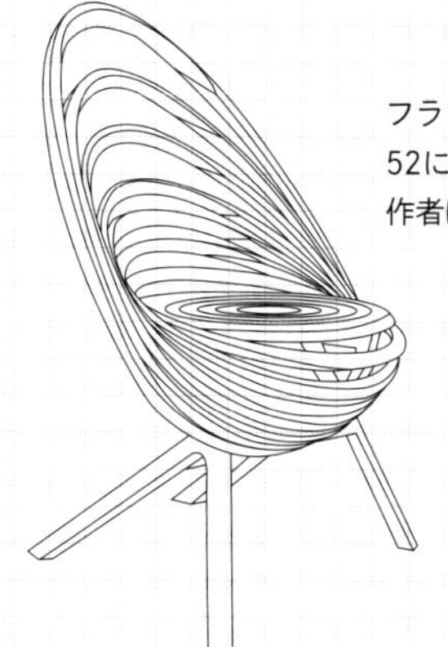

フランスのモダンファニチャー工房Estampille 52による「FAUTEUIL OCTAVE」という作品。作者は、美しい楕円の連続から着想を得た。

学生作品は造形的には美しいが、大きさ、重さが最大の課題だ。

Student work
学生作品

完成した作品は、七つの木製リングと座面となる円盤を紐でつないだもの。収納時は波紋状の円が平面になる仕組みだ。

Scale model and 3D model

商品化のための模型と3Dモデル

折りたたみ椅子として成立させるために、まず円を円弧に、その数もフレーム３本と座面に簡略化。さらに後部からも脚部フレームで「人」型にサポートする構造にした。まず作者が改良模型を作り、そこから今度は筆者らオンウェー側がアルミパイプ使用の可能性を探るための模型を作成。さらに3Dモデルへと進め、商品としての形が見えてきた。

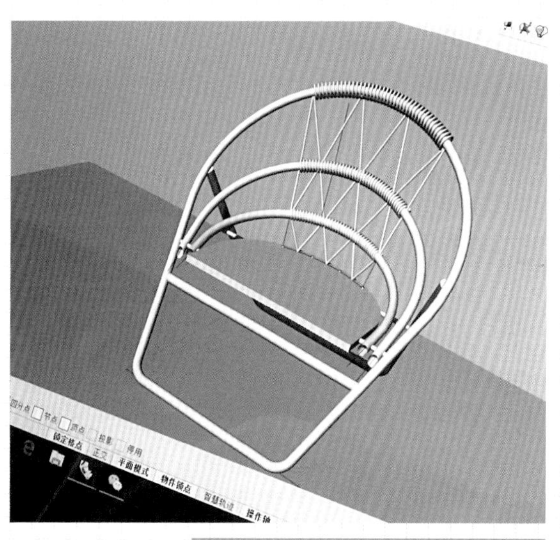

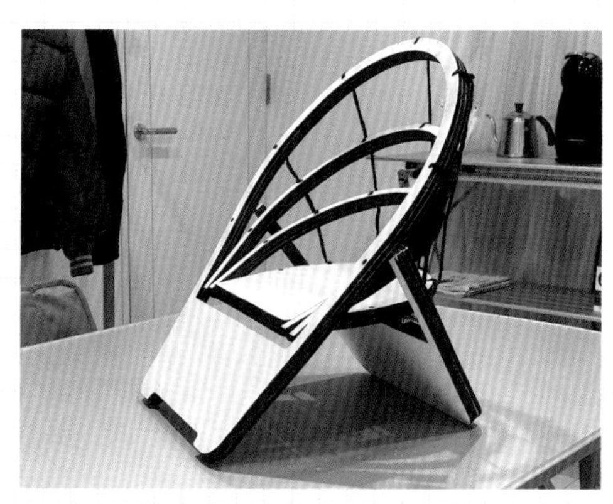

作者である学生自身が作った改良版の模型。
この段階ではまだ合板を使用している。

筆者がアルミパイプを使い商品化のイメージ模型を作った。

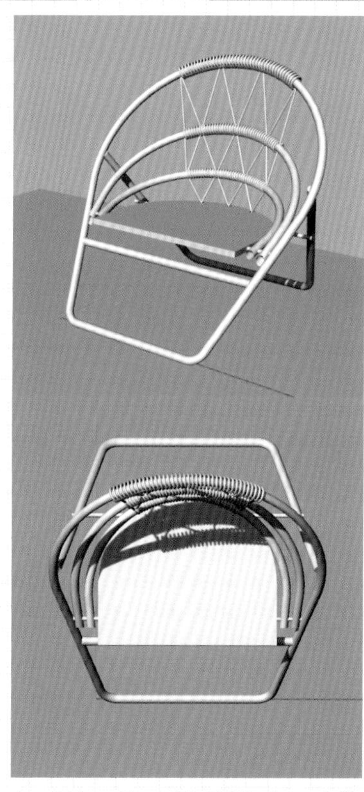

ちょうどこの時、工場に実習に来ていた学生が3Dで商品イメージを作成。この3Dモデルで、各パーツの形状、フレームのつなぎ方、たたみ方などを確認する。

Mock-ups and Prototypes

商品化のための雛形と試作品

工場の在庫パイプを使い原寸での雛形作成に入る。より良い安定感や座り心地を求め、各部分のサイズや角度を入念に計算し、検証を繰り返した。最大の難関となった「紐の編み方」にはかなりの時間を費やし、徹夜で試行錯誤を重ねた。

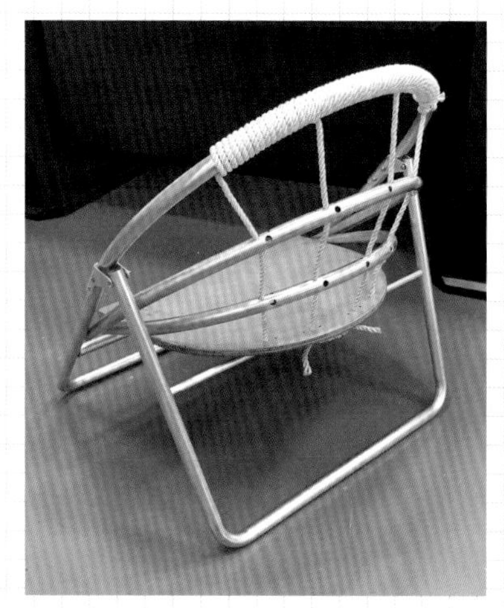

雛形は、工場に2本だけ残っていた20mmのアルミパイプを使って作成した。

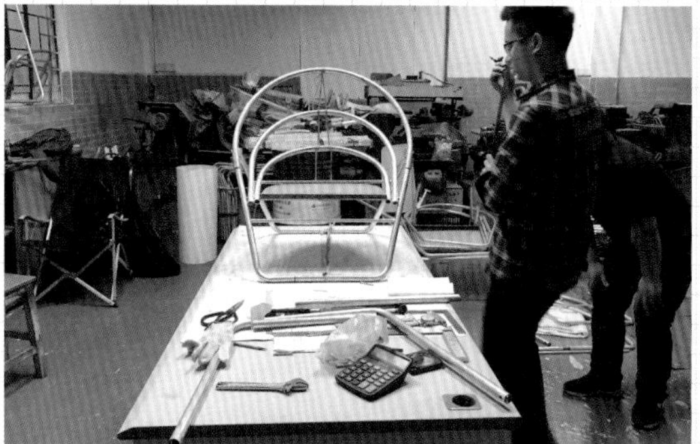

ベストな形状を求めて知恵を絞る。写真下・右は前ページの3Dモデルを作成した学生。彼は後にロンドンに渡る。

試作品の段階で、ようやく「1本の紐を最後まで切らずに編み抜く」ための最適な方法が見つかった（左）。右のシンプルな編み方は、中国広州での展示会に出品したもの。後に左の編み方に到達した。

Completed product
完成

着想の元になったフランスの椅子や学生作品からは素材も構造も異なるものになったが、連続する円弧の美しさ、貝のイメージが活きている。これまでにない形状の、前後開閉型折りたたみ椅子が完成した。

商品スペック
シェルチェア
OW-7560

サイズ（約）
使用時：W69×D75×H68cm
収納時：W69×D89×H6cm
重量：6.0kg
耐荷重：約100kg
材質
フレーム：アルミ合金、アルマイト
座面・紐：綿

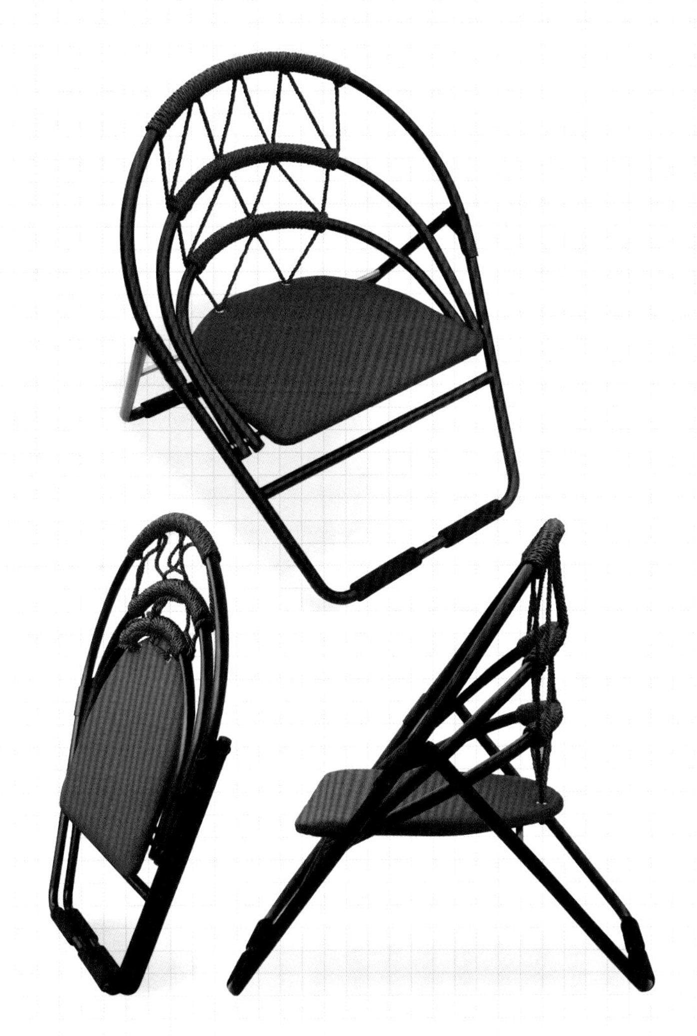

ホタテ貝を思わせるフレームのフォルムが美しい。独特の紐の編み方がアクセントにもなっている。

Launch and Exhibition
製品カタログ掲載と展示会出品

展示会でも前掲のジラソーレチェアと並び、目を引く作品となった。同様に、オンウェーの2018年カタログにも掲載されている。

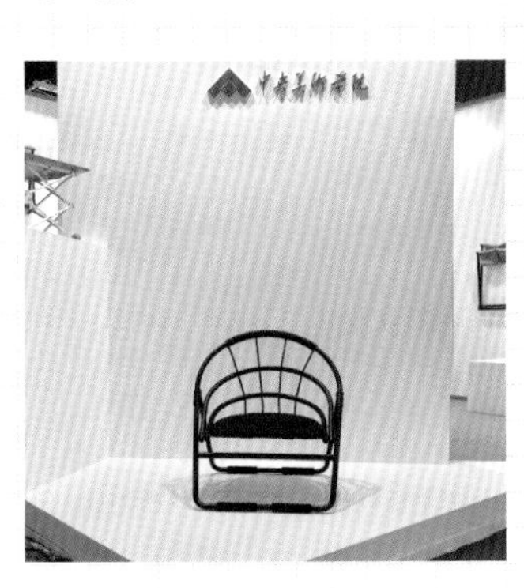

上・2018年5月、インテリアライフスタイル展。
左・2018年3月、中国広州家具展、中央美術学院ブース。

範例 P

サドル型スツール

X型のスツールは、太古から人類の身近な座具として存在し、近代には数々の名作が作られてきた。それは周知の事実であり、今さらこの歴史的座具を改造、改良する余地などないと誰もが考えるだろう。ところが、2011年の講座で、大胆にもX型スツールの改造を試みる学生が出た。モダンデザインの巨匠たちがスツールの脚部フレームの改造に主眼を置いたのに対して、この学生、刘松雨氏は、逆の発想で座部に着目したのだ。

X型スツールは、古来、あくまでも臨時に、ひとときに腰掛けるための座具であり、決して長時間、快適に座れるものではなかった。これを、サドル（馬の鞍）の形をした座面によって刷新したのである。この学生作品にさらなる検証と改良を加え、商品化が実現した。

このスツールに初めて座る人はみな「おっ!?」と驚く。背中、お尻が人間の骨格に適った状態となり、自然と背中が伸びるのだ。背もたれがないのに背筋をサポートするような感覚が得られる。より長時間快適に座れる、これまでにないX型スツールが完成した。

Historic stools

歴史上のスツール

古代エジプトをはじめ(p.32)、古代文明の遺物として数多く残されているX型のスツールは、人類が発明した最も初期の折りたたみ椅子といえるだろう。20世紀には、錚々たるデザイナーの手でリ・デザインされてきた。そうした歴史的な座具を改良するという果敢なチャレンジだ。

紀元前16世紀のクノッソス遺跡に残る「キャンプスツール」が描かれたフレスコ画。

unknown artist, Public domain, via Wikimedia Commons

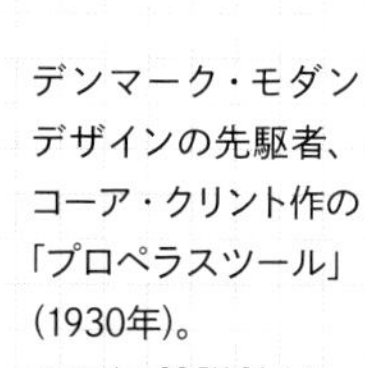

デンマーク・モダンデザインの先駆者、コーア・クリント作の「プロペラスツール」(1930年)。

guoyunhe, CC BY-SA 4.0, via Wikimedia Commons

Student work
学生作品

受講生、刘松雨氏のアイデアは、座部を馬の鞍のような形にするもので、前方を低く、後方は高く、座面が前傾している。さらに座面の前方を広くとり、緩やかなカーブで太腿をゆったりと受け止める設計だ。紐を編んで作った座面が実用に耐えないという課題は残るが、商品化にふさわしい、革新的なスツールが誕生したと言って良いだろう。

学内の木工工房でフレームを制作。座部は馬の鞍のように前傾し、前方フレームの中央がやや高くなっている。

2011年の講座の発表日。歴史的なスツールに新しい改良を加えた作品に、筆者もクラスメートたちも注目した。

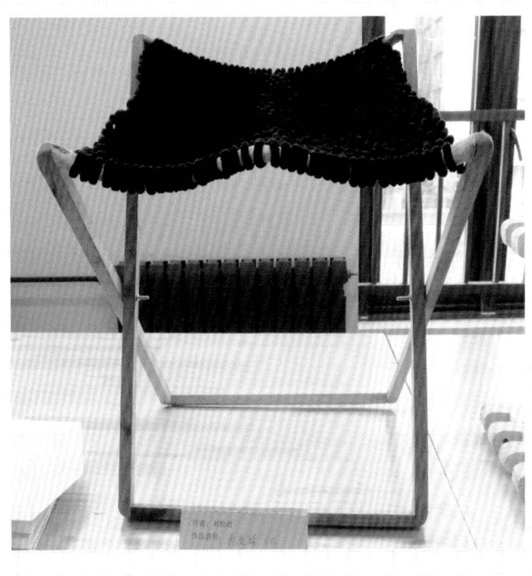

完成した学生作品。学校近隣の店で購入した紐を編み上げげたという座面は、柔らかすぎて実際には座れない。耐荷重や堅牢性など、さらなる改良は必要だが、商品化に値する斬新なアイデアだ。

Mock-up
商品化のための雛形

フレームをアルミ合金に、シートを布に替えて工場で試作品を作成。座り心地を検証し、本生産に向けて確信を得た。

座った感触をチェック。「これはいける」と自信が持てる出来だった。

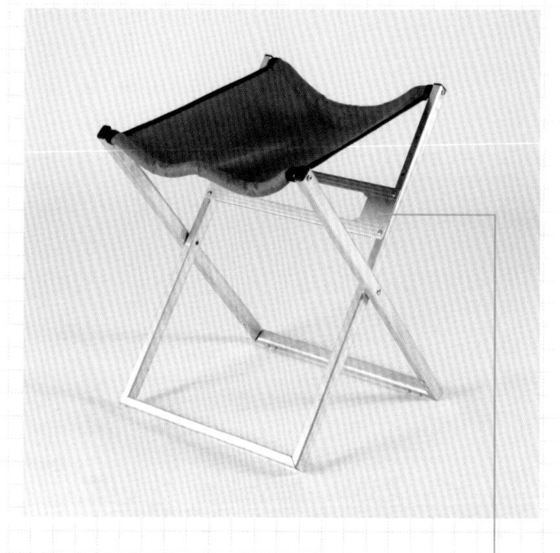

最初の試作品では、脚部後方に補強プレートを取り付け、安定性、耐荷重を確保した。

Completed product
完成

試作を重ね、機能的にも造形的にもレベルアップした製品が完成した。座部後方のフレームは、固定せず回転できる仕様で、座る人のお尻の形状や体重に合わせて最適な角度が得られるようにした。また、つなぎ部分8カ所にL型パーツを採用し、補強板をなくすことで、よりスタイリッシュな外観に。さらにその上で、前後フレームの高さ、フレームの形状などが異なる5パターンの試作品を作り、従業員20名の投票結果を基準に、完成形を導き出したのである。

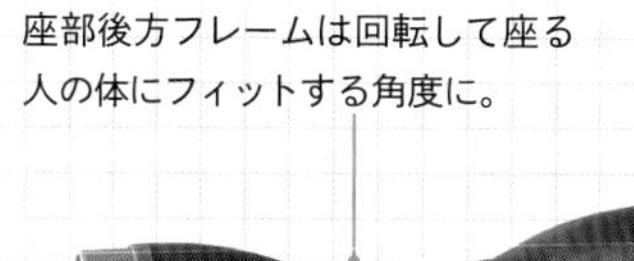

座部後方フレームは回転して座る人の体にフィットする角度に。

各接続部を、冷間鍛造（れいかんたんぞう＝精度、強度が高い製法）のL型パーツでつなぐことによって、補強プレートが不要に。

座部フレームの高低差、後方フレームのカーブ、前方フレーム中央の高まりなど、各部の数値を微調整した5パターンの試作品を作成。番号を付け、従業員20名に座り心地の評価を投票してもらった。

Exhibition and Publication

展示会出品と雑誌掲載

展示会でも座ってみる人が続出。
メディアにも紹介された。

商品スペック

スツール
OW-3943

サイズ（約）
使用時：W39 × D43 × H53cm
収納時：W5.5 × D43 × H66cm

重量：2.5kg

耐荷重：80kg

材質
フレーム：アルミ合金
座面：ポリエステル布

くつろぐ

コンフォートチェア2

GI ベッド

サイドテーブル1

サイドテーブル付き
ディレクターチェア

サイドテーブル2

スツール

左・2018年3月中国広州家具展学校ブースに出展。軽量なので壁にも展示できる。
右・2013年　エイ出版『キャンピングギアガイド』。

column

矛盾するデザイン

野生動物は自然環境に適応するため、自身の身体を変化させてきた。被毛や体表の色や模様を変化させて捕食者から身を隠し、獲物に忍び寄り、また天敵を威嚇する。眼状紋などは典型的な威嚇のデザインだ。もちろん植物もまた環境に適応すべく枝や葉の形状や機能を変化させてきた。

一方で人間は、道具を発明することで自然環境に適応してきた。狩猟のために石斧や矢尻を作った石器時代以来、人類はより豊かな生活を求めて、たゆまぬ工夫と発明、技術革新を続け、より便利で快適な道具を作ってきた。おかげで今、私たちは車や飛行機、家電など有形のモノであれ、通信技術やコンピューターシステム、スマートシティーなど無形のコトであれ、極めて高度にデザインされた道具や機能を日常的に享受している。

しかし、人間にとっての利便性や快適さを求めてデザインされた道具や技術が、人間の生活や行動を損なうこともあるのだ。例えば、野獣から身を守るため、食料確保のために発明した鉄砲を、人間は他人への暴力に使うようになる。人を守る道具は人を殺す道具にもなるのだ。その最たるものが兵器であることは言うまでもない。

今日の例を挙げるなら、スーパーコンピューターの誕生で不可能だったことが可能になり、人工知能は人間を凌駕する優れた能力を見せるようになったが、それはすなわち道具や技術が人間本来の機能を弱体化させるということになりはしないだろうか。ごく単純に考えても、交通機関と通信技術の発達がもたらす運動不足は、さまざまな現代病の誘因となっていることは否定しようがないだろう。高速通信インターネットはリモートワークを可能にしたが、逆に言えばどこまでも仕事が追いかけてくるようになったともいえる。GPSで個人の移動を記録・監視できるということは、プライバシーが失われるということでもある。また、パソコンやスマホなど最新の道具を使うには、ある程度の習熟、充電や更新などのメンテナンスも強いられるだろうし、ネット犯罪への警戒も必要だ。

人間の幸福のためにデザインされた道具や技術が、人間の能力や自由を損なうものにもなる。デザインとは、ものづくりとは、宿命的に矛盾を内包しているものなのかもしれない。

第4章

ビジネスでのプログラム実践例

ビジネスの現場で
デザイン教育プログラムは
どう活かされているか。

第4章

ビジネスでのプログラム実践例

デザイン思考に基づいたものづくりを実技と共に学ぶ本講座。その内容と方法論は、決して学内だけで通用する理論ではなく、日々、目まぐるしく動いている現実のビジネスシーンでも実践されている。学生たちが体験したものとほぼ同様のプロセスで世界中のショップに並ぶような商品が作られるのだ。筆者が運営するオンウェーの新商品開発を具体例として紹介しよう。

1 デザイン教育とビジネスシーン

プレッシャーというファクター

前章までの大学での講座とその先の商品化例で紹介したプロセスの他に、もう一つ、ものづくりには重要な要素がある。新しいアイデアやより良い作品／製品を生み出すべく個人や組織にかかる“プレッシャー”だ。学生には「作品を提出しなければならない」というプレッシャーがかかるのと同様に、ビジネスの世界でもプレッシャーが開発の原動力となる場合が少なくないのである。

第1章で述べたように、創作のアイデアは何らかのきっかけ、トリガーがあって触発され、生まれることが多い。周囲の環境から見たもの、聞いたことによって脳内に潜んでいた記憶や情報が化学反応を起こし、変性が起き、アイデアとなって出てくる場合も少なくないだろう。それは一瞬に見えるが、実はその瞬間までの長い時間に蓄積し、醸成されたものがあって初めて、きっかけを得て具現化したものだということは第2章でも述べた。そうした着想の機序はビジネス上の商品開発にも共通することだが、とりわけ商品化を前提にしたアイデア

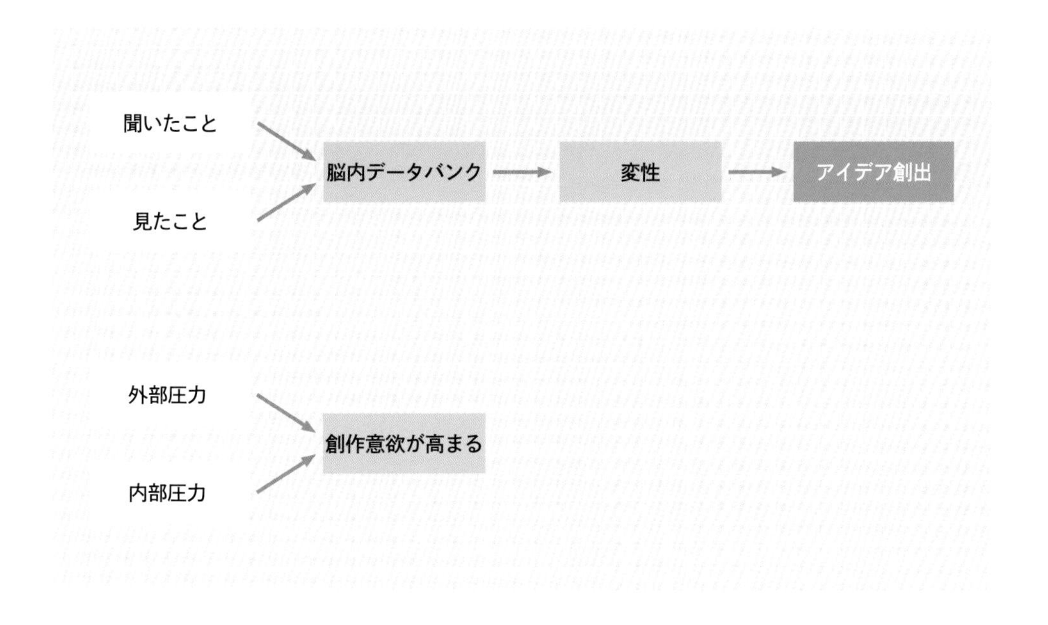

出しはビジネスに直結する作業であり、学生の作品づくりとは違い常に市場を意識しながら考える必要がある。これこそが商品開発におけるプレッシャーだ。

筆者が長い経験から感じたことだが、ひと口にプレッシャーといっても、外部からの圧力で生まれた作品と内部からの圧力で生まれた作品という二つのパターンがある。いずれにせよプレッシャーがかかった場合の方が、着想を得て開発に至った作品は多かった。プレッシャーによって脳が刺激され、より活発に活動したためかもしれないと感じている。

商品開発におけるさまざまなプレッシャー

外部からの圧力

1. 得意先から商品開発の依頼を受けた場合、その依頼に応えないといけない。どんな製品がほしいのか？　ターゲット層は？　使用目的は？　価格帯は？　等々、クライアントの希望を引き出し、その線に沿ってアイデアを練る必要がある。
2. 時には競合する他社製品に「打ち勝たなければ」という場面もあるが、そうした状況では競争心、闘争心が盛り上がり、脳の働きが活発になる。

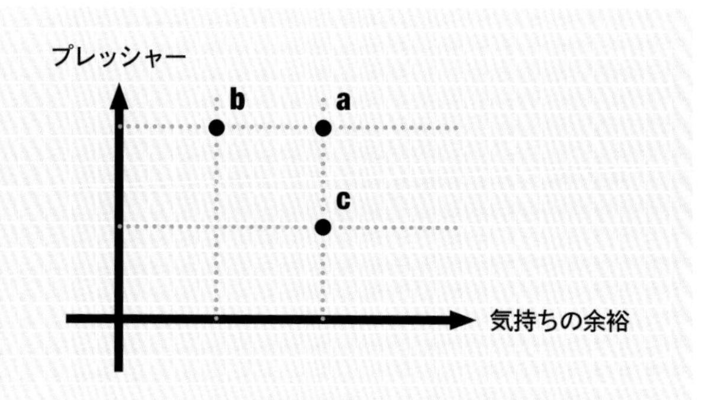

内外のプレッシャーと気持ちの余裕。この二つがバランス良く均衡することで、好結果につながると思われるのだが、その均衡点を見出すことが難しい。人や場合により、イメージ図の**a**とは限らず、むしろ**b**や**c**を均衡点と感じることもあるだろう。

内部からの圧力

1. 「ユーザーの期待に応えて毎年新商品を出さないといけない」という使命に駆られる。
2. どの業種でもあることだろうが、企業経営上、利益を出し続けるために、新商品を開発し続けないといけない場合も珍しくない。

こうした内外からの新製品開発の要求が、創作のモチベーションになる。が、一方でその反面、心に余裕がないために創造性が発揮されない場合があるのも事実だ。プレッシャーを受けて焦るほどアイデアが出てこないことは珍しくない。無理にでも捻り出したとしても、結果につながらない場合が多いのだ。おそらく多くの人がこうした場面を経験しており、共感してもらえるのではないだろうか。

それではどの時点でプレッシャーと余裕が均衡し、好結果につながるのだろうか。その分岐点がどこにあるのか、見極めるのはなかなか難しい。

商品力の重要性

古い考え方といわれるかもしれないが、商品力は会社経営の礎（いしずえ）である。「商品力がある」とは「市場に受け入れられる」ということだ。すなわち、売れる商品であるということ。筆者が「猛烈社員」の時代に会社の先輩から言われた言葉がある。それは「良い商品は足がある」というものだ。商品自体に魅力があれば、営業担当が「足」を使って何社もの販売先に売り込む必要がない、向こうから声がかかる。すなわち「良い商品であれば黙っていてもお客は来る、

『足』を運んでもらえる」ということだ。「良いモノを作ってもなかなか売れない時代だ」という声もある昨今だが、やはり商品力こそが基本である事実は変わらないはずだ。

リスクテイクと試行錯誤

第２章のリスクについての記述*と重なるが、多くの人や組織は、せっかく得たアイデアを商品化する決心がなかなかできないのだ。失敗を恐れる。それは当然だが、しかしどんなに優れたアイデアも商品にしなければ何も始まらない。実際に商品化に踏み切れないとゼロなのだ。企業といえど、いやビジネスだからこそ、時には失敗を覚悟の上で先へ進む勇気と自信が大切だ。

リスクを取るということは、当然ながら必ず成功するとは限らない。ただし失敗したとしても、そこから改善の努力を図ることが肝要なのだ。筆者の経験でも、プロトタイプの段階ではとても椅子とは呼べないような製品だったものを、４度のダメ出しと修正の末、大人気商品として世に送り出した折りたたみ椅子もある。

それがどれだけ商品力を持つ製品になったか、本当の意味での最終的なジャッジを下すのは、経営者でもクリエイターでも販売店でもなく、ユーザーだ。ただ言えるのは商品化しないと、つまりユーザーに届かないとすべてがゼロということである。

以上のようにプレッシャーの種類の違い、リスクテイクという要因はあるものの、ひとたびアイデアが出てからは、ビジネスの現場でも前章で紹介した学生作品と同様のプロセスを通す場合が多い。次項で紹介する直近のモデルにおける商品化プロセスにも共通するパターンだ。

* p.52　シンセシス──統合

次項で解説するオンウェーの新作３点。それぞれに課題があり、試行錯誤を経ての発売だが、そのプロセスの流れは、大学でのプログラムと共通していることに留意されたい。

column

人工知能は人間の創意を代替できるか

本書執筆中に（p.23のMetaの話題に加えて）世界的なトピックが注目されていた。2022年11月にOpenAIという企業がリリースしたChatGPTだ。ChatGPTは、まるで人間のようなリアルな会話文を生成することができる。そして絵画や音楽や算数などのアプリを併用すれば、可能性はさらに広がる。新時代の到来といわれている。

このような人工知能を駆使した製品は、このChatGPTが始めたわけではない。これまでにもさまざまな商品が発表され、運用されている。例えば、巨人Googleが2017年から運用し始めたTransformer（ディープラーニング＝機械学習モデル）、2017年に発表されたReinforce Learning（強化学習：いわゆるプログラムの行動に対するフィードバックをトレーニングデータとして使って学習する方法）など。

これらに対して今回の主役であるOpenAI社はかなり小規模な企業ながら、実は以前から自動絵画生成のアプリなどさまざまな商品を開発・発表してきた。結果的に今回のOpenAI社のChatGPTは、Googleより一歩先に市場のニーズをキャッチした。小が大を制する一例でもある。Googleも急きょ、対話型AIとしてBardを発表したが、焦りによるものかミスがあったようだ。もう遅い。

この一連の騒動で、われわれが教訓として受け取るべきは、時代を先読みする力と実行力の重要性である。大企業は人材も資金も技術もあるが、自分自身を改革する勇気はなく、守りに入ってしまうケースが多い。結果として、例えば、メルセデス・ベンツは電気自動車でテスラの後塵を拝し、ノキアはスマホ市場では今や目立たない存在だ。一方で、OpenAI社はアプリでAI画像生成などの関連製品を次々と送り出す。小さい企業は常に新しい考え方を模索し、新しい製品を作り出すのだ。そうした製品群を集約することで大きな製品が生まれることにもつながる。ChatGPTはその集大成の成功例だ。

そうしたことから得られる具体的な教訓として、次の二点は間違いないだろうと筆者は考える。

1. 研究開発は今現在の研究をフォローするだけではなく、次にヒットするもの、次のマイルストーンとなるものを探求しないといけない。すなわち先を読むこと、先を読む力を身につけることが必要である。
2. 技術は日進月歩だが、最終的には人間がそれを操るという基本原則に留意すべきだ。AIが人を動かすのではなく、あくまでも人がAIを動かすのだ。

第4章
ビジネスでのプログラム実践例

範例
ビジネスでの実践例

スリムRチェア
ダブルテーブル
サイドカフェテーブル

範例Q

スリムRチェア

さまざまなプレッシャーが新しいアイデアやより良い製品を生み出すことを先述したが、この椅子もまさに外部からのプレッシャーをきっかけとして生まれた。

元はといえば、あるクライアントによる開発プロジェクトに参加し、そのテーマである「中央収束型の折りたたみ椅子」の改良案を提案したことがきっかけだった。この課題について考える中で、オンウェーの〈スリムチェアOW-72〉というロングセラー商品の構造からヒントを得られないかと検討したのだ。

クライアントとのプロジェクトでは、別のアイデアを提案し、新デザインに結実したが、「〈スリムチェアOW-72〉の機能を応用する」という発想から、もう一つ、この新しいオンウェーチェアが生まれることになった。

Inspiration
着想

〈スリムチェアOW-72〉の特徴は、中央収束型のようにコンパクトに収納できると同時に、前後開閉型のように安定した座面を持つ点だ。これを、昔ながらの中央収束型に立ち返って応用し、右のような古典的な椅子に新たな機能を加えることはできないだろうかとひらめいたのだ。

折りたたみ椅子の古典として知られるフェンビーチェア。100年以上前から欧米の軍隊などで重用されてきた。「束」状に収納できる反面、写真のように座ると座面が沈む欠点がある。写真はイギリスの考古学者モーズリー。
Unknown photographer, Public domain, via Wikimedia Commons

オリジナルはイギリスのエンジニア、J. B. フェンビー氏が発明、1881年にアメリカで特許を取得した。下が特許申請の図面。
Boceto_Tripolina, Fenby, CC BY-SA 4.0, via Wikimedia Commons

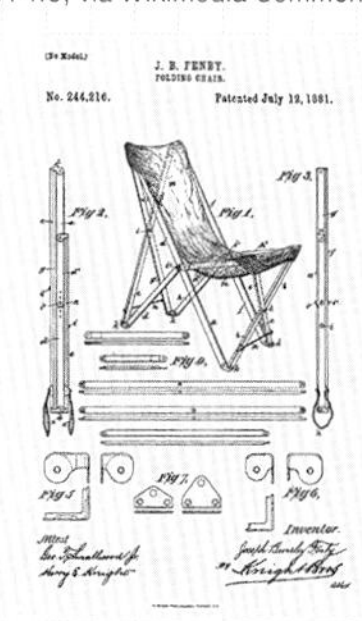

Point of improvement 1

改良点①

沈み込まず、安定した姿勢で座るには、サイドフレームに支えられたフラットな座面が必要だ。しかし、中央収束型で座面をフラットにすると、そのままではたためない。X→Iの形に閉じる際、高さが伸びるが、座面をフラットにするため、サイドのX型フレームの支点は従来品より上の位置にあり、収納時により高くなる。連動する前面のX型フレームと高さが合わず、たたむことができないのだ（下図❷）。そこで〈スリムチェアOW-72〉で開発した「縦パイプの伸縮機能」を、前面フレームに応用した（下図❶）。

座面生地が両サイドのフレームにしっかりと支えられているので、沈み込まず心地よく座れる。

2003年の発売以来、オンウェーのフラッグシップモデルともいえるスリムチェア OW-72。たたんだ時にこの縦のパイプが伸びることで、中央収束型の収納が可能になった。

従来の中央収束型は、フレーム先端に座面生地を引っ掛ける仕様なので、座ると沈み込む。
CampaignParagonChair,Lieutenant Wilmot, CC BY-SA 3.0, via Wikimedia Commons

新作は、前後左右にX型フレームという昔ながらのフェンビーチェアに近い構造だ。

前面のX型フレーム上部に、サイドフレームと連動して動く「伸縮パイプ」を内蔵した。

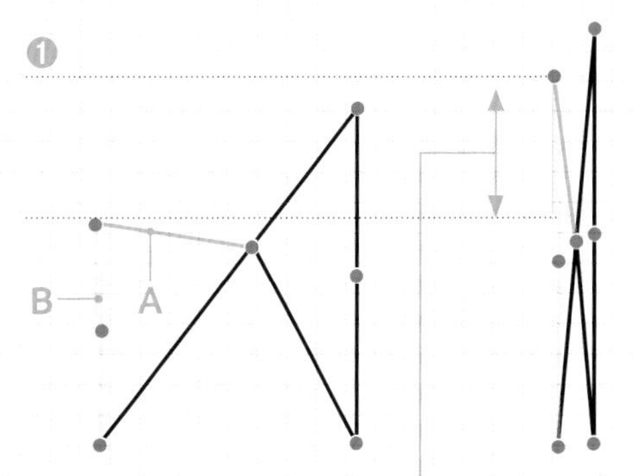

サイドフレーム（A）の収束時、連動して前面のX型フレーム（B）が長く伸びるので、収納は小さくなる。

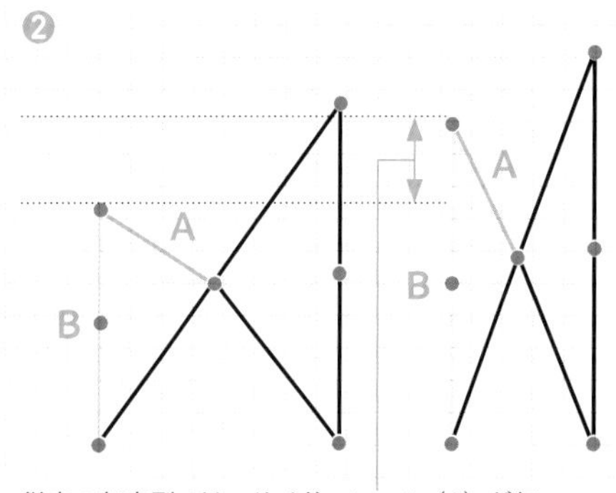

従来の収束型では、サイドフレーム（A）が収束する時、連動する前面フレーム（B）の高さが足りず、これ以上たたむことができない。

Point of improvement 2
改良点②

造形的な面でも、昔のままではなく改良を加えたい。X型の交差部分に曲線を取り入れることで、美しいラインを作り出すことにした。

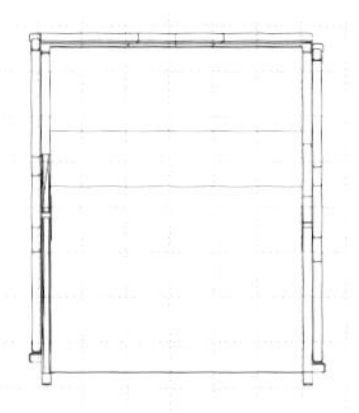

前後左右、四つのX型フレームの交差部分に曲線、いわゆるR（アール）を付ける設計。流れるような美しいラインで、従来のフェンビーチェアとはまた違った、都会的なイメージで使える椅子に仕上げる試みだ。

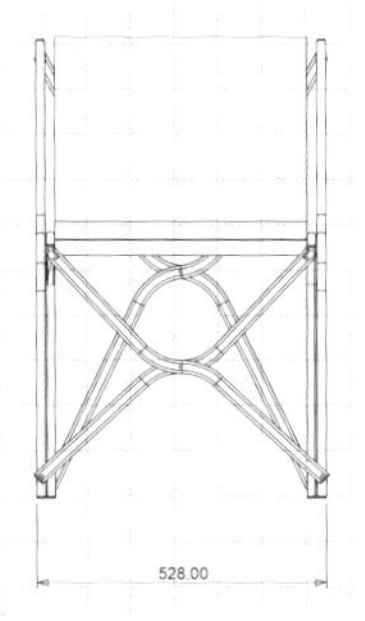

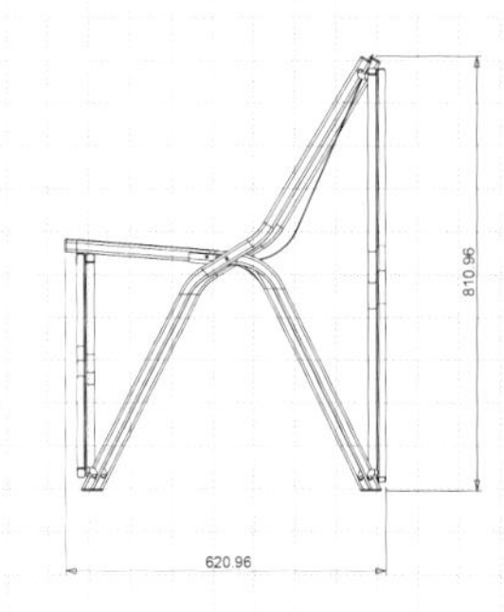

初回3Dモデルのための図面。最初からこの曲線デザインのアイデアは決まっていた。

Point of improvement 3
改良点③

さらなる改良として、名作椅子を参考に、肘掛けならぬ小さな「持ち手」を加えることにした。開閉時だけでなく、立ち上がる際にちょっと掴んで身体を支えられる持ち手は、使い勝手を向上させるだけでなく、外観的にも絶好のアクセントになる。

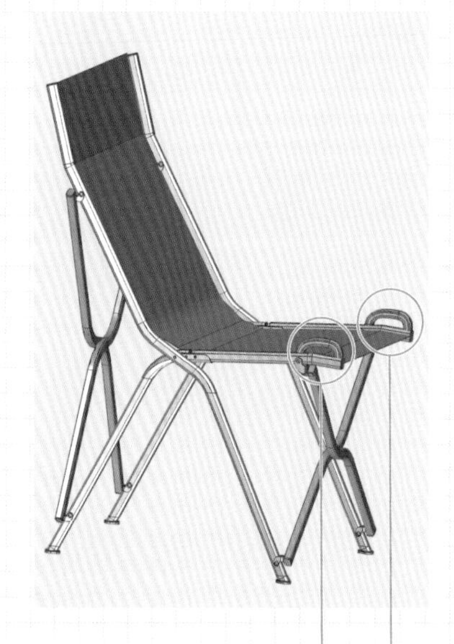

この小さなハンドルは、立ち座りの動作を助ける他、座っている時も、ちょっと手を置くのに良い。使ってみると見た目以上に便利だ。

デンマーク家具デザインの巨匠、ハンス・ウェグナーが1949年に発表した、前後開閉型の折りたたみ椅子。小さな持ち手が付いている。
Hans_Wegner_-_JH512 Ramblersen2, CC BY-SA 4.0, via Wikimedia Commons

Point of improvement 4
改良点④

前後左右4フレームに施した曲線の美しさを損なわずに活かすため、昔の木製チェアの構造を採用することにした。つまり、X型フレームの交差部分を切断せずに組むということだ。昔ながらのシンプルな組み方によって、強度も高まり、余分な部材と加工を省くこともできる。ただし、この方法だと下図❸で示すように左右の側面フレームが前後にズレてしまう。結果、座面生地にシワができる。この「ズレ」を片側フレームを延長することで解消。座面のシワを改善した。

p.179の1900年頃の中央収束型チェアでは、フレームは切断されずにクロスしていた。

最初期の中央収束型のように、2本の角材をクロスさせる形を今回の新作にも採用。ただし、2本が重なるため、Xの先端でこの厚み分がズレる。

近年のX型フレームは、交差部分を切断して、いわゆる面一の状態にしているものが大半だ。オンウェーの製品でもこのパターンを採用している。

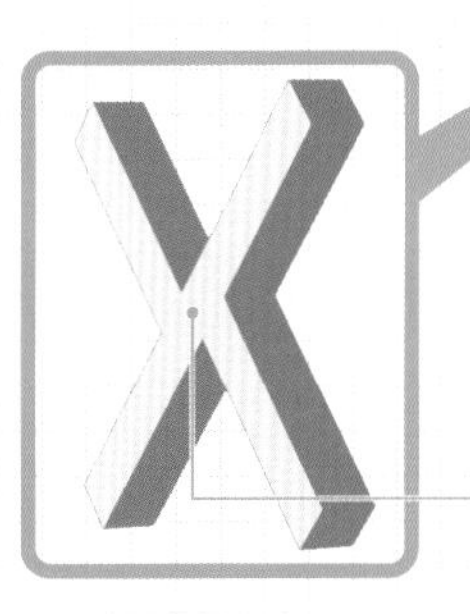

比較的早い時期から、交差部分を切断して金属部材でつなぐ方法が一般的となった。ズレがないのでデザインの自由度も高いが、強度の面ではやや劣る。

座面を上から見ると平行四辺形。このまま座面シートを張ると歪むため、赤線部分を伸ばした。

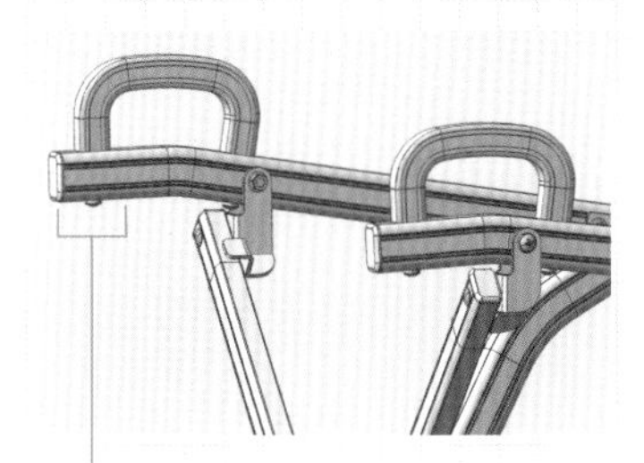

片側の座面フレームを延長することで、座面シートが歪み、シワが出る問題を解決した。

Xの先端と、連動する全構造にズレが生じる。

Scale model
模型

アイデアを形にするプロセスは、講座での制作と変わらない。以前、別の製品の模型に使ったパイプがオフィスに残っていたので、これを利用してまずはイメージを立体化する。この時、たまたまこの端材パイプがS字型にカーブしていたことから、「交差部に曲線が加わると見た目に美しい」ことに着目することができた。

曲がった端材を使った偶然から、フレームに曲線を取り入れる発想に至った。

1st 3D model verification
初回3Dモデル検証

模型を元に、ロンドンで留学中の教え子に3Dモデル制作を依頼。送られてきた3Dイメージを見て「これでいける」と確信した。

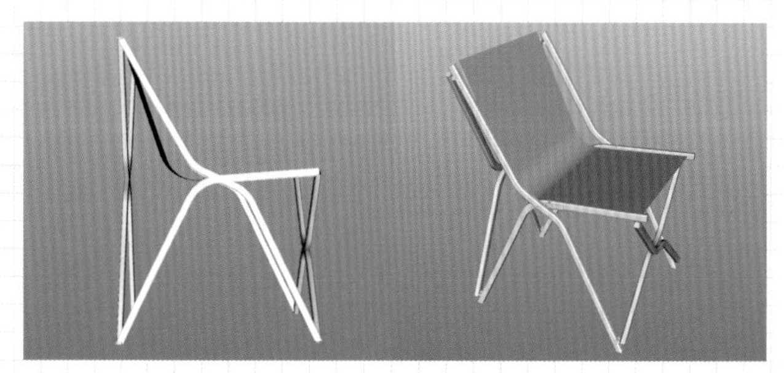

ロンドンから送信されてきたデータ。最初のモデルで、ほぼ完成形に近いイメージができた。

2nd 3D model verification
第2回3Dモデル検証

ロンドンからの3D図面を元にパーツの3Dを1点ずつ作成。組み合わせて細部を検証する。

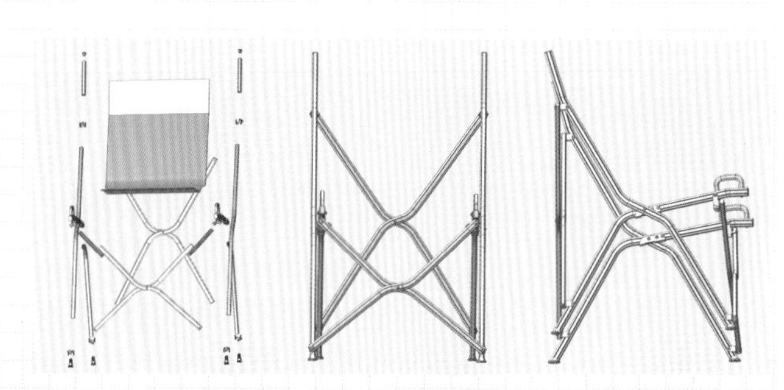

開発の前年にオンウェーに入社した優秀な社員が1人で各パーツの3Dモデルを作り上げた。

3rd 3D model verification
第3回3Dモデル検証

積み上げた過去の経験を元に、細部を検証、修正を繰り返す。

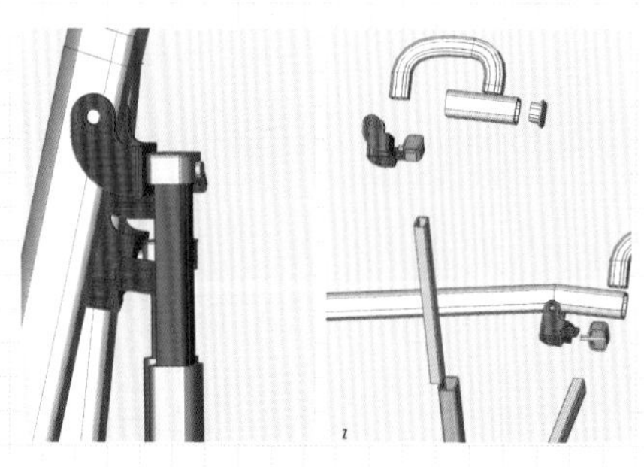

前面X型フレームに内蔵する伸縮パイプとその取り付け金具など、細部にわたって入念に調整を重ねる。

1st Prototype
第1回試作品

3Dモデルを元に工場で現物の試作に入る。初回はヴァーチャルなイメージを現物化することが主眼。ほぼイメージ通りに出来上がり、構造的に可能なことが確認でき、一安心した。

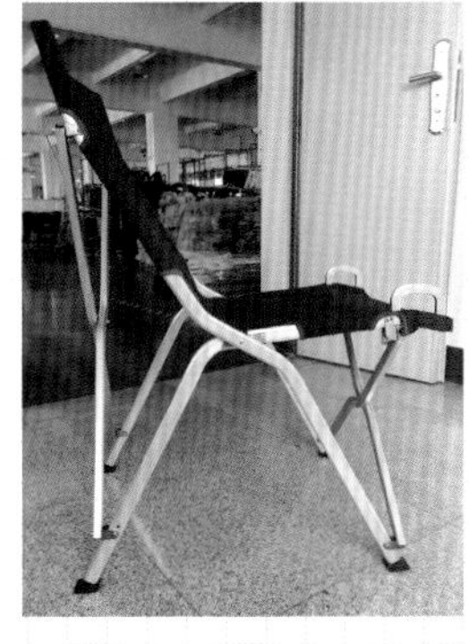

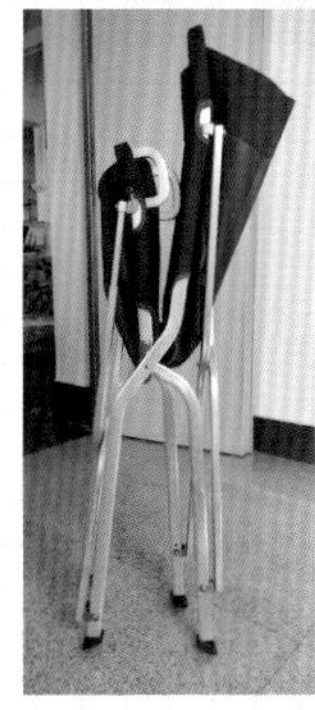

まずは手元にある素材で作成してみる。

2nd Prototype
第2回試作品

製品化に向けての本格的な試作。素材、表面加工、金属パーツなどの作成、パイプも専用金型による曲げ加工に入る。サイズ感や背もたれの角度など、実物になって初めてわかる改善点もあり、変更、検証、修正を重ねる。耐荷重のシミュレーションなども理論値であり、現物になると欠陥が即座にわかる。

十分に「収束」できず、収納状態が大きい問題も発覚した。

全体が大きすぎる、背もたれが後ろに倒れすぎているなど、実物に座ってみて見つかる改善点も多い。

Completed product
完成

耐荷重の問題は、力点の金属パーツの形状変更によって解決。本体サイズ、背もたれの角度も修正、収納性も改善した。屋内でも野外でも使える、新感覚の折りたたみ椅子として、無事に発売となった。

商品スペック

スリムRチェア
OW-72R-KH

サイズ（約）
使用時：W58xD70xH96.5cm
収納時：W21xD25xH115cm
重量：約3.5kg
耐荷重：80kg
材質
フレーム：アルミ合金
黒アルマイト塗装
座面：帆布風ポリエステル

これまでにないスタイリッシュな中央収束型の椅子が完成した。

範例R

ダブルテーブル

2020年春以来、世界中に広がった新型コロナウィルスの流行により、日本でも日常生活、特に働き方の転換を余儀なくされた。テレワーク（通信技術を活用した多様な場所での働き方）やリモートワーク、在宅勤務の制度を推し進める企業が急増し、多くの人の働き方が劇的に変わった。そんな中、人々が新しい生活様式を模索している様子がメディアでも度々取り上げられてきた。例えば、自家用車を移動オフィスに改造したり、Wi-Fi環境のあるキャンプ場にパソコンと椅子・テーブルを持ち込んだり、日中は折りたたみテーブルで在宅勤務し、子供が学校から帰宅すると収納するなど。

まさしく折りたたみテーブルの出番である。移動可能で軽量、十分な広さがあり、かつ外観の良いテーブルは、需要があると筆者は考えた。そもそも室内でも屋外でも使えるテーブルは少ないので、家庭内の事務デスクとしての需要もあると判断。テレワーク用折りたたみテーブルの開発に着手した。

とはいえ、このタイプのテーブルの開発は容易ではない。「移動に便利で携帯しやすく軽量」で、「資料などを置けるスペースを備えている」こと、さらに「機能及び外観もシンプルで美しい」という条件をクリアすべきと考えるからだ。しかし、コロナ禍で否応なく変化を迫られる社会で、オンウェーに何ができるだろうか。巨大な外圧と同時に、そうしたモチベーションに押されて、「テレワークテーブル」の開発に挑むこととなった。

Material
素材

「移動・携帯の利便性」と「大スペース」とは、突き詰めると「軽量かつ広い天板」。鍵になるのは素材だ。木製でもプラスチックでも、広いほど重くなる。そこで、台湾のある企業が10年かけて開発し、オンウェーの既存商品に使用した特殊ハニカム素材に着目。同社に打診すると対応可能とのことで、まずは開発の道筋が見えてきた。

販売中の「アジャストカフェテーブル」に採用したメラミン樹脂・グラスファイバーの天板は、大サイズでも非常に軽量だ。

Inspiration
着想

ワークテーブルとして使うからには、天板スペースを確保した上で、かつファイルや書類を置く引き出し代わりの棚が一段欲しい。機能性のみを考えれば学校机の形になるが、外観も妥協できない。美しい多層構造としてイメージしたのが寺社の建築様式だった。まさに本講座で説く、観察とリサーチからの醸成、統合のプロセスである。そのアウトプットとして、ここに示す3例の建築の特徴を取り入れ、二重天板構造を基本とすることになった。

美しい二層構造の見本のような北鎌倉の円覚寺三門（山門）。

江戸村のとくぞう (Edomura no Tokuzo), CC BY-SA 3.0 via Wikimedia Commons

京都の伏見稲荷大社の鳥居。大鳥居のシンプルで均整のとれた造形も「二層」として見ることができる。

Saigen Jiro, CC0, via Wikimedia Commons

2010年上海万博の中国館も、まさに多重構造の美しさを表現していた。

lucia wang, CC BY-SA 2.0, via Wikimedia Commons

Scale model
模型

早速、イメージを立体化する。

- 2層目の天板を小さくして鳥居のような釣り合いにする。
- 天板二層の間に柱を入れ、引き出し役の空間を作る。
- 脚部収納はスライドレール式（次ページで解説）に。
- 脚を「八」の字形に開き、安定させる。

以上4点を基本方針とした。

週末は模型作りの時間。事務所にある部材で作ってみる。

2枚の天板のバランス、脚部の構造など、ほぼイメージ通りの模型になった。

Folding mechanism
折りたたみ機構

４本の脚を縮めて、内側に倒すだけで収納できる。天板裏中央のレールに沿って、サポートバーがスライドすることで開閉できる仕組みだ。

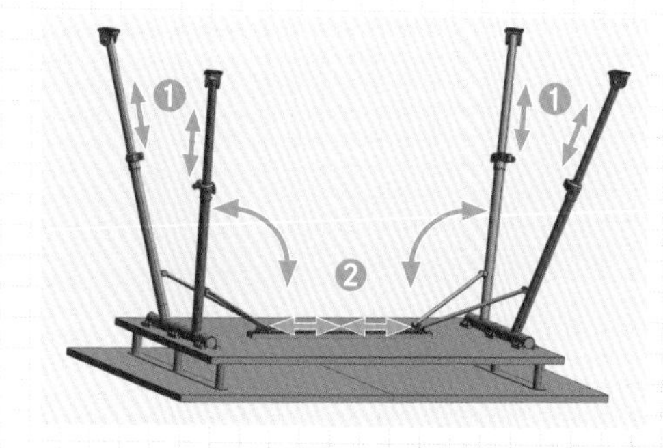

❶脚を縮めて、❷内側に倒すだけ、というシンプルな動作で自在に開閉できる。脚の長さも調整可能だ。

1st 3D model verification
初回3Dモデル検証

全体像を検証し、イメージする構造が成立するかどうかを確認。前掲のスリムRチェアと同様、新入の優秀なスタッフに作成を任せた。

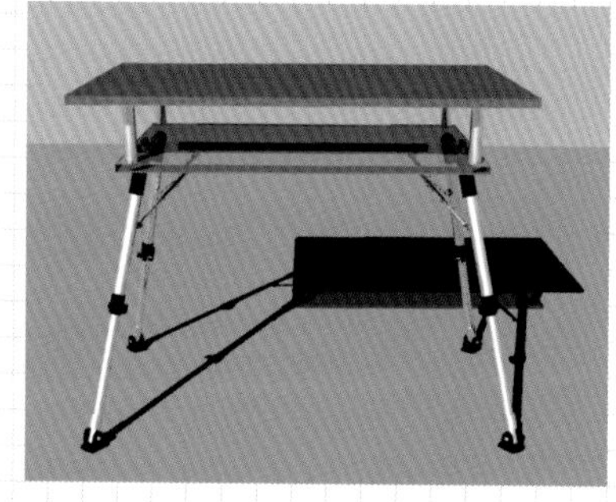

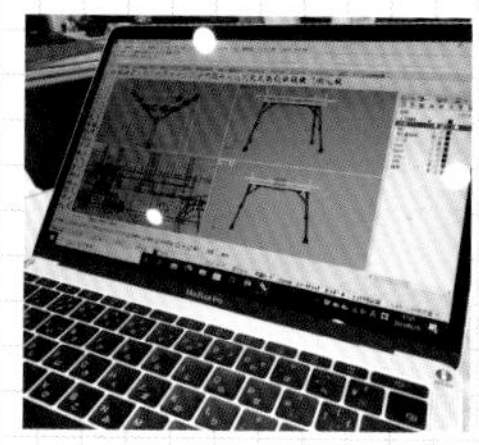

概ねイメージしているテーブルを表現できた。ここから細部の構造を詰めていく。

2nd 3D model verification
第２回3Dモデル検証

この段階で、二層の天板の間に入る柱の数が足りず、天板の強度に不安があることがわかった。

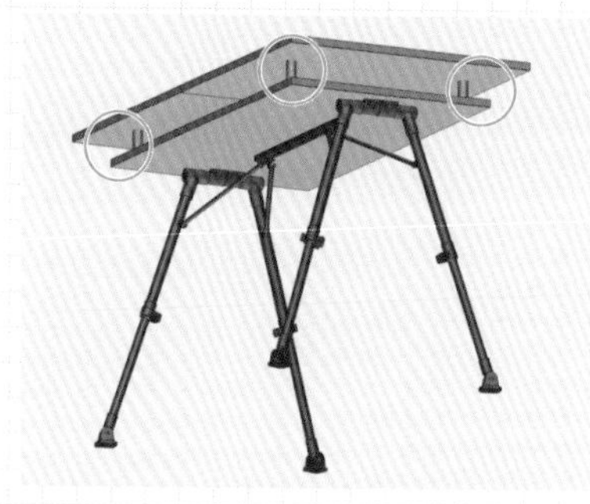

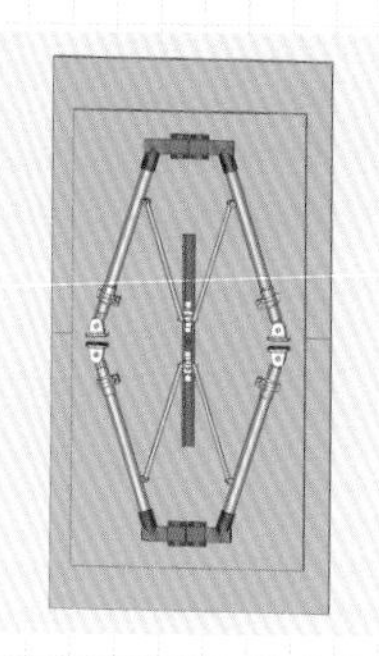

上層の天板を４本の柱だけで支える設計だったが、これでは強度も安定性も不十分だ。

3rd 3D model verification
第3回3Dモデル検証

天板間の柱を６本に変更。全体像はきれいだが、脚部ユニットと天板の接触部分が短く、天板の揺れが懸念される。安定性確保のためには、脚部ユニット上部を伸長する必要があると判断した。

この部分の長さが足りず、天板がグラつく心配がある。

1st Prototype
第１回試作

ここまでの3D検証を経て、原寸大の試作品を作成する。

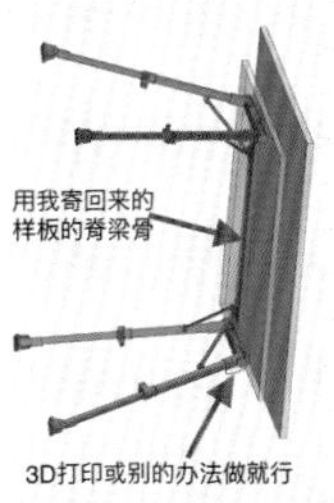

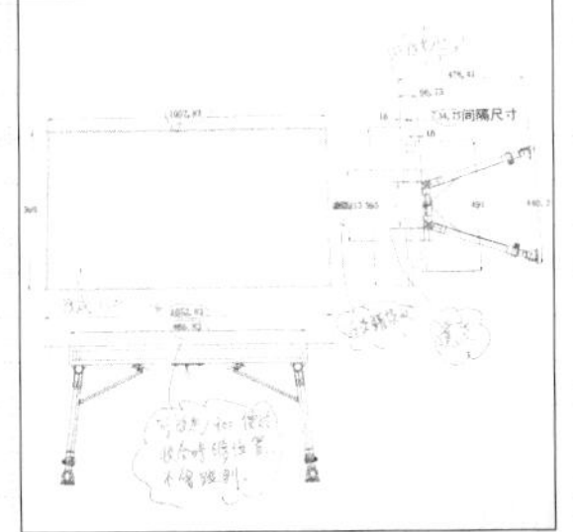

中国本土にある工場への指示書。

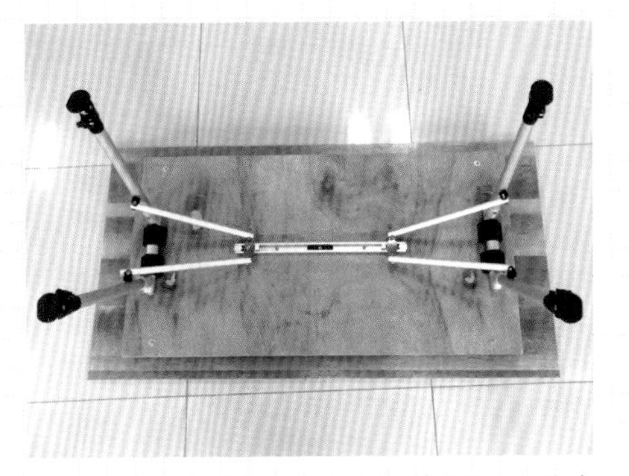

まずは工場にある素材で作ってみた。

4th 3D model verification
第４回3Dモデル検証

天板間の柱の中央２本は、下層天板を貫通し、脚部ユニットに接続する設計だった。しかし現物製造では難しいと判断して、６本すべて同じ留め方に変更するよう決定。

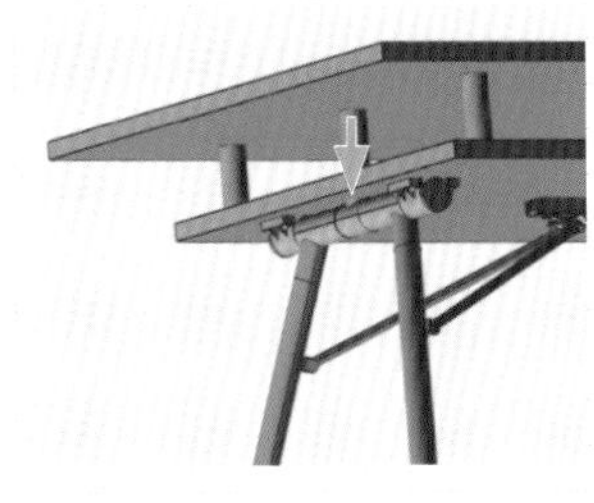

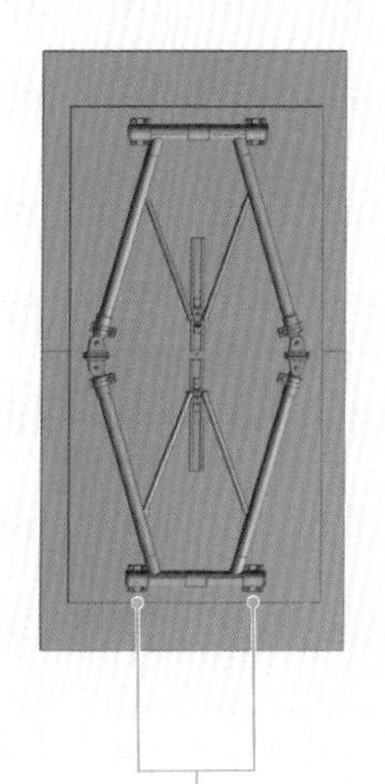

天板を安定して支えられるように、脚部ユニットと天板裏の接触部を長くした。

中央の柱のみ脚部ユニットまで届く仕様だった。

5th 3D model verification
第5回3Dモデル検証

４回目の修正点を直した上で、各部品を確認。ここまでの3D検証により、理論的に製造可能であることが確認できた。

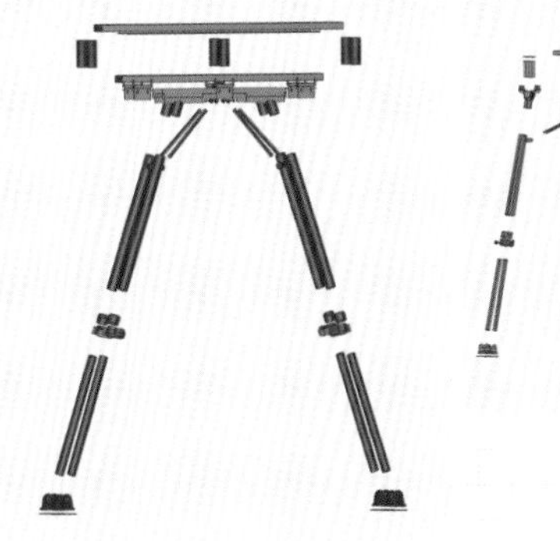

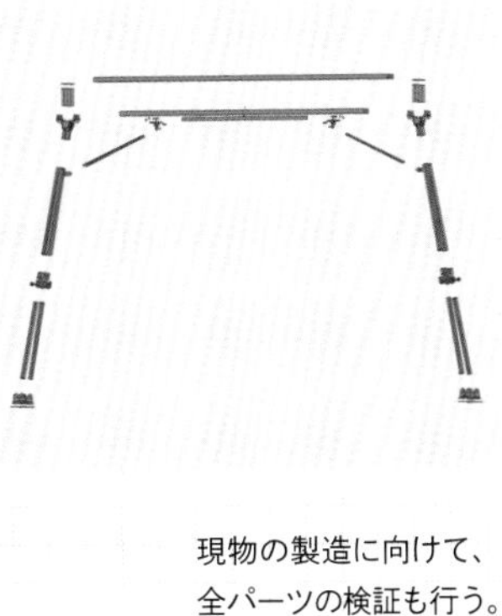

現物の製造に向けて、全パーツの検証も行う。

Prototype test
試作品使用テスト

第５回の3D検証から1カ月、ほぼ本番に近い試作品が出来上がった。早速、屋外での使用感を検証する。

造形的にも機能的にもイメージ通りの出来栄えだ。

Order placement
発注

これで各部、すべての仕様が確定した。製造図面を起こして、いよいよ本生産に入る。

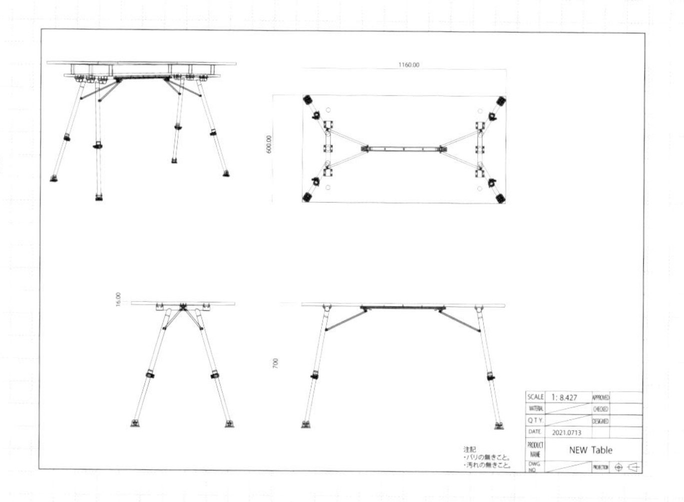

Completed product
完成

「テレワーク用テーブル」をコンセプトにした折りたたみテーブルが誕生。開発当初のイメージ通り、建築的な美しさを備えた造形に仕上がった。インテリアとして「映える」デザインなのはもちろん、優れた収納性、使い勝手の良さ、堅牢な構造は、野外に持ち出すのにも好適だ。

商品スペック

Wテーブル
OW-11660

サイズ（約）
使用時：W116xD60xH54～78cm
収納時：W116xD60xH14cm

板厚：1.7cm

重量：7.3kg

耐荷重：約10kg

材質
天板：メラミン樹脂・グラスファイバー
フレーム：アルミ合金

脚部ユニット上部は、天板裏に管状のパーツで留める仕様に。シンプルで堅牢な構造は、見た目にも洗練されている。

脚は高さ54～78cmの間で無段階に調節できる。ローテーブルとしても使える他、デスクとして使う人の体格に合わせて調整することもできる。

範例 S

サイドカフェテーブル

前述したように内外からのプレッシャーがモチベーションとなって、新商品の開発に至るケースは珍しくない。とはいえそれ以外にも、周囲のふとした言動がきっかけで生まれる商品もある。このサイドテーブルがまさにその例で、ある社員の「こういう風なテーブルがあればいいなぁ」というつぶやきが発端だった。

「こういう風」とは、オンウェーの人気商品であるコンフォートローチェアにちょうど合うサイドテーブルのこと。近年流行のロースタイルを満喫できるこの椅子は、竹素材の肘掛け、コットンの座布という天然素材の組み合わせと、軽量かつ優れた収納性で好評を博している。その椅子にマッチするサイドテーブルがあれば……という何気ない言葉から開発が始まったのだ。

Inspiration
着想

件の社員は「こういう風」なイメージとして、10年前に発売したサイドテーブル2（p.142）の丸い天板を収納庫から持ち出し、コンフォートローチェアの肘掛けに載せてみせた。丸い天板、ローチェアにフィットする高さ、そして折りたためることの三条件を満たすテーブルということだ。

上・サイドテーブル2（p.142）開発時の試作品として残っていた竹集成材の丸天板を、同じ竹素材の肘掛けに載せたのが、最初のイメージ。ここから開発を進めることになった。

右・オンウェーの人気モデル、コンフォートローチェア。低い姿勢で座れる流行のスタイルだ。

Sketch
スケッチ

ネットでサーチすると丸天板のサイドテーブルは存在する。しかし、作りたいのは「折りたたみ」サイドテーブルだ。参考としてピックアップした既存商品の脚部を分断すればたためるのではと考え、スケッチに起こした。

ウェブ上で見つけた「たためない」既存商品のスタイルをたたき台に、サイズ感、そしてたたみ方を考えていく。

最初の段階では、やはりこうした手描きのスケッチが欠かせない。3Dモデルを作るには、イメージを具体的な図面に起こし、数値を入れる必要がある。

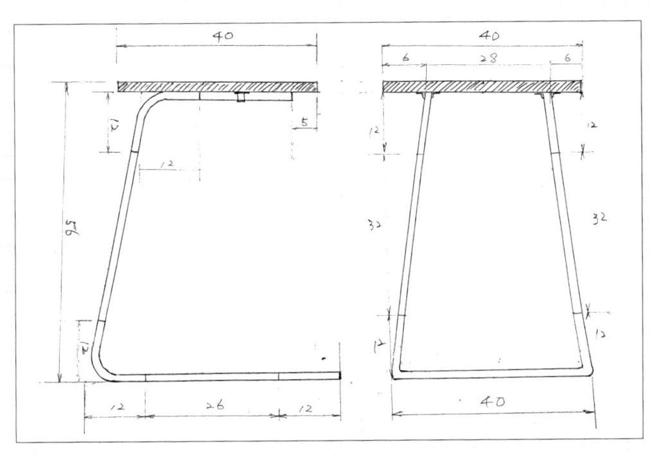

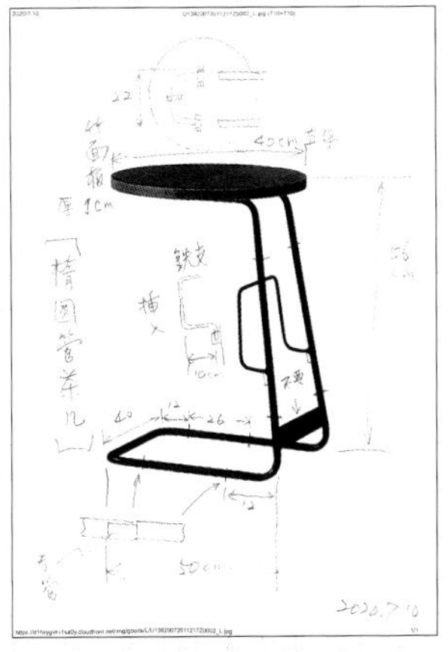

3D model verification
3Dモデル検証

前掲(p.178)のスリムRチェアと同様、ロンドン留学中の教え子に本件のモデリングも依頼。上記の図面と数値を元に、ほぼイメージ通りの3Dモデルが出来上がってきた。

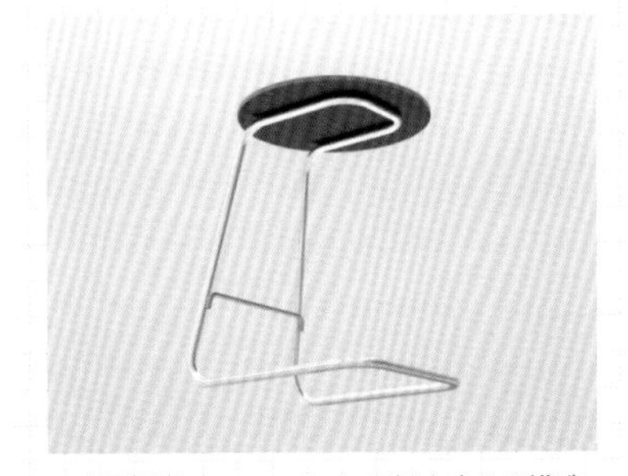

U字型形状のフレームで、天板を支える構造。

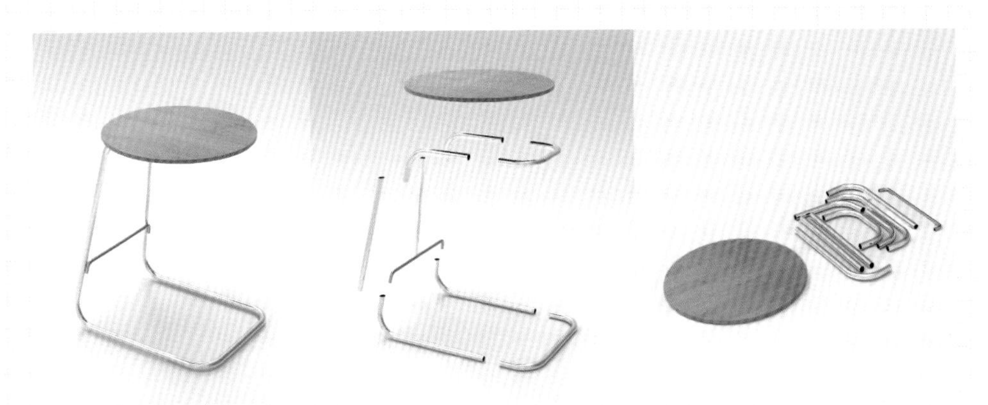

脚部は10のパーツに分解して収納するプランだ。

Specify details
詳細の指定

脚部パイプの分割カ所など細部をロンドンの学生に指示。3Dモデルの修正・検証の上、各部の寸法、脚部パイプの外径なども決定する。

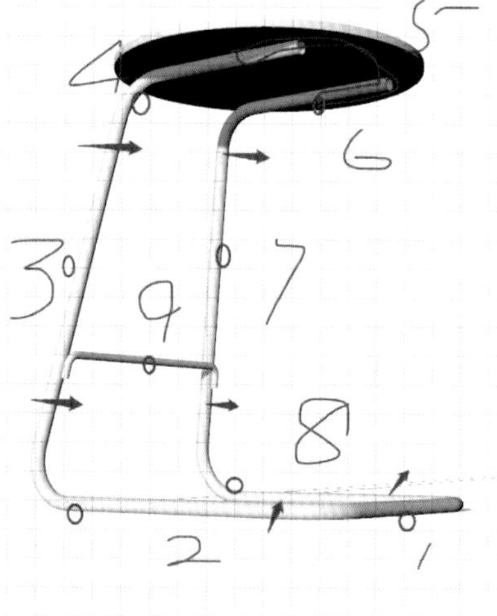
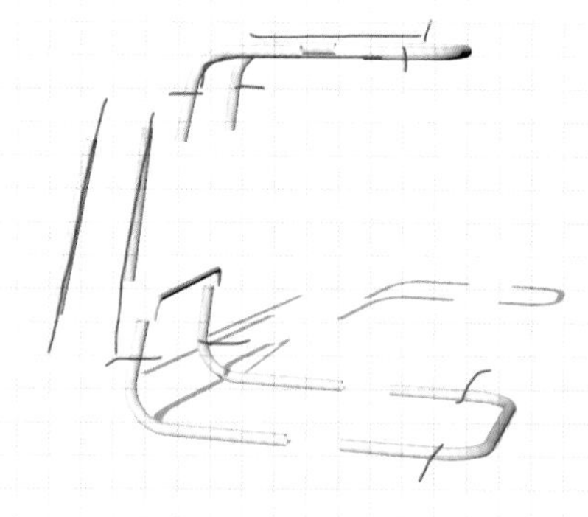

分割して収納するための切断位置を細かく指定する。

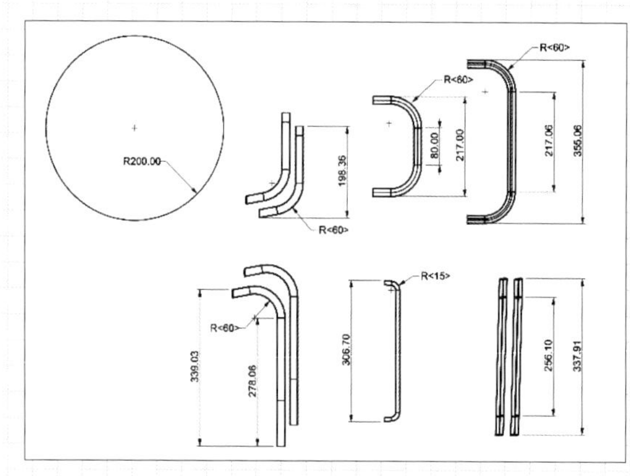

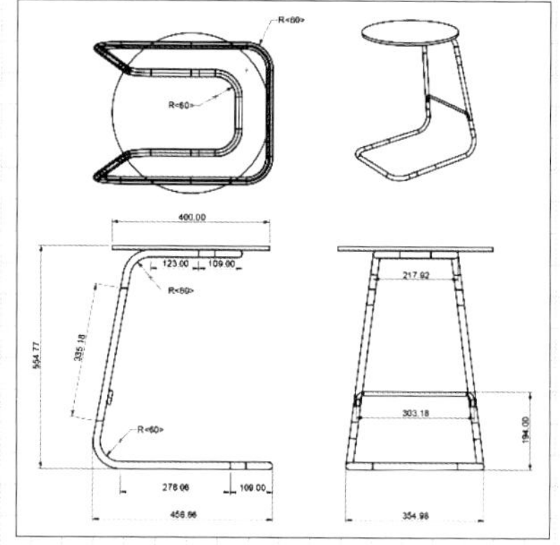

どうすれば使用時に安定するかを念頭に置き、経験を踏まえてサイズやバランスを割り出す。

Prototype
試作品

修正・更新した最終の3DデータをCAD図面に落とし、メーカーに送信。1カ月後にサンプルが送られてきた。確認後、たたみ方など詳細な仕様を詰めて、ファイナルとした。

実際にローチェアと組み合わせて、使い勝手や安定感などを確認する。

Completed product
完成

最初の発案から数えてもわずか1カ月余り。3Dモデルでの検証、それを支えるネット通信の活用によって、デジタル時代ならではのスピードで発売にこぎつけた。ロースタイルの椅子の傍らにピッタリ収まり、コンパクトにたたんで持ち運べる、これまでにないタイプのサイドテーブルの誕生である。

商品スペック
サイドカフェテーブル
OW-4053

サイズ（約）
使用時：W40xD45.6xH55.4cm
収納時：W40xD40xH12cm

板厚：1.5cm

重量：1.65kg

耐荷重：約2kg

材質
天板：竹
フレーム：アルミ合金

洗練されたシンプルなフォルムは、ローチェアや写真のチェアエックス（オンウェー版ニーチェア）の肘掛けのちょうど上に来る、天板の絶妙な位置がポイント。

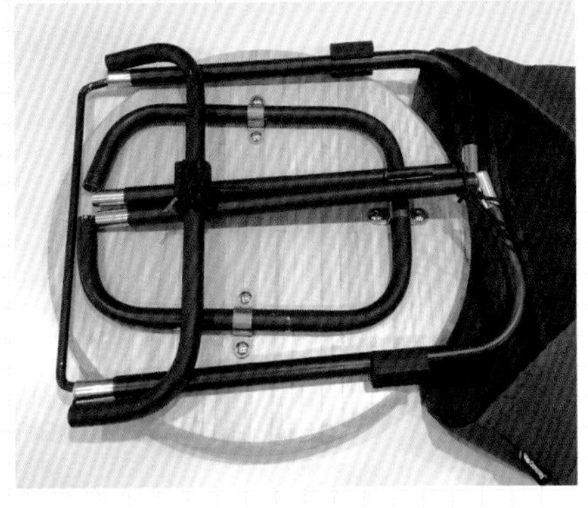

脚部パイプは分解して付属のバッグに収納できる。全てのパーツがパイプ内部に通したラバーコードでつながっているので、バラバラにならず組み立ても容易だ。

column

ビジネスとデザインを「越境」する試み

越境とは、辞書によれば以下のような意味を持つ。

えっ‐きょう【越境】

[名](スル) 境界線を越えること。特に、法的に定められた領界を無視して侵入すること。

──デジタル大辞泉

まさにこの「越境」を体現しているのが、近年、特にビジネスやテクノロジー界隈で注目されている「バウンダリー・スパナー」という存在だ。バウンダリー・スパナー(boundary spanner)とは「異質な組織/個人の境界を戦略的に連結し、縦横無尽に組織行動に影響を及ぼす役割であり、表面上の公式権限がない中、必要な資源に簡易にアクセスし、組織の内部ネットワークを外部情報源と結びつける存在」として、1977年にM. Tushmanが提唱して以降、研究が進められてきた。* 特定分野の専門性の枠内に留まるのではなく、その枠を往来し、他分野との情報交換・共有などを通して発展に資する役割ともいえるだろう。

こうした「越境」という概念は、各個人にとっても重みを増している。コロナ禍においては、いつわが身に「解雇・失業」が起きないとも限らない。意欲的に自分のキャリアを構築していこうという「キャリア確立」の姿勢が、ますます労働者に求められるようになっている。経営側としても、会社の外に出て異質な世界と触れあいながら、学んだり、社会的活動に参加するなどの「越境」を、社員に促す企業も出てきている。

また、「一人ひとりがデザイナー」とも言われている時代だが、何か新しいモノ・コトをデザインする、つまりイノベーションを起こそうとする際に必要な情報は、もはや一個人の専門知識では到底足りない。関連分野、関連業種の知識も必要になってくるのだ。例えば、ものづくりに関していえば、アイデア創出、模型検証、作品制作から商品化までを一気通貫するエキスパートであることが求められるのではないか。そして、教育の世界に目を移せば、教師は現場をよく知ることで職人にも匹敵する知見を持ち、職人が他者に知識やノウハウを伝授することで教師にもなり得る。また、そうなるべきではないのか。

筆者は大学院で日本経済史を専攻したが、ファニチャー製造の機械や金型、製造プロセスまで熟知し、製造工場を持ち、製品の販売にも携わるようになった。さらにそれを基にデザイン教育分野に「越境」し、美大でプロダクトデザインを教えるという経験をしてきた。

歴史を見渡す視座をもってプロダクトデザインを実践してきた筆者のこの経験自体が、越境することで視野が広がり、新しい価値を創出できるという実証だと感じている。

---

* GLOBIS 知見録　グロービス経営大学院　https://globis.jp/article/7871

対談

社会の中のデザイン教育

島崎 信氏に訊く

デザイン教育プログラムは
社会にどう活かされ得るか。

対談

島崎 信氏に訊く
社会の中のデザイン教育

デザイン教育プログラムは社会にどう活かされ得るか。

筆者のような学外の人間がデザイン教育に関わる意味は？
大学で「折りたたみ椅子講座」を教える意義は？
これからのプロダクトデザイン、ファニチャーデザイン、
その教育は社会の中でどうなっていくのか？
本書のテーマにつながるさまざまなイシューに関して、
第１章でも紹介した島崎 信氏はどう見ているのだろうか？
武蔵野美術大学で35年に渡り教鞭を執り、
同時に自身のオフィスにて
インテリア及びプロダクトデザインに携わってきた島崎氏は、
デザイン教育においてもまさに第一人者である。
本書執筆にあたり氏を訪ね、教育とデザイン、
社会との関わりについて、筆者からの質問をぶつけてみた。

昔の職人たちは「教わるものではなくて盗むものだ」と言われていた

教育者／非教育者とは

泉：この本を発表するにあたって一つ気になっていることがあるんです。私は8年間、年1回の講座を持ってきたものの、もともと教育者として仕事をしてきたわけではなく、いわば経歴的には非教育者です。教育界の部外者がこうした本をまとめることについて、反感を持つ人もいるのではと思うのですが。長年デザイン教育に携わってこられた島崎先生はどのように見られていますか？

島崎氏（以下敬称略）：まず、泉さんは自分でデザインを考え写真を撮り、経営もし、すごいことですよ。

泉：貧乏な中小企業なので社長はスーパーマンにならないといけないんです（笑）。

島崎：それがさらに教育分野に侵略しようというわけですね（笑）。

泉：部外者が入ってきて暴れていると（笑）。

島崎：それは冗談として、教育者が私で、泉さんが非教育者という立場で……というのは、それはちょっと違うと。僕はすべての人が教育者になり得ると思っているんですよ。重要なのは、自分が持っている経験、知識をどういうふうに伝えるか、あるいは伝えられるかです。伝えられる人と伝えられない人がいる。伝えられる人は、僕は教育者になりうると思っています。

余談ですが、日本の昔の職人たちというのは、技術を持っているけれども、それを学ぶには、ある程度のレベルの親方の下に弟子入りして仕事をしますよね。そこでは、技術や仕事の仕方は「教わるものではなくて盗むものだ」と言われていたわけ

島崎 信氏は、武蔵野美術大学名誉教授であり、同校工芸工業デザイン科で長年デザイン教育に携わってきただけでなく、本書の舞台となる北京の中央美術学院でも教鞭を執られてきた。椅子の模型はp.208で話題に上るかつての教え子によるもの。

です。こうした親方、職人は、技術は持っているけれども、はっきり言って教育者じゃないんですよ。自分の技術や体験を系統立てて初心者に伝えていくための「組み立て」が、自分の中でできていないんです。というのも、自分もまた親方の下に住み込みで入って、他にどこにも行くことができない時代の中で、殴られながら覚えてきた。世の中どこでもそういうもので、一旦家から出されて入門したなら三食付きで働かされて、家に帰るわけにもいかない、他の職業にも就けない時代だったんですよ。逃げ場がない中で技術を身につけなくてはいけない、だから盗めということになる。親方自身がそうだったから、体系的に初心者に教えられないんです。

経験と技術を持っているだけでは教育者ではない

島崎：ですから1980年頃〜90年代くらいになって後継者がいなくなってしまったという背景には、職人たちはそういう（盗んで覚えるという）経歴でずっときてしまったからということがある。

泉：一方で、その技術を学びたいと思って来た（この当時の）若者たちは、ちゃんと教えてくれるものだと思っているわけですからね。

島崎：そう。しかも他の仕事にも就ける時代。親元から勘当同然に来ているという時代じゃない、逆に「辛かったら帰っておいで」と言われるくらいの時代です。そうした経緯で、技術を継ぐ後継者というのが育たずに断絶しちゃったということなんですよね。この例から見ても、経験と技術を持っているだけでは決して教育者じゃないんです。

日本の大学では、往々にして学者という「知識を持って論文なんかを書いている人」が良い教育者だと勘違いされて、大学の教授として講座を持ったりしていることもあるわけですよ。ところがそうした人の話は独りよがりの言葉であったり、若者たちの興味とか関心をひかなかったり……。何もおもねる必要はないんですよ。けれどもそれなりのこと、伝えるための工夫をしなければいけないのをできなかった人たちが、明治大正の頃にはとっても多いんですよ。というのが前説で（笑）。泉さんが非教育者などというのはとんでもないということです。

泉：恐縮です。

島崎：ただ（おもねる必要はないけれど）、私が大学で言っていたのは「学生を眠らせたら負けだと思っている」ということです。今でも学外での講演を毎週くらいのペースでやっていますが、聴衆が一般の人でも、寝かしちゃったら負けなんですよね。ですから話の骨子は自分の言いたいことをキープした上で、顔を見ながら、この人たちはどういうレベルでどういうことに関心を持っているのかとか、一方ではそうしたことを考えながら、寝かさないように、話をしていくということなんです。

スモールデザインとビッグデザイン

泉：この本では折りたたみ椅子の講座を題材に、私なりの教育プログラムを論じているのですが、デザイン教育と同時に教育のデザインについての本にもなっています。本書でも取り上げている「デザイン思考」という言葉に代表されるように、デザインという言葉が以前とは違って広く使われるようになっていますね。

島崎：デザインということでいいますと、今の世の中、二つありましてね。スモールデザインとビッグデザインという考え方があるんです。いずれにしてもデザインとは「ある目的を達成するための仕組み作り」をいうんですが。

泉：その「仕組み」の違いですね。

島崎：はい。スモールデザインといわれているものは、どちらかというと、より単純なモノの形や色やものづくりに関わることが多いんです。例えていうと「醤油差し」というものがありますよね。仕組みとしては「卓上に置いてある醤油」で、「食事の時に便利に使える」ように、「醤油を思うような量だけ出せて、簡単にしまえる」という目的を達成するためのモノを作れば良いというわけです。そのためには「中身があとどのくらいあるのか見える」「たれずにキリッと止まる」「手に持ちやすい」などを仕組みの要素として複合的に考えていって、さらに側に置いて楽しい、美しい造形にする……というようなことがスモールデザインなんですよ。

一方で、21世紀になってから世界でビッグデザインという考え方が出てきた。それまではデザインというとモノについてのこと、目に見える色や形のことを言っていたんですね。だから美術系（の分野や学科）だった。ところが「目的を達成するための仕組み作り」として、20世紀の終わり頃に語られるようになったのは、「21世紀の日本の国家デザインは……」といったような考え方です。「国を、社会を、この地域を、どうしていくか」という文脈でデザインという言葉が出てきたわけです。色や形だけじゃない、もっと幅の広い意味での仕組み。しかもその中には時間軸というものが入っている。これがビッグデザインです。

泉：スマートシティとか、携帯でタクシーを呼べるアプリのようなサービスもそうでしょう。具体的な、醤油差しのようなモノとして帰結する仕組みではなくて、ビッグデザインは仕組みそのものということですよね。

泉流
デザイン教育

編（**編集担当**）**：**先生からご覧になって、泉さん流のものづくり、デザイン教育の注目すべきポイントとはどんなところでしょう？

島崎：先ほど泉さんは、貧乏な中小企業とおっしゃったかな、親分はスーパーマンでなければならないと。泉さんがなんですごいかというと、まず、折りたたみ家具という商品のデザインをすることで、この時代の動きというのを実際に感じておられるわけですよ。最近は「もう今はアウトドアだけじゃない」とおっしゃいますが、そうした意味での、折りたたみの家具の今日の傾向、社会での受け止めと未来に対しての展望を、実際に営業し、いろんな人と接しておられて実感しているわけですよ。これはね、アメリカ流の今までのマーケティングとは違うんです。アメリカ流の、また今まで日本でもやってきたマーケティングというのは、消費者の動向をアンケートなどで調査するわけです。ということは、消費者の後ろから後追いをして「今の傾向はこうだ」というのを調べている。未来じゃない。だけど昔は十年一昔といわれたのが、今はずっと早い展開になっている。本当のマーケティングというのは動向を一方でつかみながら、その未来性を察知できる目を持つかどうかが重要なんです。それがこれからのマーケティングだと。

泉：あぁ、それはおっしゃる通りだと思います。確かに今までは他社の既にあるものをリサーチなどでまとめて「結論はこうだ」というパターンでしたね。「今どんな製品がたくさん売れているか」といった調査をして、「だからそれ（たくさん売れている路線）に沿ったモノで、ちょっと色を変えたモノを出したらいいんだ」とか言っていたのが、今までのマーケティング。

島崎：だけどもうそれではダメで、それに関係する人間が、もっと総合的な、他の分野を含めた知識やなんかを持っているかどうかで決まってくるのが、これからのマーケティングじゃないでしょうか。ご本人を前にして……ですけど、僕はいつも面と向かって「すごい」って言ってるんですよ。まず今お話しした動向についてのことがある。それから技術的なこと。自社工場をお持ちですから、そこでできる技術の可能性、また、他社のこともわかっておられるわけです。その製造現場で材料が値上がりしたり、スムーズに入手できない材料があるといったようなことも含めて、ちゃんとわかっておられる。製造技術の点でも知識と情報を持っているということ、これはすごく大事なんですよ。で、そういうも

基本的に、好きじゃなけりゃ人間、長続きしないんですよ

のを一つの身体の中に持っている。そしてもう一つは、やっぱり折りたたみの構造を考えることが好きなんですね（笑）。考えられるだけの優れた知識と技術を持っているという前提があるんだけど、基本的に、人間好きじゃなけりゃ長続きしないんですよ。

泉：いやぁ、アイデアももう枯渇していますよ（笑）。

島崎：好きということもあって、折りたたみの構造とか、ポイントになるところを熟知しているわけですよね。しかも熟知しているだけじゃなくて、ご自分の手を使って、その考えた構造のモデルを作り始めるんです。

泉：必ずといって良いほど作りますね。東急ハンズや何かでパーツを買って来て。「こうじゃないかな」と想像したことが可能かどうか、動くかどうか、ぶつからないかどうか、折りたためるかどうかを確かめるには、やはり模型を作って検証するのが一番だと思っています。

島崎：いつも新しいことを考えているから、それを確認するためにモデルを作って、さらにまた考えると。その「考え」の中には、当然のこととして先ほどのマーケティングのことや製造技術の問題も入っている。もちろんコストのことも頭の中にちゃんとありながら、新しい動き方、たたみ方を考えているわけです。そしてさらに経営者として実にすごいのは、アイデアを検証したその後のこととして現物化していくためのネットワークをご自分の傘下に持っているということだね。

泉：（素材や部材の）仕入れ先とかね、どこの何がいいか選別しないといけないんですよ。「できるできる」と言っていても、実際にはできる仕入れ先は少ない。最近では自分で模型を作ってみて（その内容を）ロンドンに送って、そこには優秀な中国での教え子がいて、パーツや細かいところは彼が処理して考えて3Dモデルを作り、そのデータを送り返してくる。スピードも早く、１週間足らずで来るんです。

島崎：現実にそれをもう一度泉さんがチェックして修正し、最終データをご自分の工場に送れば、そのデータで現物を作ることができるわけだ。モデルではなく製品化したものが届くのに１カ月もかからないと。これはね、英語だとアメイジングって言うんですよ。驚きなのよ。で、そういうものづくりをお一人の頭の中でやられる人が、人に伝えるという面でも優れている。相手にどれだけのキャリアや知識があるか、社会経験を積む段階として学生なのか、あるいはすでに工場で少しは仕事をしているのか、いろんな人がいる。泉さんは、その段階に合わせて、相手側がオーバーフローしないよう、理解

壁にぶち当たった時には、必ず「他ではどうやっているんだろう?」と考える

の範囲で受け止められるよう、ちゃんと斟酌して伝えられる。それを私が中国の中央美術学院でご一緒した際に見ていて、伝える能力がある人だなと思ったんですよ。

そして、もう一つ、泉流の教育に関していつも思っていることは、特にクリエイティブな部分で、その学生が持っている新しいものを作っていく能力、学生自身が自分でそれほど意識できていないかもしれないような潜在的な能力を引き出していこうと、泉さんはいつも考えているわけですよね。学生の優れたアイデアも、それが単に形として、機構として実現できるだけでなく、市場に出せるよう、商品として成り立つようにというレベルまでアドバイスをしていく。しかも、そうして完成した製品に対して、ちゃんとロイヤリティーを払っている。

泉: 作品として完成させた後のこと、社会の中でユーザーの目に触れるといったことも体験してもらいたい、知ってもらいたいですから。

島崎: それで学生たちに自信を持たせて、しかもやったものを現実化して。ペイバックまであると。このへんが私が見た泉流のデザイン教育の注目すべきポイントです。

折りたたみ家具とデザイン思考

泉: 先生は武蔵野美術大学で長年デザイン教育に携わり、折りたたみ家具の授業も持ってこられましたが、折りたたみ家具を課題にする意義、折りたたみ家具だからこそ学べる要素というのは、先生のご経験から見てどんなものがあるでしょう?

島崎: 私は日本人がまだあまり海外に行っていない頃、1958年に、日本政府から派遣された研究員としてデンマークの王立芸術アカデミーに行っていました。当時デンマークの家具というのは世界的に優れていましたから。その時に向こうにも折りたたみの椅子やなんかがあって関心を持った。それから特に興味を持ったのは、後に武蔵野美術大学で1975年くらいから、インテリア(デザイン専攻)の三年生に、折りたたみ椅子のデザインを課題でやらせてからです。その課題は単にデザインするというだけではなくて、それを自分が制作する、現物を作るというものです。そして講評の時に私が座る。

編: 先生がお座りになる!?

島崎: そう。すごい勇気がいる(笑)。「せんせ、そーっと座ってください」と言う学生がいたり、それで座ったらバリバリと壊れたりとかね。で、私が亀が逆さになったような格好で、背広の裾が折れたものの間に挟まって立ち上がれなかったり、まぁそんなこともあるわけで(笑)。

泉: (笑)

島崎: なぜこの課題をやったかとい

いますと、これは時代的に、1970年頃にデザインの世界がすごく変わったんですよ。学生運動があって。既成概念をそのまま受け止めるんではなくて、何か新しいことをしようじゃないかと、今までの常識ばかりにこだわることはないというような気運が、いろんな分野であったわけですよ。政治的な意味でもたくさんあったし。で、家具の分野では、椅子だとデンマークで作っていた、ピシッとしたアームがあるような、いわゆる名作家具というようなものではなくて、「腰掛けられりゃあそれでいいじゃないか」と、段ボールの箱でも、クッションだけでもいいじゃないかという風潮が出てきた。で、今でもあるタイプだけど、大きな袋の中にプラスチック（ポリスチレン）のビーズが入ったグズグズのもの。それに座って身体をこう預ければそれで形になっているような……。

泉：今また流行ってますね。

島崎：そうそう。イタリアのサッコ(Sacco)[*1]なんていうのができたりしたわけですよ。だからね、当時、武蔵美の中で学生たちに椅子のデザインをしろと言ったら木の切り株を持ってきて、「これでも座れるじゃないですか」と。「僕はこれがいいと思います」と言い張ればそれまでなんですよ。だけど、私が教えたいことは違う。人間の身体のある姿勢を支える道具なわけですよ。椅子というのはね。そして、安楽性というか、長い時間座って疲れないという機能を持たなければいけないと。強度も必要であると。それから造形的な美しさも必要であると。そういうことをその時代に教えるにはどうしたらいいかと思ったわけですよ。そこで前から関心を持っていた「折りたたみ椅子を作る」という課題にしたわけです。そうすると理屈抜きにして、まず折りたためなきゃいけないんだから（笑）。

泉：折りたためる構造となると、感覚だけではできませんからね。いやでも学生さんは考えなきゃならないと……。

島崎：出来上がったものが折りたためて、しかも座れて、強度もあって、そしてある姿勢を支えるということもあって……というのを全部満たさなければダメなわけだけれど、私が言葉で教えなくても自分たちで考えるんですよ。この考えるということが大変重要なことで。考える中で壁にぶち当たった時には、必ず「他ではどうやっているんだろう？」と考える。「（この条件や仕組みで）出来上がっているモノがあるはずだ。それはどういうモノだろう？」と。自分の感性とかアイデアだけではダメであって、もっと広い眼を持たなければならないということを、自分で感じるわけですよ。これも最初は5分の1の動きのあるモデルを作って、もうその段階で大体わかってくるわけです。

折りたたみ家具を学ぶ意義として、もう一方では、歴史的な意味があると思います。折りたたみ椅子というのは、紀元前からあるわけですよ。中世の頃には、その大きな目的としては、狭いところに住んでいて、道具をそれほど持てない人たちが、椅子は必要だけれど、座らない時も常時それで場所をとっていると困るので、スペースをセーブするために隅にしまっておくとか、必要な時に出してきて広げて使うためということがあった。私は、これはね、将来都市化が進んで、都市の人口がますます増えていくということになれば、都市での暮らしというのは大きな面積を持たないで、小さな、コンパクトな生活をしていくということが必要だろうと思うわけです。それにはかさばった椅子じゃなくて、折りたたみのできる椅子の方が、将来性があると。

泉：私は本書で触れていますけれど、折りたたみ椅子というのは、教育のテーマとして取り入れた場合、作る過程において立体的な構成を頭の中で考える必要があることで、学生の想像力のトレーニングになると思っています。作品として出てくる結果は、失敗する場合もあるんですが、このプロセスは非常に大事だと思いまして。頭の中で「こうなるはずだ」と折りたたみの構造を構想して、実際に作ってみて「あぁ全然違う、使い物にならない」となってしまうものもできてくるんですが、この「折

筆者にとって島崎氏との対話は、常に刺激と共感に溢れた時間だ。「デザインとは仕組み作り」という氏の言葉に、筆者自身のデザイン思考についての考えと通底するものを感じた。

りたたみの構造を考える」というのが一つの重要なポイントだと思って、やってきたんですけどね。

編：「動きを考える」ことは、他の家具の制作ではまずないということですよね？

泉：はい。それだけ難しい、チャレンジングなコースでもあり、敬遠する学生もいます。到底できないからやめておく、他のコース、他の先生のコースをとるという人もいる。それでもチャレンジしようという人は多くて、私のコースは受講する学生が（他の講座と比べても）ダントツに多かった。今までの教科書にはない頭のトレーニング、立体構成のトレーニングができるということに、学生さんたちも興味、魅力を感じているのかもしれません。

学生の傾向でいうと、スモールデザインとアートとの境界がなくなってきた

スモールデザインとアート

泉：島崎先生から見て、そうした学生さんたちの受け止め方や傾向は昔と変わってきましたか？

島崎：傾向でいうと、造形をする、モノの、椅子のデザインをするという、いわゆるスモールデザインの場合に、アートとの境界が時代的になくなってきたんですよ。

泉：あぁー、そうですね。

島崎：アートの場合は見たところの美しさ、新しさというようなものが主流になるわけです。例えば純粋絵画や純粋彫刻のアートの場合なんかは、自分で表現の材料、キャンバスやなんかを含めて買ってきて、自分で作業をする場所を探して、そして、

日本人として初めてデンマーク王立芸術アカデミー研究員となった島崎氏は、帰国後、武蔵野美術大学での授業で、1975年という早期から折りたたみ椅子を学生の実技課題としていた。

壁みたいに見えるハードルが、かえって拠りどころになる

1点だけ作って、それを気に入った人が一人いれば、一対一で譲るとか、発表するとかいうようなことですむわけです。ところが、プロダクトデザインの分野、生産を伴う分野においては、クリエイトをした人とは別に、そのアイデアの現物を一定の量作る人たちがいるわけですね。さらにそれを多くの人に対して捌(さば)いていく人たちもいる。量産、販売という経済行為が成り立たないと、それを生業にする人たちは困るわけです。と同時に、対価を払った使用者がそれを使って楽しむということ。プロダクトデザインでは、これらが全部成立しなきゃいけないわけで、アートのように一人だけが関心を持ってOKすればいいというもんではないわけですね。

泉：しかしそのへんの領域が曖昧になってきているということですね。

島崎：ええ。で、デザインをする、クリエイトをする人間も、自己表現しようと、自分の考えやこだわりを主張する傾向があるけれど、純粋アートであれば簡単にできることなんです。

泉：それはそうですね。自己満足とも言えますね。ところがプロダクトデザインではそうはいかない。

島崎：この区別がね、時代的につかなくなってきているんですよ。そして一方では自己表現をするのに「理屈がいっぱいあるのはめんどくさい」と言う連中がいることも事実なんで

北京の中央美術学院、校門前の島崎氏。氏は1980年代から同大学で折りたたみ椅子の講座を持っておられた。

すよ。さらにまた別に、自己表現といっても自分が何をしたいのか、自分が何者かがわからない連中もいっぱいいる。そういう連中にしてみると、デザインをしていくのにハードルがいくつかあって、これこれをクリアしなきゃいけないというのは、壁みたいに見えるけれども、それがかえって拠りどころになる、キッカケになるんですよ。例えば、表現としてならどんな寸法でもいいはずだけれど、人間工学の観点からいうと座面の高さは420mmが適切だとか、そうしたことが一つの拠りどころとして考えを組み立てていく要素になっていく。そういうタイプもいっぱいいるわけです。それで、そうしたハードルを乗り越えていって出来上がったものが、泉先生のお眼鏡にかなって、商品になっていくというのを目の当たりにすると、それにチャレンジしたいと思う学生はいっぱいいるわけですよ。

編：先生が教えていらした学生さんたちも、（ハードルを越えるのに）苦労なさっていましたか？

島崎：それはもう、みんな苦労しましたよ。例えば、この椅子（飾り棚の中の折りたたみ椅子モデル）は、1983年かな、解放直後の中国の中央美術学院に行ったときに僕が課題で出したものなんです*2。

泉：ああ、そうでしたね。

島崎：あの時にはまだ中国は本当に貧乏な時代で、大学の中に（今のように）工房もあったわけじゃないし、木や何かの材料の調達だってホームセンターがあるわけじゃないし。学生は非常に努力して作ってましたね。

泉：あの時代は大変でしたね。この模型を作ったのは牛（ぎゅう）さんですね。

島崎：そう、彼がとっても印象的だったのは、最後に中央美術学院での僕の任期が終わって帰る日、校門の前に車が来て空港に行こうという時、学生たちがずらっと並んで送ってくれたわけですよ。その時にね、ひとりの学生が、これが牛さんだったんですが、ダーッと走ってきて、私の車の窓を叩くんです。で、僕が開けたら、袋に入ったものを渡すわけですよ。何かわからないけれど、「謝謝（シエシエ）」と言ってもらって、そして車が少し走ったところで見てみたらそれが……。この折りたたみ椅子のモデルだったわけです。

牛さんの思い出

島崎：これをもらったのは1987年の11月15日なんですよ。ここに牛と書いて、1987年と。

泉：いや〜、おもしろい。彼は今、編集長になっていますよ。清華大学（中国）の、家具研究室のウェブマガジンで。家具の流行とか世界の名作を紹介する欄を担当していて、非常に人気があるんです。

島崎：それで今度は2016年、ということは29年後に泉さんと一緒に北京に授業をしに行ったわけです。その時にはもう僕が教えた連中はちゃんとした建築家になっていたり、北京オリンピックのスタジアムを作ったりしていたわけです。ずいぶんご馳走になったね（笑）。

泉：（笑）

島崎：そしてその時に、僕はこれ（牛氏作のモデル）を持って行ったの。

泉：びっくりしてましたよね。感動して。

島崎：牛さんに、これを見せたら涙して。あれから30年近く、これを大事に持っていたってことで。その時に、彼はまたここにサインをしてくれたんですよ。当時のもので、アルミニウムを糊で貼ったりして、現実の椅子としてはもたないところもいっぱいあるんだけど、とにかくよく作ってある。

泉：この仕組みがね。

デザインとは「機能の具現化」

島崎：ところで、泉さんはこれまでビジネスをやってこられて、今度は教育……それも自分の知識を人に伝えるだけなら、（講演などで）話をしたり本に書けばいいわけだけど、同じような分野をやってきた、またはやる人を育てたいという気持ちになった背景というのは、逆に私から聞きたいですね。

泉：そうですね……今の若い人たちがこれから社会に出て行って出会う課題やテーマに取り組むためには、それなりの知識が必要です。例えばこの折りたたみ椅子講座では「立体的にイメージすること」を重視していますし、この本の中で徹底して強

島崎氏は、教え子の「牛さん」が30年近く前に作った折りたたみ椅子のモデルを大切に保管していた。

右ページ・現在とは違いエリート学生といえどもモノがなかなか手に入らなかった時代の中国で、懸命に作られた模型。作者の牛氏が2016年にサインを追加した。

見た目が良いだけのものは、一時の「いいね」だけで終わる

調しています。頭の中で立体をイメージするといっても、特に折りたたみ椅子のように「動き」のあるものは非常に難しい。経験しないとなかなかできることではないんです。だからこそ、そういう経験、能力を持ってほしいなと。その能力は椅子に限らず建築でも、あるいは他のものづくりでも大いに活かせる、非常に大事な能力だと思っています。つまり、今までの自分の経験を伝えること以上に、むしろ自分に似た能力、性格の人間を育てたいという気持ちがあるんですね。私自身、あれもこれもやってしまって、スーパーマンなどとまわりから言われて……まぁ疲れますけれど（笑）。これから社会に出て行っていろんな課題に対応できる人材を増やしたいんですね。

また、逆に言えば、「動き」をイメージできないと、「折りたたみ」という機能をデザインするのはまず無理だろうと思います。

島崎：折りたたみ椅子は非常にわかりやすい例ですね。デザインは造形ではなくて機能なんだと。機能を現物化するんだということなんですよ。その上で、できれば造形的に美しいものにするんだと。見た目がどうであるかなんて以前に機能がちゃんとしていなくちゃだめなんですよ。昨今はデザインというと、ビジュアルなものが雑誌やテレビ、SNSやなんかで重要視されてきているけど、それは一時だけ、「いいね」を集めて、それで終わり。だから、今、世の中に良いデザインが出てきていないんですよ。

社会の中の
スモールデザイン

島崎：実はね、デンマーク王立芸術

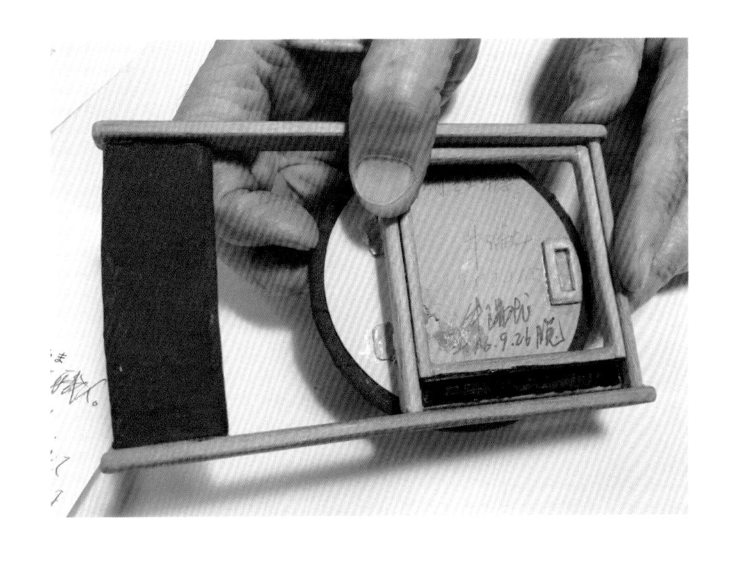

デザインをしていくということは、
社会活動をしていくということなんだ

アカデミーでの私の在籍期間は、本当は1年だったんですが、オーレ・ヴァンシャー[*3]という教授が「もう1年いろ」と、日本大使館にかけあってくれたんです。特別許可で3年近くいて、いよいよ帰国という時に言われたことがあるんです。発展途上国……当時は日本も発展途上国ですから……の留学生、あるいは私のような研究員は、母国へ帰ると若者たちの育成に携わる、すなわち教員になるのが一つの決まった形だった。「だから君もおそらくそうなるだろう。けれども、デザインをしていくということは、社会活動をしていくということなんだ」と。社会の経済というものに対して、実践的に続けてやっていかなくてはならない。だけれど先生になると学校の中の仕事に忙殺されると。そうすると社会の中でのクリエイティブな活動、あるいは社会の動きそのものから段々と縁が遠くなっていくと。ところが、デザインを教えるということは、社会の動きと密接に関係があるんだと。だから教師をやっていても、現役のデザイナーとして実際のデザイン活動もやらなきゃいけないんだと。けれどもそれがなかなかできないんだと、こう言うんです。そこを注意しなさいと。「では、どうしたら？」と聞いたらね、「スタッフを抱えろ」と言われたんですよ。事務所を持ってスタッフを抱えろと。スタッフを食べさせなきゃいけないから仕事しなきゃならないでしょ。

泉：給料を払うために、必然的にデザインの仕事をするということですね。

島崎：そういう意味でも、泉さんのデザイン教育というのは、まさに社会の動きと密接なわけだ。学生作品を実社会に出すということだけでなく、ご自身が現役でものづくりをしている、その生きたエッセンスを教育の中で展開できるんだから。

教育現場での
デザイン思考

泉：デザイン思考というのはこの数年間盛んに雑誌や書籍で取り上げられていて、文系、理系、いろんな立場で、それぞれの理解や解釈が語られていますが、話題になったきっかけであり、その大本というのは本書でも触れているIDEO[*4]のスタンフォード大学の先生による「デザイン思考」なんですね。ただ、私から見ると、大学や大企業の皆さんは、何かそれを図式化してしまっている傾向を感じます。このIDEOが決めたプログラムに沿ってやれば結果につながるという図式を、みんな信奉というか追随してやっているように見えます。それはそれでいいんですが、しかしそもそもデザイン思考というのはスタンフォード大学の先生が発明したものではないと私は考えているんです。日本にも昔からある形で、それを整理していないだけの話で。例えば、ラーメンなら「どこの大豆を使って、どのように醸造した醤油を、どのぐらいの量入れるのか。どんな食材からどのくらい時間をかけて出汁を引けば、求めたい味になるのか」といったプロセスは昔からみんなが工夫しています。それを図式化やプログラム化していないだけです。しかも、そうしたプロセスはそれぞれに違うので、決してこれが絶対という正解があるとは思わないんです。この本で伝えたいのは、私なりのデザイン思考の一つの実例なんです。（学生の作品という）結果はいろいろですが、今回は、「デザインを教えるためのプログラムをデザインすること」、デザインのためのデザイン思考というものを実践してみたんですね。その評価は別にして、教育をデザインするという一つの試みとして。私のこのプログラムは前半はIDEOに似ていますが、後半は違います。教育とは決して図式化してはいけないと。この異質な、教育者ではない私が「教育プログラムをこうデザインしたら、こういう結果が出てきました」……という実践例の紹介を、本全体を通してやってみたわけです。

島崎：この世界は１＋２は３だという真理を追求するところじゃないんですよ。いろいろな形があっていい。その中で納得がいき、それに参加して、途中でやめた人にとってさえもそのプロセスをやったことがプラスになるようなプロセスであればいいわけですよ。いろいろな形、試みがあっていいと。全部の人がこれに従えと言っているわけではないと。

編：日本人はマニュアル化が好きなところがありますから。スタンフォードのシステムをそのままやりたくなっちゃう。

泉：そう。輸入して「これをやって次は討論して、そうするとこういう結果が出て、また討論して……うまく行った！」という成功パターン。その同じパターンを大企業各社の開発部がやり、それはそれでいいのでしょうけど、業種によって、決してそのパターンが共通するものではない。教育分野では私なりの違ったパターンでやってみたわけです。これはあくまでも一つの試みであって、多分批判される場合もあるでしょうけれど（笑）。それはそれでいい。

島崎：他でやっていることを知る必要はある。吸収する必要はある。だけども、自分でやるならば、それに自分なりのことを加えていく、あるいはそれを吸収していきながら自分のやり方を作っていかなくちゃいけないんですよ。私が今まですべてにおいて他人のやらないことをやってきたのはそこにあるわけですよ（笑）。やっぱり知識として、勉強としてはアンテナを張って吸収してやってきていますからね。今度の「学びの杜」も、その中に作った「椅子の学び舎*5」にしても、すべては「他のところにはない形の場を作ろう」という試みです。（長年携わった）大学の教育でもできないようなことを学べる、大学の教育とも並行してできるようなものにしたいんですよ。木工をやるところもありますし、家具の木を削ったりする道具を作る鍛冶場も作ります。というのは、例えば面を丸くしたい場合、ヨーロッパではヤスリで削るんですが、日本の指物師は、このアールに合わせた小さな鉋（かんな）を作るわけですよ。

泉：道具から作ると。

島崎：道具を作るというのは、日本の木工技術の基本なんですよ。それができるようにしようと。刃物も全部作る。

泉：過去にないプログラムですね。

島崎：そう。あそこでは羊も飼っているんですよ。

泉：農場まで！

島崎：子羊も生まれて、年に一回毛を刈ってね。糸にするのは大変なんで、それでフェルトにしているんです。フェルトにして、椅子のシートの上にポンと載せて使うというような形にしたり、いろんなことをやろうとしているんですよ。

泉：いいですね。それもまた一つの、デザイン思考の具現化ですね。

*1 サッコ（Sacco）　ピエロ・ガッティ、チェーザレ・パオリーニ、フランコ・テオドーロら3人の若手デザイナーにより、1968年に発表。現在のビーズ・チェア、クッション・チェアと呼ばれるものの起源となった。

*2 島崎氏は1980年代より中国の中央美術学院からの要請を受け同校で折りたたみ椅子の講座を持っていた。

*3 オーレ・ヴァンシャー（Ole Wanscher）1903-1985　王立芸術アカデミー家具科でコーア・クリントと共に働いた後、1928年自身のデザイン事務所を設立。家具デザイナーとしてデニッシュモダンデザインを牽引すると同時に同校家具科の教授としても貢献した。

*4 IDEO（アイディオ）1991年、英米四つのデザインコンサルティング集団の合併によって設立されたデザインコンサルティング会社。米国カリフォルニア州パロアルトに本拠を置き、英米各都市の他、上海、東京に拠点を持つグローバル企業。

*5 椅子の学び舎　島崎氏のコレクションを中心とした250脚の椅子を展示。実際に触れ、自ら作る等の「体験する学び」を通したアクション・ミュージアムを目指す施設。学びの杜（https://mtfuji-wcs.localinfo.jp）内に2022年オープン。https://www.isuno-manabiya.com

島崎 信
Makoto
Shimazaki

武蔵野美術大学名誉教授。北欧建築デザイン協会理事、日本フィンランドデザイン協会理事長、(公財) 鼓童文化財団特別顧問、有限会社島崎信事務所代表。2017年度日本・デンマーク国交樹立150周年親善大使。
東京都出身。東京藝術大学卒。1956年東横百貨店 (現東急百貨店) 家具装飾課入社。58年JETRO海外デザイン研究員として日本人で初めてデンマーク王立芸術アカデミー研究員となる。同校建築科修了。帰国後、国内外でインテリアやプロダクトのデザイン、プロジェクトに関わる傍ら、武蔵野美術大学工芸工業デザイン学科で教鞭を執る。家具や生活用品に関するデザイン展覧会やセミナーを多数企画。北欧やデザイン関連の著作・監修作多数。特に折りたたみ家具は、最も力を注いでいるテーマの一つ。
著作では『一脚の椅子・その背景：モダンチェアはいかにして生まれたか』建築資料研究社 (2002年)、『デンマーク デザインの国：豊かな暮らしを創る人と造形』学芸出版社 (2003年)、『美しい椅子〈1〉～〈5〉』エイ出版社 (2003～2005年)、『日本の椅子：モダンクラシックの椅子とデザイナー』(2006年)『ノルウェーのデザイン：美しい風土と優れた家具・インテリア・グラフィックデザイン』(2007年)『ウィンザーチェア大全』(共著、2013年) 共に誠文堂新光社、『未来に通用する生き方』(共著) クロスメディア・パブリッシング (2017年) 他。

結びにかえて

激変する社会で、新しいモノやコトを生み出す「創意」は、ますます重要になるだろう。この確信の下に、本書では、筆者なりのデザイン教育、筆者流のデザイン思考とその応用などを論じてきた。最後にそのエッセンスをまとめておこう。

1 継承と進化

創意はどのようにして生まれるのだろうか。

本書は、教育現場の実例から、まさにこの創意が生まれるプロセスを考察すると同時に、「デザイン思考」の意味を再考しようとする試みだ。ものづくりの技術は日々進歩しているが、しかしその技術を駆使して何か「モノ」、または「コト」を作ろうという「創意」こそが肝要だ。まず創意があって、それを実現するのが技術なのである。もちろん、その技術や手法は時代と共に進歩してきたし、新たな技術がまた新しい発想を生むこともあるだろう。しかし、そのテクノロジーの豊かな発展に対して、今の世の中に足りていないのが「創意」なのだ。

創意、つまり独創的な「アイデア」を生み出すために、昔も今も人々は変わらず大いに努力している。ただ、そのアプローチの手法は時代と共に変化してきた。本書でも頻繁に登場する「3Dモデル」「3Dプリンター」などは、今日、大いに活用されている身近なテクノロジーだ。それらを駆使することで、かつてはな

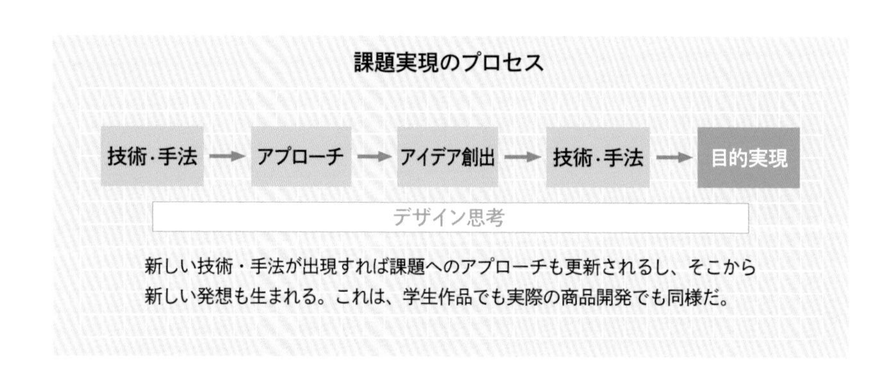

新しい技術・手法が出現すれば課題へのアプローチも更新されるし、そこから新しい発想も生まれる。これは、学生作品でも実際の商品開発でも同様だ。

かったスピードや段取りでアイデアが実現できるようになったともいえる。
本書では、筆者が北京の中央美術学院で年に一度の集中講座として、8年間続けてきた教育プログラム、つまりアイデア創出のための土台作りから、そのアイデアが実際の作品として完成するまで、あるいはさらにその先の商品化までのプロセスを、多数の実例と共に振り返っている。具体的な講義と実技のプロセスをステップごとに例示することで、デザイン思考——目的のための問題解決の手法——が、ものづくりにおいて、またデザイン教育においてどんな意味を持つかを探ろうとしたのだ。
結果としてわかったのは、学校での講義及び実技での作品制作プロセスは、現実のビジネスにおけるものづくりのプロセスと共通しているということだ。どちらのプロセスも、それ自体は決して新しいものではなく、世の中に数多くあるアプローチの一つに過ぎない。第4章では筆者自身の近年の創作手法を紹介しているが、これも同様だ。
ものづくりの現場では、日々、従来の手法を捨てたり、新たな手法を導入したり、また一方では過去の優れた考え方を継承している。近い将来には、さらなる技術の進歩によって、また新たな手法が生まれることは間違いないだろう。AIの進化、ハイテクの進化により、今よりさらに効率的に、加速度的にものづくりは進化していくに違いない。そしてこの流れは「モノ」に限ったことではない。「モノ」における継承と進化と同様に、「コト」の継承と進化もかなりのスピードで進んでいる。われわれは激動の世界に生きているのだ。ますますスピード感をもってデザイン思考を理解し、新しい「モノ」、「コト」を考えなければならない。新生と淘汰のサイクルはますます短くなっている。ついこの前ヒットしたもの、話題になったものがアッという間に過去のものになるケースは、枚挙にいとまがない。

こうした今の社会情勢を見てもわかるように、手法と道具は常にアップデートする必要がある。時代に合ったものでないと目的を達成することができない。システム（コト）と、それを動かす道具（モノ）があって初めて結果につながるのだ。これからのデザイン思考は、柔軟な思考法と立体的な視野で「モノ」「コト」を考え、アプローチしなければならないだろう。スピーディーに考えて、スピーディーに動くこと。これがますます重要になってくるに違いない。

本書は「折りたたみ椅子」を主軸に展開しているが、その考え方や手法は家具に限らず広い分野での創作、そして教育現場においても共通するものがあると確信している。

2　アイデア創出のための訓練法の提言

第2章で筆者は、「鍵」は図書館にあると書いた。本文にあるように、課題解決の鍵は大量閲読だ。図書館には大量の書籍がある。この公共の知的財産を大いに活用するべきだ。

創作は大量閲読、大量訓練から

ここでいう大量閲読とは、密に、そして長期間に関連書籍を閲読することだ。

1. 大量の知識を吸収し、脳にインプットする。
   多かれ少なかれ、自然に頭の中に知識が残る。後で合理的に抽出するための「知識の大量備蓄」と考えるべきだ。
2. 大量訓練とは、毎回閲読した内容を自分の脳を通して整理し、引き出せるように説明する練習。例えば、本の著者は何を言いたいのか、何を伝えたいのかを理解し、自分の言葉で著者の言いたいことをまとめる訓練のことである。

これらの結果として以下のような効果が期待できる。

・モノを見る「眼力」が備わるようになり、物事の本質を見通す力がつく。

・問題を自分なりに分析することができるようになる。

・問題解決の糸口を見出せるようになる。

筆者は大学院生時代に相当量の書物を閲読した。指導教官であり、経済学部長であった水沼知一教授の指導を受けて、週に一冊の本、主に近代思想史、社会史、経済史などの書籍を読み、翌週月曜のゼミでその著者が何を言いたいかを報告する。さらに大量閲読した本の内容をまとめてそれぞれの年代に起きたこと、事件などの断片的な出来事を横軸としてまとめ、閲読した本の内容を年代の縦軸で分析、整理。歴史的観点からさまざまな事件や出来事、社会現象が何を意味するのか、何が見えるのかを探る――という訓練を課された。これをほぼ2年間続けるという「地獄のトレーニング」を経たおかげで、今、世の中で起きたこと、起きていることの本質や脈絡がある程度見えるのだ。

この「見える力」は、眼力と言い換えても良いだろう。この力によって、問題を解決する糸口、つまり「鍵」を得ることができるのだ。これは歴史学だけに限った話ではなく、どの業種でも共通する方法論であると筆者は思う。デザイン思考とは文系、理系といった区別を超えて課題を見つけ、それを解決する方法論のことであり、この大量閲読の訓練こそ、筆者が提唱したい「泉流デザイン思考」の要なのだ。

第2章で詳述しているように、プロダクトデザインにもまさに同じ方法論が当てはまる。時として、創作のアイデアが湧いてこない、何を着眼点に、どんな切り口で考え、どこから手をつければ良いか途方に暮れる――という経験は、デザイナーの方々の共通の悩みだと思う。知恵の枯渇は知識の枯渇だ。脳に蓄積された知識が足りないから、問題解決の方法が見出せない。脳から引き出す

「材料」がないのだ。結果としてアイデアが生まれてこないということになる。
時には何かの外的な刺激が引き金となって、創作のアイデアが湧き出ることもあるだろう。しかし、それは当人がそれまでに蓄積した知識が触発されたからだ。蓄積されたものがなければ、刺激を受けたところで無関心だろうし、そもそも刺激と認識しないかもしれない。大量閲読、または大量訓練で知識は意識的あるいは無意識的に頭に残る。外部の何かを見たり、聞いたりしてふと、その蓄積した「分子」が表層意識に浮かび上がってくるのだ。
その最適な例として、やはり第2章第2項で紹介している奥山清行氏の名をここで再び挙げておこう。渡米後、GM（ゼネラル・モーターズ社）勤務時代に、彼は資料室で先人が残した大量のスケッチを模写し、車の外見ではなく、内部の基本構造まで描き写すことで車のすべてを覚えてしまったのだ。その後の創作のベースには、この大量の模写で吸収した構造、造形、そしてそれが放つ美意識があることは間違いない。ここで最も大事なのは、それが「大量であること」だ。

3　デザインの教育

日々、加速度的に進化するものづくりの手法や技術について触れたが、学校教育で扱うべきは、そうした最新のツールの使い方やスキル教育だけではない。本講座は創意の案出やそれを実現するためのプロセスの体験、すなわちデザイン思考の能力を鍛えるためのプログラムだ。
技術は常に進歩している。つい最近まで盛んに使っていたスキルが、陳腐化し、新しいものに取って代わられるケースは数知れない。しかしデザイン思考の力は、ひとたび身につけた後は、アップグレードを怠らなければ、何かに取って代わられ、不要なものとして忘れ去られることはない。
そして、昨今の社会環境の激しい変化により、デザイン教育も学問分野をまたいだ学際的な総合教育へと転換する時代となっている。すなわち、ものづくりもデザインを学ぶ人の独占的なものではなく、使用者が考案者、作者になり得るのだ。もはや専門教育を受けたエキスパートではない、社会の幅広い層の人々が日常的にデザインをやっている時代へと転換している。だからこそ、トレンドの技術を追う以上に重要なのが、それを使う創意を生み出すためのデザイン思考なのだ。
本講座は、わずか２週間という短い期間に高難度・高密度の課題を受講生に課す、極めて強度の高いトレーニングだ。こんなカリキュラムは、北京の中央美術学院の多様で豊富な教育プログラムの中においても本講座一つしかない。この２週間は、学生たちが過ごす４年間の大学生活の中ではほんの一瞬でしかないかもしれない。しかし、着想から現物の完成、あるいは製品化にまで至る一連のプロセスを体験することによって、デザインの本質を多かれ少なかれ理解できるし、ある程度の思考力、実践力も身につくはずだ。
ここまで書き連ねたように、本書は、学生たちが創作行為に必要なものは何かを学び、座学と実技を通して、どのように自分の作品を仕上げるかを焦点に展開した。学生たちの着想の由来、制作手段や素材選びなどの試行錯誤を含む実践例を収録することで、「泉流デザイン思考」の紹介にとどまらず、読者の皆さんがそれぞれの「デザイン思考」にアプローチする一助になればと願っている。とりわけデザインを学ぶ学生の皆さんやデザイン教育に携わる先生方、プロダクトデザインに関わるクリエイターの皆さんや商品開発の現場におられる方々が、受講生たちと私の奮闘の記録から、何らかの気づきを得ていただければ、これに勝る光栄はない。

おわりに

デザイン思考に関する書籍や文章はすでに数多く存在する今日、今さら私がそれを語ることに意味はあるのだろうか……という迷いがあった。語るとするなら、どこから着手するべきか。正直なところ、最初は自信がなかった。しかし、私が講師を勤めた８年間、毎年の講座で積み上げられた学生作品の多くは実に素晴らしく、貴重なものだ。作品一つひとつが持つ創意、ひらめきと試行錯誤の物語が、時の流れの中で埋没し、忘れ去られてしまうのはあまりにも惜しい。それぞれの作品がどんな発想からどのように完成したのかを参考資料として、そして目的達成のためのアプローチ方法の一つとして、読者とシェアし、残しておくべきではないかと思い、執筆に至ったのだ。

学生たちの作品は、第三者から見れば、ただの「粗大ごみ」に見えるかもしれない。だが、教育者の目から見れば、そういった「粗大ごみ」は社会貢献に大きな意味があり、あるいはビジネスマンの目から見れば、うまく「料理」できれば大きなビジネスチャンスにつながる素材でもあり得る。そうしたビジネスマン視点からのデザイン教育、ビジネスマンとして実践すべき創意へのアプローチに絞って展開する本にすることも可能だが、この種のビジネス書に関心のない読者には届かないかもしれない。学生たちとの体験は、もっと広い意味を持つもののはずだ。

ではどんな立ち位置の本として展開するべきか、何をどう語るべきなのか。商品デザインに関する商業本にするのか、デザイン教育に関する本なのか。執筆開始時点で、大いに悩み、迷っていた。大量の文章や覚え書き、写真をどうまとめるかも悩みどころだった。

そうした中で、島崎 信先生のご指導をいただきながら、そして誠文堂新光社の中村智樹氏のご助言をいただき、推敲してきた。いろいろと模索した後、内容の構成をできるだけシンプルに、そして教育に絞って展開。この主題からずれないよう、文脈を貫くように意識して執筆を進めることにした。

ひとたび書き始めてみると、序章、そして第１章へと原稿が進むにつれ、だんだんと全体の輪郭が見えてきた。いける、自分の思いをまとめて読者に伝えられるという自信もついてきた。そうして後の文章も主題に沿って書き切ることができたのである。

創意——独創的なアイデア——を、どこから、どうやって得るのかというのは、多くのデザイナーやクリエイターの悩み事だ。私自身も常にその悩みを抱えている。本書に記したアプローチ、方法論は、私なりのものであり、数多くの選択肢の一つでしかないことは、重ねて強調しておきたい。

この紙面を借りて、学校教育の機会を与えてくださった中国の中央美術学院城市設計学院副院長田海鵬先生、高楊先生、萨日娜先生に深謝申し上げます。

筆者の前著書に続けてご理解とご協力をいただき、本書の文章の内容構成など編集してくださった山喜多佐知子さんに深く感謝します。

この本の最初企画段階から相談に乗っていただき、貴重なご意見をいただいた島崎 信先生に深く感謝申し上げます。

2023年4月

泉　里志

泉 里志
Satoshi Izumi

オンウェー株式会社代表取締役。中国の中央美術学院城市設計学院プロダクトデザイン学科客員教授。公益社団法人日本インテリアデザイナー協会正会員。公益社団法人日本インダストリアルデザイン協会正会員。東京都立大学経済政策専攻修士課程修了。商社勤務の後、1995年にオンウェー株式会社を設立。プロジェクト企画や国際会議企画など幅広く事業を展開するかたわら、アルミ素材を使った折りたたみ椅子やテーブルを主軸に、独創的な折りたたみ機構と造形にこだわった家具を発表し続けている。作品はグッドデザイン賞受賞多数。
https://www.onway.jp

参考文献一覧（発行年代順）

Tibor Kalman. *Chairman Rolf Fehlbaum* : Lars Muller Publishers, 2001.

Charlotte Fiell, Peter Fiell. *Chairs* : Taschen America Llc, 2001.

鈴木惠三『DoLoveChair 日本人の椅子：デザインプロデュースの現場から』建築資料研究社（2001年）

島崎信・野呂影勇・織田憲嗣『近代椅子学事始：The new theory and basics of the modern chair：武蔵野美術大学近代椅子コレクション』ワールドフォトプレス（2002年）

Mel Byars. *The Best tables, chiars, lights: Innovation And Invention In Design Products For The Home* : Rotovision, 2005

島崎信『日本の椅子：モダンクラシックの椅子とデザイナー』誠文堂新光社（2006年）

奥山清行『伝統の逆襲：日本の技が世界ブランドになる日』祥伝社（2007年）

岩嵜博論『機会発見：生活者起点で市場をつくる』英治出版（2016年）

良品計画『MUJIが生まれる「思考」と「言葉」』KADOKAWA（2018年）

ジャスパー・ウ『実践スタンフォード式デザイン思考：世界一クリエイティブな問題解決』インプレス（2019年）

奥山清行『ビジネスの武器としての「デザイン」』祥伝社（2019年）

ティム・ブラウン『デザイン思考が世界を変える〔アップデート版〕：イノベーションを導く新しい考え方』早川書房（2019年）

佐宗邦威『世界のトップデザインスクールが教える：デザイン思考の授業』日経BP 日本経済新聞出版本部（2020）

暦本純一『妄想する頭思考する手：想像を超えるアイデアの作り方』祥伝社（2021年）

太刀川英輔『進化思：考生き残るコンセプトをつくる「変異と適応」』海士の風（2021年）

堀井秀之『イノベーションを生むワークショップの教科書：i.school流アイデア創出法』日経BP（2021年）

佐渡島庸平『観察力の鍛え方：一流のクリエイターは世界をどう見ているのか』SBクリエイティブ株式会社（2021年）

写真提供
泉 里志

イラスト
荘 凱新　余 継譯

編集
山喜多佐知子（ミロプレス）

装丁・デザイン
大木美和、前田眞吉（em-en design）

実践！創意を育むデザイン思考

キャンパスから発信するデザイン教育の具体例

2023年6月16日　発　行　　NDC502

著　　者　泉 里志
発 行 者　小川雄一
発 行 所　株式会社 誠文堂新光社
〒113-0033 東京都文京区本郷3-3-11
電話 03-5800-5780
https://www.seibundo-shinkosha.net/

印刷・製本　図書印刷 株式会社

ISBN978-4-416-92366-5